**Corso multimediale
d'italiano**

Linda Toffolo
Renate Merklinghaus

Libro dello studente ed esercizi

www.edilingua.it

© **edizioni Edilingua** 2005
Sede legale
Via Cola di Rienzo, 212 00192 Roma
Tel. +39 06 96727307
Fax +39 06 94443138
info@edilingua.it
www.edilingua.it

Deposito e Centro di distribuzione
Via Moroianni, 65 12133 Atene
Tel. +30 210 5733900
Fax +30 210 5758903

ISBN: 978-960-6632-15-0 (Libro + CD audio)

Hanno collaborato:
Antonio Bidetti, Maria Grazia Galluzzo, Giuliana G. B. Attolini, Rosa Pipitone

Illustrazioni: A. Boncompagni, Arezzo - S. Scurlis (Edilingua)
Progetto grafico: Edilingua

Ogni azione umana ha un impatto sull'ambiente. A Edilingua siamo convinti che il futuro del nostro Pianeta dipende anche da ognuno di noi. **"La Terra ha bisogno del tuo aiuto"** è una piccola ma costante campagna di sensibilizzazione rivolta agli studenti: ogni nostro libro vuole essere un invito alla riflessione, uno stimolo al risparmio energetico e alla riduzione delle emissioni di CO2. Ulteriori informazioni sul nostro sito (in "chi siamo").

Stampato su carta priva di acidi, proveniente da foreste controllate.

Cari studenti
Care studentesse,

finalmente ci ritroviamo per continuare il nostro affascinante e piacevole viaggio nella lingua, nella civiltà e nella cultura italiana. Oramai avete raggiunto una buona conoscenza di base dell'italiano e potete certamente essere fieri del vostro successo e della vostra costanza.

Se conoscete già *Allegro 1* e *2*, non avrete nessun problema con la struttura di questo terzo volume. Se è la prima volta che viaggiate con *Allegro* ... non vi preoccupate perché la sua semplice struttura vi sarà subito chiara!

Allegro 3 - libro di testo si compone di:
● 12 unità;
● tra queste, 3 sono di ripasso (4ª, 8ª e 12ª unità). Si tratta di unità di rinforzo sulle quattro abilità. Infatti, vi troviamo attività per parlare, ascoltare, scrivere e leggere;
● esercizi, da svolgere preferibilmente a casa;
● un approfondimento grammaticale di facile consultazione che vuole essere un completamento delle schede grammaticali che trovate alla fine di ogni unità;
● un glossario organizzato per unità;
● un CD.

Al termine di ogni unità trovate, dunque, oltre alla sintesi grammaticale, una breve ma utilissima scheda riassuntiva degli strumenti comunicativi incontrati durante la lezione.

Allegro, oltre ai dialoghi (introduttivi e non) e agli esercizi, contiene anche attività di ascolto e di lettura che hanno come obiettivo familiarizzare con la lingua e prepararvi all'incontro con l'Italia e gli italiani.

Allegro è non solo un percorso di studio della lingua italiana, ma anche un modo per conoscere meglio l'Italia e il suo sorprendente popolo. Quindi, tanti auguri e ... buon viaggio!

Qui in basso potete trovare espressioni che possono essere utili durante la lezione:

Indice

1

Sei un mito!

Osservate.

Ecco un'opera d'arte, due personaggi e un oggetto che sono famosi in Italia e all'estero. Vi viene in mente qualche altro "mito" italiano?

La Primavera *di Sandro Botticelli*

Sophia Loren

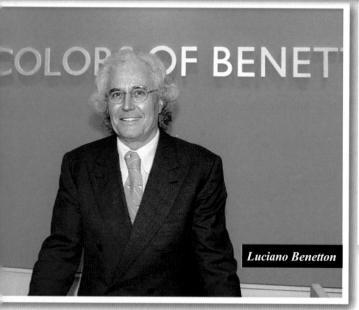

Luciano Benetton

il violino Stradivari

Lavorate in gruppi.

Quali sono invece i "miti" del vostro Paese?

A Un mito di ogni giorno

1 🎧 Ascoltate.

Che rapporto c'è tra le due donne che parlano?

● Ah, signora Marini, è Lei!

○ Sì, buongiorno, scusi il disturbo. Stamattina hanno portato questo pacchetto per Lei.

● Grazie, che gentile ... ma senta, visto che è qui, perché non entra un attimo? Stavo proprio per farmi un caffè.

○ Sì, grazie, un caffè lo prendo sempre volentieri.
 ...

● Ecco, è una vecchia Bialetti, ha anche il manico rotto, ma Le assicuro che il caffè lo fa bene.

○ Ah, ma guardi che anche noi usiamo la moka ... anche se, a dire il vero, per un periodo l'avevamo messa da parte.

● Ah sì, e come mai?

○ Eh, siccome mio figlio voleva fare il caffè come quello del bar, ha comprato una di quelle macchine elettriche per espresso e cappuccino.

● E Lei ha rinunciato alla Sua brava moka?

○ Io veramente non ero per niente convinta, era così ingombrante e poi era difficile da pulire ... ma dato che non volevo contrariare mio figlio, per un periodo l'ho usata.

● E come si è trovata?

○ Ma guardi, a dire il vero, il cappuccino lo faceva benissimo ma il caffè ... il caffè no. A casa a me piace bere il caffè fatto con la moka, sentire il rumore del caffè che sale, sentire il profumo che riempie la cucina ... No, questa macchina veloce, zac zac, non era fatta per me. Insomma, alla fine ho ripreso la mia caffettiera.

● Sa cosa Le dico?
 Ha fatto bene.
 Ecco, il caffè
 è pronto.
 Lo prende con
 lo zucchero?

Quali vantaggi offre una macchina da caffè elettrica, quali vantaggi offre invece la moka?

2 Raccontate.

C'è un profumo o un suono in casa che vi mette particolarmente a vostro agio? Quale?

3 Lavorate in gruppi.

Indicate tre oggetti quotidiani da cui non vi separereste mai, confrontate le vostre scelte all'interno del gruppo e riferite in plenum. Quali sono gli oggetti indispensabili per la vostra classe?

4 Rileggete il dialogo e completate.

Trascrivete le frasi che usa la signora Marini per dire:

«mio figlio ha comprato una macchina per l'espresso perché voleva il caffè come quello del bar»

....

....

«l'ho usata per un periodo perché non volevo contrariare mio figlio»

....

....

Che cosa notate?

5 Lavorate in coppia.

Cercate di spiegare in poche parole il fatto a cui si riferiscono
i seguenti titoli di giornale aiutandovi con le congiunzioni date.

dato che / visto che

perché

siccome / poiché

SCIOPERO TRASPORTI, RISCHIO CAOS NELLE CITTÀ
Domani si fermano per 24 ore bus, tram e metropolitane

**Inter partita sfortunata, 1-1 a Kiev,
Coppa dei Campioni addio**
I nerazzurri pareggiano a Kiev

**PENSIONI MINIME:
due volte al mese alla Caritas**
Mario C.: «Come si vive con 400 euro di
pensione al mese?»

Es. 1–5
pp. 114–115

B Un mito ... coi baffi

1 Leggete il testo.

Sottolineate tre espressioni che caratterizzano la Moka
Express e che vi sembrano importanti per descriverla.

■ *Nel 1933 Alfonso Bialetti, osservando il funzionamento
di un primitivo modello di lavatrice, ha un'idea geniale che lo
porterà a creare la Moka Express.*
■ *Oggi la Moka Express Bialetti è uno dei pochi prodotti industriali rimasti invariati da quando sono nati. Il suo segreto sta
nella forma e nel metallo usato che, trasmettendo calore all'acqua in modo uniforme, esalta particolarmente l'aroma del caffè.
Infatti l'alluminio è poroso: assorbe il gusto del caffè restituen-
done l'aroma anche a distanza di tempo. Questo piccolo grande
segreto spiega la ragione di oltre 200 milioni di Moka Express
vendute in tutto il mondo e della presenza della Moka nel 90%
delle famiglie italiane. Tant'è vero che nel corso degli anni la
Bialetti si trasforma da piccolo laboratorio semiartigianale
sulle rive del Lago d'Orta in una grande azienda internazionale.*
■ *La caffettiera numero uno al mondo vanta oggi tra i tanti
record anche quello di essere la caffettiera più copiata. Volendo posse-
dere l'originale invece, si deve fare attenzione all'ormai mitico Omino coi Baffi, il
marchio Bialetti nato da un'idea di Renato Bialetti. Il figlio di Alfonso infatti, avendo intuito
l'importanza del marketing e della pubblicità, aveva creato negli anni '50 l'omino con il nasone, i baffoni e il dito puntato al cielo che ha fatto conoscere la Moka a milioni di italiani.*

 C'è un oggetto tipico nelle case del vostro paese che si potrebbe paragonare alla Moka
Bialetti?

2 Rileggete.

Cercate nel testo le parole che corrispondono alle espressioni seguenti.

un uomo piccolo ....

un naso grande ....

dei baffi grandi ....

3 Lavorate in coppia.
Da quali parole derivano i seguenti diminutivi e accrescitivi?

ragazzino ◆ bacione ◆ cittadina ◆ fiorellino ◆ successone
bellino ◆ tazzina ◆ bottiglione ◆ pacchettino ◆ febbrone

4 Completate e osservate.
Completate le frasi con le forme del gerundio.

Alfonso Bialetti, ... il funzionamento di una lavatrice ha un'idea geniale. mentre osserva
L'alluminio assorbe il gusto del caffè .... l'aroma. e ne restituisce
.... possedere l'originale si deve fare attenzione all'Omino coi Baffi. Se si vuole
.... l'importanza del marketing, aveva creato l'Omino coi Baffi. Siccome aveva intuito

Cercate nel testo l'altra forma del gerundio e provate a riformulare la frase.
Che particolarità notate nell'uso del gerundio?

5 Riformulate.
Leggete le frasi e riformulatele con l'aiuto delle seguenti congiunzioni.

se
e
mentre
siccome
perché

Bevendo molti caffè rischi di essere troppo nervoso.
La mattina leggo il giornale facendo colazione.
Il caffè sale riempiendo la cucina con il suo profumo.
Avendo bevuto molto tè, ieri sera non sono riuscito ad addormentarmi.
Preparando il caffè ho rotto il manico della caffettiera.
Chiacchierando con la vicina ho dimenticato la caffettiera sul fornello.

6 Lavorate in gruppi.
Una persona del gruppo pensa ad un oggetto concreto. Le altre persone gli fanno delle domande sulla sua funzione, sulla forma, sul materiale ecc. È possibile rispondere solo con sì o no.
Chi indovina continua il gioco pensando ad un altro oggetto.

ESEMPIO ▸ È di legno / vetro / plastica?
Si usa in casa / sul lavoro / all'aperto?
È quadrato / rotondo / di forma allungata?

7 Discutete.
Macchina per il caffè espresso, DVD, sistema di navigazione satellitare, pannelli solari ...
Ci sono invenzioni tecniche recenti che fanno parte della vostra vita quotidiana?
Quali invece vi sembrano superflue? Quali ritenete utili, ma non usate (ancora)? Perché?

Es. 6–10
pp. 116–117

1 Lavorate in coppia.

Conoscete Giacomo Casanova? Che cosa sapreste raccontare di lui?

2 📖 **Leggete.**

Giacomo Casanova

era già in vita un mito della sua epoca. Era conosciuto soprattutto per le sue avventure e per i suoi amori con le donne di ogni età e classe sociale. Ma non fu solo un grande avventuriero, fu anche un attento osservatore della società del '700. La sua intelligenza e la sua forte personalità gli permisero di accedere alle corti di tutta Europa. La sua autobiografia ci dà oggi un quadro suggestivo di quella società.

Giacomo Casanova nacque a Venezia il 2 aprile 1725. I genitori erano attori e da bambino visse soprattutto con la nonna materna. Cominciò presto a viaggiare e, dopo la laurea in giurisprudenza a Padova nel 1742, continuò a girare per l'Italia.

Nel 1744 arrivò a Roma dove cominciò a studiare il francese, che diventò più tardi la sua lingua preferita nello scrivere.

Poco dopo rientrò a Venezia ma ebbe problemi con le autorità per le sue avventure amorose e dovette fuggire a Parigi. Fece ritorno a Venezia tre anni più tardi, ma poco tempo dopo, sotto l'accusa di aver disprezzato la Santa Religione, finì nelle terribili prigioni veneziane, "i Piombi", da cui riuscì però a fuggire nel 1756. Tornò a Parigi e da lì riprese a viaggiare, questa volta per l'Europa, visitando anche Varsavia e Mosca. Venne così a contatto con i personaggi più influenti dell'epoca.

Dopo molti anni rivide la sua amata Venezia ma la sua vita si concluse in Boemia, nel castello di Duchov, dove lavorò per lungo tempo come bibliotecario e scrisse le sue memorie.

Morì nel 1798 all'età di 73 anni.

Avete ricevuto dal testo informazioni nuove su Casanova? Quali?

3 Completate.

Scrivete accanto alla frase l'anno relativo all'avvenimento.

.... nascita a Venezia   .... fuga dalle carceri veneziane

.... laurea in giurisprudenza   .... morte a Duchov

4 Rileggete.

Nella biografia di Casanova trovate un nuovo tempo verbale: il passato remoto.
Sottolineate le forme presenti nel testo e trascrivetele accanto agli infiniti.
Notate delle affinità tra di loro?

essere	*fu*	rientrare	....	venire	....
permettere	....	avere	....	rivedere	....
nascere	....	dovere	....	concludersi	....
vivere	....	fare	....	lavorare	....
cominciare	....	finire	....	scrivere	....
continuare	....	riuscire	....	morire	....
arrivare	....	tornare	....		
diventare	....	riprendere	....		

5 Osservate.

Ecco adesso la coniugazione completa dei verbi regolari.
Del passato remoto si usano soprattutto le forme in grassetto. Perché, secondo voi?

cominciare	dovere	finire	Giacomo Casanova
cominciai	**dovetti**	**finii**	nacque a Venezia.
cominciasti	dovesti	finisti	cominciò presto a viaggiare.
cominciò	**dovette**	**finì**	visse in periodi diversi a Parigi.
cominciammo	**dovemmo**	**finimmo**	fu un avventuriero.
cominciaste	doveste	finiste	scrisse le sue memorie.
cominciarono	**dovettero**	**finirono**	morì nel castello di Duchov.

6 Scrivete.

Con un compagno scegliete un personaggio a piacere e scrivete
una breve biografia. Leggetela in plenum senza nominare il
personaggio. Chi indovina di chi si tratta?

Es. 11–12
pp. 117–118

Ascolto

1 Ascoltate.

Ascoltate la conversazione tra
una signora straniera e il portiere
dell'albergo dove alloggia.
Che cosa chiede la signora?
Perché si interessa di Garibaldi?

2 Mettete una crocetta accanto alle affermazioni corrette.

Garibaldi era

☐ una figura della Resistenza italiana.   ☐ una figura del Risorgimento italiano.

☐ un ufficiale.   ☐ un generale.

☐ un re.   ☐ un eroe.

☐ un repubblicano.   ☐ un monarchico.

3 Completate.

Ascoltate ancora una volta il dialogo e completate le frasi con gli elementi mancanti.

Nel periodo attorno al .... l'Italia era divisa in tanti staterelli.

A quel tempo l'Italia del Sud era governata ....

Prima di diventare una repubblica l'Italia era un ....

Il primo re è stato ....

Garibaldi è detto anche ....

4 Lavorate in gruppi.

Ricordate altre informazioni ottenute dal dialogo?

Sei un mito!

1

D Un mito risuscitato

1 🎧 **Ascoltate.**

Perché hanno dovuto ricostruire *La Fenice*?

2 🎧 **Ascoltate e completate.**

Inserite al posto delle lacune le seguenti espressioni.
Che funzione hanno?

Davvero ◆ Certo che ◆ Figurati che ◆ cosa vuoi ◆ è chiaro

● Sai che hanno finalmente riaperto il
Teatro *La Fenice*?

○ ....? No, non lo sapevo. Allora
i lavori sono finiti?

● Eh, sì ... ed era anche ora! Sono durati
sei anni! .... il comune ha
cominciato la ricostruzione nel '97, un
anno dopo l'incendio. Adesso, dopo
diverse interruzioni, finalmente hanno
finito. Per l'inaugurazione c'è stato un
concerto diretto da Riccardo Muti.

○ Beh, ..., per un evento del
genere. .... questo teatro ne ha
viste delle belle! Due volte bruciato e
due volte ricostruito ...

● Eh, ..., per la città di Venezia
La Fenice è più che un simbolo, è un
vero e proprio mito!

3 **Completate e osservate.**

Rileggete il dialogo e trascrivete le espressioni mancanti.

> Allora i lavori .... finiti?
>
> Sì, il comune .... cominciato la ricostruzione nel '97
>
> e adesso finalmente .... finito.

Quando si usa l'ausiliare *essere* con il verbo *finire*? Quando si usa *avere*?
Qual è il soggetto di *hanno finito*? A chi si riferisce?

4 **Completate.**

Completate le frasi tratte dagli articoli apparsi sulla stampa italiana all'indomani dell'inaugurazione del Teatro *La
Fenice* con i verbi *cominciare* o *finire* al passato.

Il sindaco di Venezia Paolo Costa:
«In questi giorni si raccoglie una sensa-
zione: l'incubo .... È stato
un brutto sogno.»

.... la nuova vita
del Teatro *La Fenice* di Ve-
nezia.

Riccardo Muti .... la serata inaugurale alla *Fenice* con l'Inno di Mameli.
Quando l'orchestra .... di suonare
l'inno, il pubblico era molto emozionato.

5 **Lavorate in coppia.**

C'è un edificio nella vostra città o nella vostra zona che hanno costruito o ristrutturato da
poco? Scambiatevi le informazioni che avete al riguardo.

Es. 13–15
pp. 118–119

Raccontate.

Conoscete la favola di Pinocchio?
Lavorate in gruppi e raccogliete ciò che ricordate.

Leggete.

Leggete un brano tratto dal terzo capitolo e scegliete
tra i titoli proposti quello adatto ad ogni capoverso.

☐ Geppetto fa il viso al burattino

☐ La casa di Geppetto

☐ Il naso di Pinocchio comincia a crescere

☐ Pinocchio ruba la parrucca a Geppetto

☐ Pinocchio ride

☐ Geppetto dà un nome al suo burattino

Capitolo 3

*Geppetto, tornato a casa, comincia subito a
fabbricarsi il burattino e gli mette il nome di
Pinocchio. Prime monellerie del burattino.*

1 La casa di Geppetto era una stanzina terrena,
che pigliava luce da un sottoscala. La mobilia non
poteva essere più semplice: una seggiola cattiva,
un letto poco buono e un tavolino tutto rovinato.
Nella parete di fondo si vedeva un caminetto col
fuoco acceso; ma il fuoco era dipinto, e accanto
al fuoco c'era dipinta una pentola che bolliva alle-
gramente e mandava fuori una nuvola di fumo,
che pareva fumo davvero.

2 Appena entrato in casa, Geppetto prese subito
gli arnesi e si pose a intagliare e a fabbricare il
suo burattino.

«Che nome gli metterò?» disse fra sé e sé. «Lo
voglio chiamar Pinocchio. Questo nome gli porterà fortuna. Ho conosciuto una famiglia intera di
Pinocchi: Pinocchio il padre, Pinocchia la madre
e Pinocchi i ragazzi, e tutti se la passavano bene.
Il più ricco di loro chiedeva l'elemosina.»

3 Quando ebbe trovato il nome al suo burattino, allora cominciò a lavorare a buono, e gli fece
subito i capelli, poi la fronte, poi gli occhi. Fatti
gli occhi, figuratevi la sua maraviglia quando si
accorse che gli occhi si muovevano e che lo guardavano fisso fisso.

Geppetto, vedendosi guardare da quei due
occhi di legno, se n'ebbe quasi per male, e disse
con accento risentito:
«Occhiacci di legno, perché mi guardate?»
Nessuno rispose.

4 Allora, dopo gli occhi, gli fece il naso; ma
il naso, appena fatto, cominciò a crescere: e
cresci, cresci, cresci diventò in pochi minuti un
nasone che non finiva mai. Il povero Geppetto si
affaticava a ritagliarlo; ma più lo ritagliava e lo
scorciva, e più quel naso impertinente diventava
lungo.

5 Dopo il naso, gli fece la bocca. La bocca non
era ancora finita di fare, che cominciò subito a
ridere e a canzonarlo.
«Smetti di ridere!» disse Geppetto impermali-
to; ma fu come dire al muro.
«Smetti di ridere, ti ripeto!» urlò con voce
minacciosa.
Allora la bocca smesse* di ridere, ma cacciò
fuori tutta la lingua.
Geppetto, per non guastare i fatti suoi, finse di
non avvedersene, e continuò a lavorare.

6 Dopo la bocca, gli fece il mento, poi il collo,
le spalle, lo stomaco, le braccia e le mani. Appena
finite le mani, Geppetto sentì portarsi via la parrucca dal capo. Si voltò in su, e che cosa vide?
Vide la sua parrucca gialla in mano del burattino.

*smise

da: C. Collodi, Le avventure di Pinocchio, Firenze 1883

3 Rileggete.

Cercate nel testo come si dice per:

occhi cattivi	....	stavano bene	....	prendeva luce	....
sembrava	....	un camino piccolo	....	si girò	....

4 Guardate il disegno.

Ricercate nel testo le parole che indicano le parti del corpo e scrivetele nei riquadri.

5 Lavorate in due squadre.

L'insegnante consegna alle due squadre una lista di favole. Ogni squadra prova a descrivere in poche parole un personaggio o il contenuto di una di queste favole all'altra squadra. L'altro gruppo cerca di indovinare di quale favola si tratta.

Es. 16–17
p. 119

ESEMPIO   È la storia di una bambina ...

Si dice così

Accogliere qualcuno alla porta

Ah, signora Marini, è Lei!   Sì, buongiorno, scusi il disturbo.

Cogliere l'occasione per invitare qualcuno

... ma senta, visto che è qui, perché non entra un attimo?

Esprimere dubbio

Io veramente non ero per niente convinta.

Riferire o domandare qualcosa e reagire con partecipazione

Alla fine ho ripreso la mia caffettiera.	Sa cosa Le dico? Ha fatto bene.
Sai che hanno finalmente riaperto il Teatro *La Fenice*?	Davvero? No, non lo sapevo.
Allora i lavori sono finiti?	Eh, sì ... ed era anche ora!
C'è stato un concerto diretto da Riccardo Muti.	Beh, è chiaro, per un evento del genere ...

Sei un mito!

1. Congiunzioni causali → 29   note

Siccome Anna non c'è le ho lasciato un messaggio.
Visto che è qui Le do il pacco.
Dato che non volevo scrivere una lettera ho telefonato.
Poiché la moka si è rotta ne comprerò una nuova.

Faccio il caffè **perché** sono un po' stanco.

2. Suffissi: diminutivo e accrescitivo → 36

La Moka Express ha avuto un success**one**.
Queste tazz**ine** da caffè sono belle.

3. Il *gerundio* → 24

Guido canta **preparando** la colazione.
Mangiando qualcosa starai meglio.

Avendo studiato non avevo paura dell'esame.

4. Il *passato remoto* → 16

	amare	potere	sentire	prendere
io	am**ai**	pot**ei**	sent**ii**	**presi**
tu	am**asti**	pot**esti**	sent**isti**	prend**esti**
lui, lei, Lei	am**ò**	pot**é**	sent**ì**	**prese**
noi	am**ammo**	pot**emmo**	sent**immo**	prend**emmo**
voi	am**aste**	pot**este**	sent**iste**	prend**este**
loro	am**arono**	pot**erono**	sent**irono**	**presero**

5. Il passato prossimo di *cominciare* e *finire* → 10

Il comune **ha** cominciato i lavori.
Il pianista **ha** finito di suonare.

Il concerto **è** cominciato alle nove.
La ricostruzione **è** finita.

6. Come esprimere un soggetto indefinito → 14

Hanno portato questo pacchetto.

Fa' pure con calma!

Osservate il disegno.
A che cosa vi fa pensare l'illustrazione? Cercate di descriverla con una frase.

Lavorate in gruppi.
Leggete i proverbi e i modi di dire e discutete sul loro significato.
Conoscete proverbi sul tempo nella vostra lingua?

Il tempo è denaro.

Da' tempo al tempo.

Chi va piano va sano e va lontano.

Chi vuol esser lieto sia ...
di doman non c'è certezza.

Il momento sfuggito più non torna.

Chi risparmia i minuti guadagna le ore.

Discutete.
Qual è il vostro rapporto con il tempo? Quale proverbio potrebbe essere il vostro motto?

A Come ti organizzi?

1 Leggete e mettete una crocetta.
Quali delle seguenti affermazioni rispecchiano il vostro modo di comportarvi?

1 **Hai tantissime cose da sbrigare e temi di non farcela.**
- Disdico gli impegni meno importanti.
- Delego alcune cose che potrebbero fare anche colleghi o familiari.
- Cerco di lavorare più in fretta.

2 **Hai un appuntamento alle nove. Cosa fai se la sveglia non suona e ti svegli verso le otto?**
- Non mi preoccupo più di tanto perché ce la faccio in ogni caso e se arrivo un po' in ritardo non è un problema.
- Rinuncio a far colazione, mi preparo di corsa e riesco ad arrivare all'appuntamento puntuale ma di pessimo umore.
- Telefono e cerco di spostare l'appuntamento a più tardi.

3 **Mangi in genere ad orari regolari ma oggi hai poco tempo per il pranzo.**
- Quando mangio ho bisogno di tempo, perciò preferisco saltare il pranzo.
- Mangio un panino in piedi.
- Mi siedo almeno un quarto d'ora in un bar a prendere qualcosa di caldo.

4 **Ti capita di passare la notte in una città dove abita un vecchio amico che non vedi da tempo.**
- Gli do un colpo di telefono quando arrivo alla stazione.
- Gli telefono qualche giorno prima e fisso un appuntamento per incontrarlo.
- Gli telefono se arrivo ad un'ora accettabile, altrimenti lascio perdere.

5 **La persona con cui hai appuntamento ha già venti minuti di ritardo. Che cosa fai?**
- Me ne vado per una questione di principio.
- Continuo ad aspettare, ma di malumore.
- Non me la prendo. Ci sarà sicuramente un motivo se non è ancora arrivata.

6 **Degli amici ti fanno una visita imprevista nel tardo pomeriggio.**
- La cosa mi mette in agitazione ma preparo comunque una cena con quello che ho in casa.
- Sono contento e mi metto subito a chiacchierare.
- Gli offro un aperitivo e propongo poi di andare insieme a mangiare una pizza.

2 Rileggete il testo.
Cercate le parole corrispondenti alle seguenti espressioni.

annullo (appuntamenti) .... una breve telefonata......................

ti succede .... non pranzare ....

velocemente .... non mi arrabbio ....

3 Lavorate in coppia.
Confrontate le vostre risposte con quelle di un compagno. Avete reazioni simili nel modo in cui vi organizzate? Riassumete i vostri comportamenti aiutandovi con le seguenti espressioni.

essere pratici / concreti / tenaci / pragmatici / flessibili / superorganizzati

(non) avere un forte senso del dovere ◆ programmare le cose con metodo

tollerare le frustrazioni ◆ dare spazio ai propri bisogni

affrontare le cose come arrivano ◆ sapersi dare delle priorità

4 Osservate e rispondete.

farcela	Pensi di farcela ad arrivare in tempo?
ce la faccio	Certo, ce la faccio in ogni caso.
ce la fai	Forse sì, se mi preparo di corsa.
ce la fa	No, provo a spostare l'appuntamento.
ce la facciamo	
ce la fate	Nel testo c'è un sinonimo del verbo *farcela*.
ce la fanno	Quale?

5 Lavorate in coppia.

Chiedete ad un compagno se è in grado di fare le seguenti cose e riferite poi in plenum. Chi di voi due riesce a fare che cosa?

correre per 90 minuti di seguito   prepararsi la mattina in 10 minuti   cucinare per 20 persone

6 Completate.

prendersela	andarsene	Aspetti da un po' un amico che è in ritardo. Che cosa fai?
me la prendo	me ne vado	
te la prendi	te ne vai	.... per una questione di principio.
se la prende	se ne va	Non .... Ci sarà un motivo.
ce la prendiamo	ce ne andiamo	
ve la prendete	ve ne andate	Continuo ad aspettare, ma di malumore.
se la prendono	se ne vanno	

7 Lavorate in gruppi.

Immaginate di essere in queste situazioni. Come reagite?
Rispondete utilizzando anche i verbi *prendersela* e *andarsene*.

ESEMPIO   Siete ad una festa molto noiosa.
→ Trovo una scusa e dopo un po' me ne vado.

Un vostro collega non ha accettato il vostro invito a cena.
Lo spettacolo a teatro dura più del previsto e temete di perdere l'ultimo autobus.
L'amico con cui siete andati a sciare si lamenta della vostra lentezza.

8 Rileggete il testo.

Sottolineate le frasi introdotte da *se* e *quando* e spiegatene il significato. Che cosa notate?

9 Lavorate in coppia.

Descrivete adesso lo svolgimento di una vostra giornata abituale.
Dite come vi organizzate e come vi comportate se ci sono degli imprevisti.

Es. 1–6
pp. 120–122

Quando mi alzo ...   Se ho un appuntamento ...   All'ora di pranzo ...

Quando vado a letto ...

Se mi capita un imprevisto ...

B Non sopporto i ritardatari.

1 🎧 Ascoltate.
Perché litigano Claudio e Simona?

● Allora, sei pronta?

○ Sì, un attimo solo, non riesco a trovare ...

● Ecco! Ogni volta la solita storia! Non è possibile che tu sia sempre in ritardo e che all'ultimo momento abbia sempre qualcosa da fare, da cercare ...

○ Mamma mia! Anche tu però, non hai mai un po' di pazienza, ti scaldi per niente ...

● Come per niente? Non sopporto i ritardatari. Non sopporto che la gente mi faccia aspettare e neanche che gli altri aspettino me. Quante volte te lo devo ripetere?

○ Ma scusa, pensi che io lo faccia apposta? Non è magari che esageri un po' con la tua paura di fare brutta figura?

● Guarda, io della brutta figura me ne frego, per me è una questione di principio. Sono stufo di stare sempre qui davanti alla porta con le chiavi in mano ad aspettarti ...

○ E chi ti dice di farlo? Comunque senti, adesso lasciamo stare, per piacere, perché se ci mettiamo anche a discutere sui principi mi fai perdere ancora più tempo ...

● E già, vorrei vedere te. Mi dà fastidio, va bene? Aspettare è una cosa che odio. Ma perché non cominci a prepararti prima?

○ E tu invece, perché non mi lasci in pace un attimo? Guarda Claudio, a questo punto forse è meglio che tu vada da solo in macchina e che io prenda l'autobus ... Maledizione! Mi fai fare sempre tutto di corsa e poi quando siamo là ci tocca fare il giro dell'isolato tre volte perché siamo in anticipo.

● Sì, in anticipo, ma quando mai. Insomma, si può sapere cosa stai cercando di così tanto importante?

○ Un libro che mi ha prestato Gisella.

● Ma è necessario che le riporti il libro proprio stasera?

○ No, però pensavo che ... vabbe', lasciamo perdere. Non ho voglia di litigare per un libro. Vorrà dire che lo cercherò domani ...

● Oh, finalmente! Allora possiamo andare adesso?

2 Leggete il dialogo.
Fate una crocetta accanto alle affermazioni esatte.

☐ A Claudio non piace aspettare.

☐ È la prima volta che Simona è in ritardo.

☐ Per Claudio arrivare in orario è una questione di principio.

☐ Secondo Simona loro arrivano sempre troppo in anticipo.

☐ Simona vuole regalare un libro a Gisella.

3 Raccogliete le espressioni.
Rileggete il dialogo e cercate le espressioni che usano Claudio e Simona per:

dire che non sopportano qualcosa	esprimere fastidio o disappunto	reagire ai rimproveri dell'altro
....	....	....
....	....	....
....	....	....
....	....	....

Fa' pure con calma!

2

4 Discutete.

E voi? Che cosa vi dà fastidio, non sopportate, odiate?
Aiutatevi eventualmente con le seguenti espressioni.

lo stress ✦ la mancanza di rispetto ✦ le persone che parlano troppo ✦ i luoghi affollati
i ritardatari ✦ chi fuma senza chiedere il permesso ✦ chi non si mette in fila

ESEMPIO ▸ Non sopporto la mancanza di rispetto.

5 Osservate e completate.

Nel dialogo avete incontrato un nuovo modo verbale: il congiuntivo.
Cercate i verbi e le espressioni che lo introducono.

prendere	
(È meglio che)	io prenda tu prenda lui, lei prenda noi prendiamo voi prendiate loro prendano

È meglio che tu ci vada da solo.

.... tu sia sempre in ritardo.

.... le riporti il libro proprio stasera?

.... tu mi faccia aspettare.

.... io lo faccia apposta?

6 Osservate.

Leggete i fumetti. Che cosa hanno in comune i verbi
che introducono il congiuntivo?

Penso che si comportino in modo infantile.

Io trovo che sia un litigio un po' assurdo.

Mi sembra che Claudio abbia solo voglia di litigare.

Io credo che abbiano ragione un po' tutti e due.

E voi pensate che abbia ragione Claudio o Simona?

ESEMPIO ▸ Io penso / trovo che ...

7 Lavorate in gruppi.

Pensate alle persone che vi sono più vicine. C'è qualcosa nel loro
comportamento che a volte vi irrita? Parlatene con i vostri compagni.

Non sopporto che ...   Mi dà fastidio che ...

8 Lavorate in coppia.

Quali sono i rimproveri che si fanno o si ricevono spesso durante un litigio? Ricostruite le frasi.
Immaginate poi di avere un motivo di contrasto con un vostro amico/collega e fate un dialogo.

Es. 7–14
pp. 122–124

(non)	è possibile è importante è giusto è meglio è necessario bisogna	che tu che Lei	(non)	essere sempre in ritardo interrompere quando parlo rispettare le mie decisioni dire la verità ascoltare quando parlo accettare compromessi

C Non perdere tempo in banca.

ZERO CODE,
ZERO ORARI, ZERO VINCOLI.

○ **Massima libertà:** accedi al tuo conto quando e dove vuoi. Basta avere un computer connesso ad Internet.

○ **Tanti servizi a domicilio:** non perdere tempo per richiedere un libretto degli assegni o una nuova carta di credito, con **Fineco** puoi fare tutto dal computer e aspettare comodamente che ti arrivi a casa.

○ **5 minuti ed è tutto fatto:** estratto conto, bonifici nazionali, acquisti con la carta di credito, ricarica scheda telefonica e tanti altri servizi, tutto on line, tutto sotto controllo.

Fineco ti offre i prelievi Bancomat gratuiti da tutti gli sportelli Capitalia.

1 📖 **Leggete.**
Perché con l'home banking si perde meno tempo?

---

2 Rileggete la pubblicità.
Scrivete accanto alla definizione il tipo di servizio offerto dall'home banking.

1) La banca spedisce il libretto degli assegni e la carta di credito a casa. ....

2) Mostra i movimenti effettuati e quanti soldi ci sono sul conto. ....

3) Si possono fare trasferimenti da un conto ad un altro. ....

4) Si può caricare la scheda del cellulare. ....

3 Scrivete.
Avete una seconda casa in Italia e volete aprire un conto presso una banca italiana.
Scrivete un'e-mail per informarvi su condizioni e tariffe.

4 🎧 **Ascoltate.**
Qual è il problema dell'home banking secondo Carla?

● Pronto?
○ Carla, finalmente. È da due ore che cerco di chiamarti ...
● Ah, Sara, ciao ... eh sì, ho perso un sacco di tempo alla posta per fare una raccomandata, e poi ho fatto la coda per quasi mezz'ora in banca, per un bonifico ...

○ Ma perché non fai l'home banking? È così comodo, fai tutto col computer da casa.
● Mah, io non mi fido tanto, sai? Con tutti questi pirati della rete ...
○ Io invece credo che l'home banking sia sicuro e in fondo credo di essere una persona abbastanza prudente ...

5 Discutete.
Voi utilizzate l'home banking o preferite andare personalmente in banca? Come preferite pagare quando andate al supermercato, fate un acquisto on line o siete in albergo?

6 Completate.
Completate le frasi di Sara. Che cosa notate di particolare?

Credo .... sicuro.   Credo .... abbastanza prudente.

7 **Lavorate in coppia.**

Cosa pensate di voi stessi e degli altri?
Cosa pensano loro?

ESEMPIO ▶ La mia vicina crede di essere una
persona gentile, io invece penso
che sia un po' invadente.

io
il mio amico
mia madre
il mio collega
la mia vicina

essere gentile
essere invadente
lavorare bene
litigare
comportarsi in
maniera corretta
essere spiritoso

8 🎧 **Ascoltate.**

Ascoltate i dialoghi e mettete
una crocetta accanto alle illustrazioni delle parole che sentite.

 carta da lettere

 francobollo

 cartolina postale

 busta

 buca delle lettere

 raccomandata

 ricevuta di ritorno

 posta prioritaria

Es. 15
p. 124

D **Glieli taglio un po'?**

1 🎧 **Ascoltate.**

Sottolineate sul listino prezzi che cosa fa fare
la signora Raccagni dalla parrucchiera.

● Buongiorno.
○ Buongiorno, signora Raccagni. Venga,
venga ... ecco, si sieda qui. Come va?
● Eh, niente male, grazie. Andrà ancora
meglio con i capelli in ordine. Stavolta
me li taglia anche un po', eh?
○ Glieli spunto soltanto?
● No, no, me li scali un pochino, perché
così non mi piacciono più. Poi dovrei
fare anche il colore, vede?
○ Glielo faccio come l'altra volta? O
vuole provare una tonalità un po' più
chiara?
● Più chiara? Mah, sono un po' incerta.
Ho paura che poi non mi stia bene.
○ Ma no, il capello più chiaro ringiovanisce.
● Sì, forse ha ragione Lei ... ma io temo
che poi non mi piacciano. E poi adesso
vado al mare, me li asciugo al sole e
magari mi diventano troppo chiari.
○ Come desidera, signora Raccagni. Se
preferisce che Le faccia qualcos'altro,
potremmo provare dei bei colpi di sole.
● Beh ... sì, potrebbe essere un'idea!
○ Allora, un momento che Le faccio vede-

LISTINO PREZZI

TAGLIO	14,00	PERMANENTE	26,00
PIEGA	11,50	COLORE	19,50
SHAMPOO		SHAMPOO COLORATO	13,00
CURATIVO	2,50	COLPI DI SOLE	34,00
BALSAMO	3,00	DECOLORAZIONE	18,00

re le tonalità.
● Sì, e mi dia anche qualcosa da leggere,
per favore.
○ Serena, puoi portare un paio di riviste?
● Sì, te le porto subito.
○ Allora al lavoro ... Vuole che Serena Le
faccia anche un massaggio alla testa?
● Come no? Sono venuta anche per quel-
lo!

Fa' pure con calma!

2 Rispondete.
Rileggete i servizi offerti dal parrucchiere. Voi cosa fate generalmente quando ci andate?
Cosa non avete mai fatto? Cosa vi piacerebbe fare?

3 Completate.
Inserite i verbi o le espressioni che richiedono il congiuntivo. Che cosa esprimono?

.... che non mi stia bene.

.... che non mi piacciano.

Se .... che Le faccia qualcos'altro ...

.... che Serena Le faccia un massaggio?

4 Lavorate in coppia.
Assumete i ruoli e fate il dialogo.

A

Siete esperti di moda e cercate di dare dei consigli a B che vorrebbe cambiare look. Incoraggiate B a provare qualcosa di nuovo.

B

Per una festa avete deciso di cambiare pettinatura e tipo di abbigliamento. Non sapendo ancora cosa fare chiedete consiglio ad A che in fatto di moda ne sa tantissimo. I suoi consigli però non vi sembrano adatti a voi.

5 Sottolineate.
Sottolineate nel dialogo le frasi corrispondenti a:

«Stavolta mi taglia anche un po' i capelli.»
«Le faccio il colore come l'altra volta?»

«Mi asciugo i capelli al sole.»
«Ti porto subito le riviste.»

6 Completate.
Rileggete il dialogo e inserite i pronomi combinati.

	+ li
mi	....
ti	te li
gli, le, Le	....
ci	ce li
vi	ve li
gli	glieli

Signora, i capelli glieli spunto soltanto?

No, me li scali un pochino.
Poi dovrei fare anche il colore, vede?

Che particolarità notate nei pronomi combinati? Che particolarità presenta il pronome *glieli*?

7 Lavorate in gruppo.
«Se io do una mano a te, tu poi dai una mano a me.»
Chiedete o offrite aiuto all'interno del gruppo.

prestare una chitarra
montare le gomme
riparare la bicicletta / il rubinetto
accorciare dei pantaloni
tenere il cane durante le vacanze
installare un programma sul computer

....

ESEMPIO «Chi potrebbe prestarmi una chitarra?»
«Te la presto io. A me invece serve ...»

Es. 16–18
p. 125

Ascolto

1 🎧 **Lavorate in coppia.**
Ascoltate la canzone *Lo shampoo* di Giorgio Gaber.
Di cosa parla?

2 🎧 **Riascoltate.**
Che aggettivi usa il cantante per:

l'acqua   ....

lo shampoo   ....

la schiuma   ....

3 **Fate la crocetta accanto all'affermazione esatta.**
L'autore paragona la schiuma dello shampoo:

☐ alla panna   ☐ a una mamma buona ed enorme

☐ a un fiume di latte   ☐ a una nonna dai capelli bianchi

☐ alla neve   ☐ a una cascata di latte

4 **Discutete.**
Perché l'autore decide di farsi uno shampoo?

Si dice così

Rimproverare e reagire a dei rimproveri

Non è possibile che tu sia sempre in ritardo!   Ma scusa, pensi che io lo faccia apposta?
Ti scaldi per niente ...   Come per niente?
Sono stufo di stare ad aspettarti ...   E chi ti dice di farlo?
Ma perché non cominci a prepararti prima?   Tu invece, perché non mi lasci in pace un attimo?

Esprimere fastidio o disappunto   **Concludere un litigio**

Ogni volta la solita storia!   Adesso lasciamo stare per piacere.
Mamma mia!   Vabbe', lasciamo perdere.
Maledizione!   Non ho voglia di litigare per un libro.

Esprimere preoccupazione o incertezza   **Incoraggiare**

Temo che poi non mi piacciano.   Ma no, anzi, il capello più chiaro
Ho paura che poi non mi stia bene.   ringiovanisce.
Mah, sono un po' incerta.

1. L'uso di *se* e di *quando* → 32

note

Se domani fa bel tempo andiamo al mare. (Nel caso che)
Quando lavoro ho bisogno di tranquillità. (Ogni volta che)

2. Il *congiuntivo presente* → 20

	abitare	vedere	aprire	andare
io	abiti	veda	apra	**vada**
tu	abiti	veda	apra	**vada**
lui, lei, Lei	abiti	veda	apra	**vada**
noi	abit**iamo**	ved**iamo**	apr**iamo**	and**iamo**
voi	abit**iate**	ved**iate**	apr**iate**	and**iate**
loro	abit**ino**	ved**ano**	apr**ano**	v**adano**

3. *Congiuntivo*: uso → 19

Penso che tu abbia ragione.
Non sopporta che io fumi.
Temo che non mi piaccia.
Vuole che Le porti delle riviste?

È meglio che torniate subito.

Se abbiamo lo stesso soggetto,
usiamo *di* + infinito: ***Penso di venire.***

4. Pronomi combinati → 4

	lo	la	li	le	ne
mi	**me lo**	**me la**	**me li**	**me le**	**me ne**
ti	**te lo**	**te la**	**te li**	**te le**	**te ne**
ci	**ce lo**	**ce la**	**ce li**	**ce le**	**ce ne**
vi	**ve lo**	**ve la**	**ve li**	**ve le**	**ve ne**
gli, le, Le	**glielo**	**gliela**	**glieli**	**gliele**	**gliene**

Non **te lo** do.
Non **te lo** posso dare.
Non posso dar**telo**.

Attenzione però ai seguenti verbi:

far**cela**	**Ce la** faccio!
prender**sela**	Non **te la** prendere!
andar**sene**	**Ce ne** andiamo?
fregar**sene**	**Se ne** frega.

Fa' pure con calma!

2

Guardate la cartina.
Quali località riconoscete?

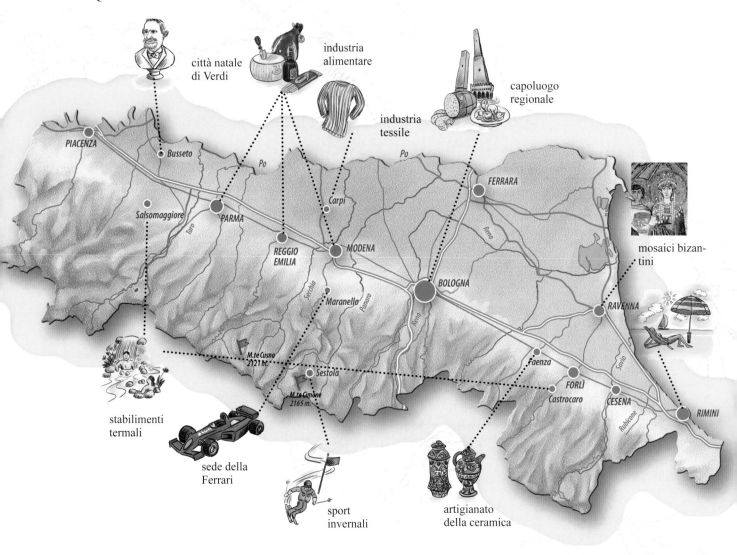

città natale di Verdi

industria alimentare

industria tessile

capoluogo regionale

mosaici bizantini

stabilimenti termali

sede della Ferrari

sport invernali

artigianato della ceramica

PIACENZA · Busseto · Po · FERRARA · Po · Carpi · Salsomaggiore · Taro · PARMA · REGGIO EMILIA · Secchia · MODENA · Reno · Maranello · Panaro · BOLOGNA · Reno · RAVENNA · M.te Cusna 2121 m. · Sestola · Faenza · Savio · M.te Cimòne 2165 m. · FORLÌ · Castrocaro · CESENA · Rubicone · RIMINI

Descrivete la regione.
Guardate anche la carta dell'Italia all'inizio del libro.
Con quali regioni confina l'Emilia-Romagna? Com'è il territorio?
Quale mare la bagna e quali fiumi la attraversano?

Raccontate.
Quali aspetti dell'Emilia-Romagna conoscete già?
Che cosa vi interesserebbe conoscere?

a nord
a sud
ad est
ad ovest

montuoso
collinare
pianeggiante

Ascolto

1 🎧 **Ascoltate e raccogliete le informazioni.**

Cosa racconta Cesare sulla propria provenienza, sulle specialità romagnole, sui romagnoli e sugli emiliani?
Riuscite a ripetere in breve la storiella in cui Cesare paragona gli emiliani e i romagnoli?

A Il segreto del successo

1 📖 **Leggete.**
Di quali aspetti parla il testo?

☐ territorio   ☐ inquinamento   ☐ storia   ☐ gente

☐ artigianato   ☐ economia   ☐ traffico   ☐ mare

---

emilia romagna

L'Emilia-Romagna è una regione efficiente, ben organizzata e ricca di testimonianze storico-artistiche. La costa, attrezzata con strutture per lo sport, il divertimento ed il tempo libero, viene frequentata ogni anno da milioni di turisti italiani e stranieri. Gli abitanti dell'Emilia-Romagna sono considerati persone dal carattere aperto, cordiale e allegro.

La regione morfologicamente si distingue in due fasce. Quella meridionale, con l'Appennino tosco-emiliano è la zona più montuosa e meno popolata. La fascia pianeggiante, a nord, è costituita dalla parte meridionale della Pianura Padana. Qui il terreno particolarmente fertile ha favorito una florida e diversificata produzione agricola grazie anche ad un ampio utilizzo di tecnologie moderne. Altrettanto importante è l'allevamento di suini e bovini.

L'Emilia-Romagna è una regione tra le più avanzate tecnologicamente in Europa e presenta uno dei tassi di imprenditorialità più alti d'Italia. Piccoli imprenditori, imprese artigiane e cooperative hanno trovato la loro ricchezza proprio nelle dimensioni ridotte e nella specializzazione. I settori principali dell'industria sono quello alimentare, metalmeccanico, chimico e petrolchimico, motoristico, tessile e della ceramica.

Lungo la via Emilia, la strada che fu costruita dai Romani nel II secolo, e che ancora oggi è l'asse stradale principale della regione, si allineano alcuni capoluoghi di provincia. Si tratta quasi sempre di città di dimensioni medie con il pregio di avere alti livelli di qualità della vita. Il capoluogo dell'Emilia-Romagna è Bologna, «la dotta» e «la grassa», importantissimo nodo delle comunicazioni Nord-Sud e primario centro commerciale e culturale. Nella città con le torri pendenti e ben 35 chilometri di portici ha sede anche l'ateneo più antico d'Europa. L'università di Bologna infatti è stata fondata nell'XI secolo ed è tuttora una delle più importanti d'Italia.

Sapete spiegare i motivi per cui Bologna è detta «la dotta» e «la grassa»?

2 **Raccogliete le informazioni.**
Rileggete il testo e ricercate le informazioni sull'Emilia-Romagna relative a territorio, gente, economia e storia.

3 **Osservate.**
Rileggete il testo e completate le frasi.

> La costa dell'Emilia-Romagna .... da milioni di turisti.
>
> La via Emilia .... dai Romani.
>
> L'università di Bologna .... nell'XI secolo.

Quali verbi si usano come ausiliari per formare il passivo?

4 Osservate.

Che cosa potreste dire sulle foto? Aiutatevi con i seguenti verbi.

scrivere ◆ costruire ◆ produrre ◆ fondare ◆ frequentare ◆ visitare

 ESEMPIO   L'Abbazia di Pomposa
viene visitata ogni anno
da migliaia di turisti.

Buon pastore,
mosaico del
mausoleo di Galla
Placidia, intorno al
425-450 d.C.

Giovannino
Guareschi,
Don Camillo, 1948

Sangiovese, vino
rosso, province di
Bologna, Forlì e
Ravenna

Abbazia di Pomposa,
edificio romanico,
IX secolo

5 Scrivete.

Es. 1–4
pp. 126–127

L'ente per il turismo della vostra regione vuole pubblicare degli opuscoli in lingua italiana
e si rivolge a voi per scrivere un testo con alcune brevi informazioni di carattere generale.
Elaborate il testo con un compagno e poi presentatelo al resto della classe.

B   Vorrei essere al suo posto!

1   Ascoltate.

Per quale motivo la dottoressa Marchini
riceverà un regalo?

● È permesso?
○ Signorina Lisi. Prego, si accomodi. È ve-
  nuta per il regalo alla dottoressa Marchini?
● Proprio così, ingegnere. Abbiamo pensato
  ad un libro sulla storia di Ferrara.
○ Mm, buona idea! Beata la dottoressa
  Marchini che va a vivere a Ferrara! Come
  la invidio! Vorrei essere al suo posto.
● Davvero? E perché?
○ Beh, perché Ferrara è una città piena di
  vita ed è a misura d'uomo. Non è grande ma è tutt'altro che provinciale e offre
  moltissime attività culturali.
● Ah sì?
○ Eh sì, penso davvero che la dottoressa
  Marchini abbia fatto bene ad accettare il
  trasferimento.
● Quindi Lei Ferrara la conosce bene ...
○ Sì, prima di venire qui ci ho abitato cinque anni. Io ho vissuto in diverse città
  ma credo che Ferrara sia quella che mi
  ha offerto di più anche dal lato umano. I
  ferraresi sono cordiali, sanno apprezzare i

piaceri della vita e prendono le cose con
una certa calma. Ma lo sa Lei che usano
quasi tutti la bicicletta per muoversi?
● Sì, lo so che da quelle parti si usa molto.
○ Eh, e credo addirittura che Ferrara sia stata
  la prima città ad avere un ufficio biciclette. Lei capisce che per un patito di bici
  come me era una pacchia vivere là.
● Certo, immagino ...
○ Eh, e credo proprio che la nostra collega si troverà bene ... comunque devo
  ammettere che c'era anche qualcosa che
  non mi piaceva: il caldo afoso e le zanza-
  re d'estate!

Cercate di riassumere quali sono, secondo l'ingegnere, i pregi e i difetti di Ferrara.

2 Rileggete il dialogo.

Come si esprimono nel testo le seguenti intenzioni?
- ◆ chiedere di poter entrare
- ◆ invitare qualcuno ad entrare
- ◆ desiderare di essere nella situazione di un altro

Come spieghereste invece le seguenti espressioni?
- ◆ Ferrara è una città a misura d'uomo.
- ◆ Ferrara offre di più anche dal lato umano.
- ◆ Era una pacchia vivere là.

3 Osservate.

Completate lo specchietto con le espressioni usate nel dialogo.

(Credo che)	io	abbia	
	tu	abbia	
	lui, lei	abbia	fatto
	noi	abbiamo	
	voi	abbiate	
	loro	abbiano	

Credo che ...

... Ferrara sia una città a misura d'uomo.

... Ferrara .... la prima città ad avere un ufficio biciclette.

... la nostra collega si .... bene.

In quale frase si esprime un'ipotesi relativa al passato? In quale un'ipotesi relativa al futuro?

4 Lavorate in gruppo.

C'è una città in cui avete vissuto e ritornereste volentieri o in cui vi piacerebbe vivere? Quali sono i motivi?

5 Fate delle ipotesi.

Lavorate in gruppi e rispondete alle domande facendo delle ipotesi se non siete sicuri della risposta. Poi a turno confrontate le vostre risposte in plenum.

Dove si tiene il Gran Premio di San Marino?	☐ Imola	☐ Faenza
Chi vincerà quest'anno il Campionato di Formula Uno?	☐ la Ferrari	☐ la McLaren
In quale città è nato il tenore Luciano Pavarotti?	☐ Bologna	☐ Modena
Dove è stato costruito il primo stabilimento balneare?	☐ Riccione	☐ Rimini
Quando è morto Giuseppe Verdi?	☐ 1813	☐ 1901
In quale città è nato il profumo con la violetta?	☐ Cesena	☐ Parma
Quale famoso film di Fellini è ambientato a Rimini?	☐ La strada	☐ Amarcord
Quale di queste macchine viene prodotta in Emilia-Romagna?	☐ Maserati	☐ Alfa Romeo

6 Lavorate in coppia.

Assumete i ruoli di A e B e recitate la parte.

A

Avete vinto al lotto una somma enorme. Andate nell'ufficio del vostro superiore (B) e gli comunicate che lavorerete ancora solo fino alla fine del mese.

B

Siete in ufficio. Un vostro collaboratore viene a comunicarvi che tra breve lascerà il lavoro. Fatelo entrare ed esprimete oltre alla vostra sorpresa anche un po' d'invidia per la sua nuova situazione.

Es. 5 – 8
pp. 127–128

1 **Leggete.**

Leggete l'articolo. Vi sarebbe piaciuto passare una serata in un'osteria della Bologna degli anni '60/'70? Per quale motivo? In quale dei locali della Bologna di oggi andreste volentieri?

QUANDO OSTERIA ERA SINONIMO DI CANTAUTORE

Osteria e musica. Un binomio che dalla seconda metà degli anni '60 ha caratterizzato la vita notturna bolognese tanto da dar vita a un vero e proprio genere musicale. [...] Erano gli anni che avevano eletto Francesco Guccini a proprio cantore. Lo si ritrovava, chitarra in mano e bicchiere di rosso nell'altra, nella scomparsa *Osteria delle Dame*, o nella *Trattoria da Vito*, a due passi da casa, quella di *Via Paolo Fabbri 43*, anche titolo di una delle sue canzoni più famose. [...] Fra la calda atmosfera dei soffitti a volte delle osterie bolognesi si teneva a battesimo la figura del cantautore impegnato. E la rossa e godereccia Bologna interpretava le sue canzoni, nelle quali i testi contavano più della musica, in maniera tutta personale, unendo impegno politico e arte del buon vivere. Molto è cambiato da allora. Quello che era un luogo dove fare quattro chiacchiere e una strimpellata davanti ad un bicchiere di Lambrusco e qualche tocco di mortadella si è trasformato spesso in un ristorante oppure in un locale «trendy». Ma il fascino di luogo dove «tirar tardi» e poter mangiare ben oltre i classici orari di cena sopravvive insieme alla musica che agli orizzonti etno-folk degli anni '70 ora preferisce il jazz e i ritmi brasiliani, e il più turistico piano-bar. [...] Come l'*Osteria dei Poeti*, la più antica di Bologna (documenti ne attestano l'esistenza già nel '600) dove oltre a Guccini erano di casa Lucio Dalla, Gianni Morandi e altri nomi dell'ambiente musicale bolognese e

che oggi è diventata un piano-bar stile Riviera romagnola. Per una serata in cui mangiare è quasi solo una scusa per gustarsi un buon concerto, c'è la *Cantina Bentivoglio* dove tutte le sere si ascoltano concerti jazz di buon livello. Si fa musica ogni sera anche al *Chet Baker* che, come lascia intuire la dedica al mitico trombettista statunitense, è un jazz-club travestito da osteria.

da: Bell'Italia

Quali sono le qualità di un cantautore e della sua musica?

2 **Collegate le frasi.**

L'*Osteria delle Dame*   esiste dal 1600.
La *Trattoria da Vito*   è conosciuta soprattutto per la musica jazz.
L'*Osteria dei Poeti*   sembra un'osteria ma in realtà è un jazz-club.
La *Cantina Bentivoglio*   non esiste più.
Il *Chet Baker*   è un locale vicino alla casa del cantautore Guccini.

3 **Scrivete.**
Come sono cambiati i locali bolognesi?

	ambiente esteriore	musica	cucina
negli anni '60/'70	....	....	....
oggi	....	....	....

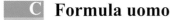
4 **Rileggete il testo.**
Sottolineate e raccogliete le parole che si riferiscono alla musica.

5 **Lavorate in gruppi.**
Che tipo di musica ascoltate di solito? Qual è il vostro genere preferito?

Es. 9
p. 129

C **Formula uomo**

1 Leggete.
Leggete l'articolo e sottolineate che cosa offre la ditta ai propri dipendenti.

IL GRUPPO FERRARI – MASERATI ALL'AVANGUARDIA IN EUROPA

DALLA FORMULA UNO ALLA FORMULA UOMO

«SE I DIPENDENTI STANNO BENE IL PRODOTTO MIGLIORA»,
DICONO I DIRIGENTI. E ALLORA VIA, DALLA PALESTRA ALLA DIETA.

«Qui a Maranello l'azienda non è solo un posto di lavoro, è un vero e proprio microcosmo, un sistema vivente» dice Marco Agazzani, responsabile della comunicazione interna del Gruppo Ferrari-Maserati.

«Cerchiamo di rispondere a tutte le esigenze dei nostri dipendenti», spiega Agazzani, «non solo a livello professionale, ma anche personale. Vogliamo fornire loro un supporto al tempo libero, senza invadere la loro sfera personale».

Secondo un sondaggio del centro di ricerca *Great place to work institute Italia*, il Gruppo Ferrari-Maserati risulta al primo posto nella classifica 2002 degli ambienti di lavoro migliori in Italia ed è stato selezionato fra i migliori ambienti in Europa. [...]

Mettere i dipendenti nella migliore condizione di lavoro possibile, per il gruppo di Maranello significa in primo luogo un ambiente sano, confortevole e sicuro. «Da noi la sicurezza, nel settore produttivo, viene costantemente controllata», sottolinea Agazzani, e aggiunge che all'interno degli ambienti di lavoro hanno realizzato spazi a misura d'uomo (il progetto «Formula uomo»), caratterizzati da luce diffusa, climatizzazione costante, ampi spazi verdi e aree di relax dove riposarsi nei cambi di turno. [...]

L'attenzione alla persona si realizza anche attraverso la «Formula benessere». Agazzani continua dicendo che tutti i dipendenti hanno la possibilità di

accedere a un check-up medico-sportivo, una volta l'anno, seguito da un programma di allenamento e di dieta alimentare personalizzato.

Una strategia aziendale così vasta e innovativa richiede certamente un impegno economico da parte dell'azienda. Ma i vertici non hanno dubbi che ne valga la pena. «Abbiamo dei dipendenti molto soddisfatti» conclude Agazzani «e la loro soddisfazione si riflette indubbiamente anche sulla qualità del prodotto aziendale».

da: Famiglia cristiana

Sapete spiegare il gioco di parole del titolo?

2 **Rileggete il testo.**
Ricercate tutte le espressioni che fanno parte della terminologia del mondo del lavoro.
Lavorate in gruppi e cercate di raggruppare le parole sotto criteri a vostra scelta.

3 Completate.
Completate l'offerta di lavoro con le seguenti espressioni:

ambiente di lavoro
qualità del prodotto
azienda (2)
responsabile
professionale
settore (2)
confortevole
strategia aziendale innovativa

Zanetti

La Zanetti è un'............................ leader nel .... alimentare orientata alla .... che unisce la tradizione artigianale ad una ....

Per il nostro nuovo stabilimento di Sassuolo ricerchiamo

un / una .... VENDITE.

Il candidato ideale è un laureato o diplomato in economia o agraria con buone conoscenze della lingua tedesca e inglese, un'esperienza .... di almeno 5 anni maturata in aziende del .... ed una disponibilità a spostamenti a livello europeo.
La nostra .... offre un .... giovane, dinamico, ... e una retribuzione di sicuro interesse.

---

4 Sottolineate.
Rileggete l'articolo sulla Ferrari e sottolineate i verbi con cui il giornalista introduce le frasi di Marco Agazzani.

5 Completate.
Completate con le frasi tratte dall'articolo.

Marco Agazzani dice:	Il manager della Ferrari dice che ...
«..» «..»	... lì a Maranello l'azienda non è solo un posto di lavoro.
«..» «..»	... cercano di rispondere a tutte le esigenze dei loro dipendenti.
All'interno degli ambienti di lavoro abbiamo realizzato spazi a misura d'uomo.	... .
«..» «..»	... da loro la sicurezza viene costantemente controllata.

Cosa cambia nelle frasi del discorso indiretto?
Notate qualche differenza rispetto alla vostra lingua?

6 Ascoltate.
Ascoltate le testimonianze di alcuni dipendenti e prendete appunti, poi riferite al vostro compagno.

ESEMPIO   Roberto Banfi dice / ha detto che ...

7 Lavorate in gruppi.
Quali servizi vi sembrano importanti in un ambiente di lavoro?
A che cosa potreste rinunciare, a cosa invece no?

Es. 10–15
pp. 129–130

D Tu cosa avresti fatto?

1 **Ascoltate.**
Chi sono i due uomini che parlano e dove si incontrano? Di che cosa discutono?

● Papà ...
○ Vittorio, ciao.
● Scusa, non riuscivo a trovare un parcheggio. Hai fatto buon viaggio? Aspetti da molto?
○ No, sono arrivato cinque minuti fa. Ho avuto giusto il tempo di ammirare questa pensilina ... megagalattica. Certo che qui hanno delle belle idee di grandezza ...
● Perché? Ti sembra troppo grande?
○ A te no? Secondo me così hanno rovinato la piazza.
● Beh, rovinato, non esageriamo. Io sono dell'avviso che l'aspetto della piazza non sia cambiato poi così tanto.
○ Sì, però, se permetti, questa pensilina è enorme, copre la vista da tutti i lati. E poi la struttura in metallo è pesante.
● No, non sono molto d'accordo papà ... e poi scusa, rifletti un attimo. C'era bisogno di una pensilina per chi aspetta l'autobus. Tu cosa avresti fatto?
○ Mah, intanto io la pensilina l'avrei fatta in vetro, così non avrebbe nascosto niente. E poi non avrei mai progettato una

pensilina così alta che quando piove ti bagni tutto. Guarda qui ... a cosa serve una pensilina, se non ti ripara nemmeno dalla pioggia? Non ti pare?
● Sì, su questo forse non hai tutti i torti ...
○ E poi avrebbero potuto mettere più panchine ... chissà quant'è costata.
● Di preciso non lo so, ma credo che sia costata parecchio.
○ Ecco, lo vedi che ho ragione? Sono sicuro che quei soldi sarebbero bastati per costruire una pensilina dai materiali e dalle forme meno ... invadenti. Magari avrebbero potuto investire ancora qualcosa in opere più utili. Non trovi anche tu?
● Ma dai papà, che discutiamo a fare? Tanto ormai la pensilina da qui non la leva più nessuno.

Perché al padre di Vittorio non piace la pensilina?

2 **Rileggete il dialogo.**
Prendete nota delle espressioni che usano padre e figlio per:

◆ esprimere il proprio parere   ◆ esprimere un'opinione differente
◆ chiedere il parere dell'altro   ◆ dare ragione all'altro

3 **Osservate.**
Completate le frasi con il passato del condizionale.

avrei avresti avrebbe avremmo avreste avrebbero	fatto	Tu cosa ....? Io intanto la pensilina .... in vetro. Non .... una pensilina così alta. Sarebbe costata meno e i soldi .... per altre cose.

Quale particolarità notate nel passato dei verbi *costare* e *bastare*?

4 **Lavorate in coppia.**

Il comune della vostra città ha ricevuto dei fondi straordinari e li ha utilizzati per assumere nuovo personale per la pulizia delle strade e dei parchi. Siete d'accordo con la decisione presa o avreste fatto diversamente? Discutetene con un compagno aiutandovi se volete con le seguenti espressioni.

investire in opere d'arte per i musei   ristrutturare le piscine
restaurare il duomo   aprire nuove biblioteche
costruire degli asili nido   ampliare l'aeroporto

5 **Scrivete.**

Pensate ad un problema del vostro paese o della vostra città. Scrivete una e-mail all'ufficio del vostro comune. L'esempio accanto vi potrà essere d'aiuto per la formulazione.

Es. 16–18
p. 131

>>> **domanda** >>>
Buongiorno, volevo esprimere il mio parere negativo sullo spartitraffico costruito sulla strada che passa davanti al *Novotel*. Come si nota, aumentano le code in un punto in cui il traffico è già elevato in periodo normale.

Alessandro Benini

>>> **risposta** >>>
Egregio Signor Benini,
La ringrazio della segnalazione. Manderemo un perito sul luogo per valutare se lo spartitraffico è causa di rallentamenti.

Cordiali saluti
Gaetano Materiale
Ufficio tecnico

Si dice così

Chiedere di entrare e invitare

È permesso?   Prego, si accomodi.

Sollecitare un'opinione

Tu cosa avresti fatto?
Non ti pare?
Non trovi anche tu?
Perché? Ti sembra ...?

Lamentarsi in una lettera di reclamo

Volevo esprimere il mio parere negativo su ...

Riferire ciò che ha detto un'altra persona

Il direttore dice/spiega/sottolinea/aggiunge/continua dicendo/conclude che ...

Invidiare la condizione di un'altra persona

Beata la dottoressa Marchini.
Come la invidio!
Vorrei essere al suo posto.

Argomentare durante una discussione

Certo che ...
Secondo me ...
Beh, non esageriamo ...
Io sono dell'avviso che ...
Sì, però, se permetti ...
No, non sono molto d'accordo.
Su questo forse non hai tutti i torti.

Grammatica

1. La forma passiva   26 →

Gli emiliani **sono considerati** persone molto aperte.
La prima università **è stata fondata** a Bologna.
La via Emilia **fu costruita** dai Romani.

L'Emilia-Romagna **viene visitata** da molti turisti.
L'abbazia **verrà ristrutturata** l'anno prossimo.

In italiano usiamo anche la forma con il *si*:
Quando **si usa** la forma passiva?

2. Il *congiuntivo passato*   21 →

Credo che	Anna **abbia fatto** bene.
	Paolo **sia** già **tornato**.

3. La concordanza dei tempi (1)   34 →

	la nostra collega **abbia lavorato** molto.	- anteriorità
Credo che	**sia** molto brava.	- contemporaneità
	si **troverà** bene a Viterbo.	- posteriorità

4. Il discorso indiretto (1)   35 →

Il manager dice / ha detto:
«**Qui** a Maranello **si lavora** bene.»
«**Abbiamo realizzato** spazi a misura d'uomo.»

Il manager dice / ha detto che ...
... **lì** a Maranello **si lavora** bene.
... **hanno realizzato** spazi a misura d'uomo.

5. Il *condizionale passato*: formazione e uso   18 →

dare	avrei dato
andare	saremmo andati

Sarebbe stato meglio restaurare il Duomo.
Io **avrei ristrutturato** la piscina comunale.

6. *Passato prossimo*: uso dell'ausiliare *essere*   11 →

Il parcheggio non **è costato** tanto,
così i soldi **sono bastati**.

note

A Per parlare

1 Guardate la foto.
Descrivete brevemente la foto.

2 Lavorate in coppia.
Immaginate in quale situazione è stata scattata la foto.
- Dove sono i bambini e cosa stanno osservando?
- Chi potrebbero essere?
- Che cosa potrebbero avere fatto prima di venir fotografati?
- Che cosa succederà dopo?

3 Fate il dialogo.
Immaginate cosa si potrebbero dire i due bambini e preparate il dialogo.

4 Mettete in scena!

La famiglia Bramante ha ereditato 25.000 euro da uno zio lontano. Nel testamento però c'è una clausola: la somma ereditata non dovrà essere depositata in banca bensì spesa entro un mese per il bene della famiglia stessa. Ognuno interpreta la clausola diversamente, ossia secondo i propri desideri.

In gruppi di 4-5 persone assumete i ruoli dei componenti della famiglia Bramante. Esponete le vostre idee, date la vostra interpretazione della clausola e discutetene in famiglia. Infine cercate di trovare una soluzione che accontenti tutti.

Margherita Arrighi
madre di Carlotta

Guido Bramante
marito di Carlotta
e padre di Davide
e Valentina

Carlotta Arrighi
moglie di Guido
e madre di Davide
e Valentina

Davide Bramante
15 anni, figlio di
Guido e Carlotta

Valentina Bramante
16 anni, figlia di
Guido e Carlotta

B Da ascoltare

1 Ascoltate e completate.

Vi ricordate dell'ascolto dell'unità 3? Ascoltate una breve sequenza della registrazione e completate il testo con le parole che mancano. Che cosa cambia tra la versione incompleta e quella completa?

quindi ◆ ecco ◆ comunque ◆ non lo so ◆ senti ◆ dunque

● Forse sono stereotipi, ..., però insomma queste sono un po' le differenze, anzi, eh ..., c'era questa storiella che ho sentito sugli emiliani e i romagnoli. L'emiliano si alza la mattina, si lava i denti, fa colazione, legge il giornale e va a lavorare. Il romagnolo si alza la mattina, si guarda allo specchio e dice: «Io sono romagnolo».

○ Ah, ... proprio, insomma, come a dire, questa è la mia identità e per me è la cosa più importante del mondo.

● Esattamente, se poi è vero non lo so. Probabilmente un fondo di verità ci sarà anche, ... ti ripeto quello che ho sentito, ...

○ Mmm .... , e invece poi dal punto di vista di ..., delle specialità culinarie, o di altre caratteristiche, ora, non legate alle persone, ma legate alla zona?

● ....

○ Ti viene in mente qualcosa, c'è qualcosa di particolare?

● Sì, beh, la prima cosa che mi viene in mente naturalmente è la piadina ...

C Per scrivere

1 📖 **Leggete e sottolineate.**

La seguente domanda di lavoro è riferita all'annuncio di pagina 34.
Leggetela e sottolineate le espressioni che possono servire da modello
per scrivere lettere di questo tipo.

Spettabile Ufficio,

in riferimento al Vs. annuncio apparso la settimana scorsa sul quotidiano *la Repubblica* per un posto di responsabile delle vendite, mi permetto di presentare domanda per l'impiego in questione.

Ho 30 anni e sono coniugata senza figli. Mi sono laureata in economia presso l'Università di Bari e ho lavorato fino al dicembre dell'anno scorso come responsabile dell'ufficio esportazioni presso la *Transit* di Bari. Nel febbraio 2005 mi sono trasferita a Sassuolo per seguire mio marito. Parlo perfettamente il tedesco e l'inglese ed ho una buona conoscenza del francese parlato e scritto.

Per le mie referenze, Vi prego di rivolgerVi alla *Transit* che Vi fornirà anche ogni informazione sulla mia serietà e capacità professionale. Vi allego inoltre una copia del mio Curriculum Vitae.

Nella speranza che la mia domanda venga accolta favorevolmente e che vogliate invitarmi ad un colloquio, Vi prego di gradire i miei più distinti saluti.

Annamaria Liserre

Allegato:
Curriculum Vitae

2 📖 **Leggete gli annunci e scrivete.**

Volete trasferirvi per un periodo in Italia e cercate un posto di lavoro. In Internet avete trovato questi annunci che potrebbero fare al vostro caso. Sceglietene uno e scrivete la vostra domanda.

Siamo una **società di animazione** presente sul mercato con oltre 200 animatori e musicisti impegnati nel settore turistico in tutta Italia. Ricerchiamo per inserimento immediato personale per villaggi turistici.

❱ **animatori, animatori con conoscenza dell'inglese**
❱ **musicisti, ballerini, artisti di strada, cabarettisti**
❱ **istruttori sportivi e hostess**
❱ **assistenti turistici**

Si richiede buona conoscenza di almeno una lingua straniera fluente, bella presenza, buona capacità di comunicazione, attitudine al lavoro di gruppo, versatilità. È criterio preferenziale di scelta la precedente esperienza lavorativa nel settore.

Invia il tuo curriculum vitae completo direttamente a: info@fulltime1989.it con una specifica riguardo al ruolo per cui ti candidi.

Per un'importante società che si occupa di videogiochi stiamo cercando un

Addetto / a al Customer Service

che darà assistenza ai clienti per quel che riguarda problematiche relative ad un nuovo videogioco.

Requisiti richiesti:
– Diploma / Laurea
– Esperienza pregressa nel settore
– Ottima conoscenza della lingua tedesca, della lingua inglese e preferibilmente anche della lingua francese
– Ottima conoscenza del pacchetto Office e di Internet
– Disponibilità tempo pieno
– Età 23 / 38, sede di lavoro: Milano

Durata del contratto: 3 mesi con possibilità di assunzione.

Inviare dettagliato cv al seguente indirizzo di posta elettronica: milano01@adinterim.net

---

D Da leggere

1 Leggete il titolo del racconto.
Il termine *controra* e composto di due parole: quali? Che significato potrebbe avere?

2  Leggete.
Ecco uno stralcio del racconto. Alcune parole sono spiegate al margine della pagina.

∞ LA CONTRORA ∞

[...] Giocavo a pallone con gli amici del *condominio*. D'estate, scendevo in giardino verso le cinque. Prima non si poteva. Me lo vietava mio padre: – Deve passare la controra. Perché la controra era un limite: superarlo significava entrare in un territorio rischioso che non doveva permettermi di frequentare.

Del resto, ancora me le ricordo le giornate passate al mare da piccolo, quando, nel primo pomeriggio, mio padre *agganciava* la tenda attorno all'ombrellone, lasciando solo due piccoli spiragli per far entrare la *brezza*: – Qua il sole è forte assai.

Io e mia madre restavamo sotto la tenda, mentre mio padre se ne andava sotto il *pergolato* del lido. Arrivava il vento, gonfiava la tenda e ci portava le voci: tutte rotte e *frastagliate*. Sicuramente fuori ci doveva essere un mondo che viveva nella controra, ma io proprio non me lo riuscivo a immaginare. Anche perché, dopo, quando l'aria s'era rinfrescata e mio padre toglieva la tenda, correvo sulla *battigia* e vedevo le meduse morte, tutte bianche, slabbrate, e sentivo mio padre alle mie spalle che diceva: le ha uccise il caldo; oppure prendevo il pallone e lo sentivo più gonfio (e sempre mio padre spiegava: è il caldo che lo gonfia), allora pensavo che la controra doveva avere a che fare con la decomposizione, la dilatazione e l'esplosione.

Così pensavo che mio padre faceva bene a proteggermi da quel caldo, e non facevo storie per uscire. Del resto nessuno dei miei amici scendeva, e quei pochi che si vedevano per strada erano considerati di cattiva famiglia, pessime compagnie.

A casa, d'estate, durante la controra, quando il caldo era forte assai, per non far entrare la luce si tiravano giù le *tapparelle,* anche perché era una luce strana, fluorescente, che in un niente inondava le stanze, allora bisognava sbrigarsi a fare la cucina, pulire tutto prima d'andare a dormire, altrimenti gli avanzi sarebbero andati a male e sarebbero arrivate le mosche.

Andavo a dormire. Anzi, a volte dormivo veramente, altre volte fingevo, ma quasi sempre mi alzavo prima dei miei genitori. Senza uscire dalla stanza, sollevavo un po' la tapparella e infilavo la testa sotto [...].

E aspettavo che si facessero le quattro, allora mio padre s'alzava. Sentivo la porta della stanza da letto che s'apriva, lo strusciare delle pantofole, poi la porta del bagno, il rumore dello *sciacquone* e quindi di nuovo la porta. Faceva il caffè. Prima che fosse pronto, gridava dalla cucina: – Elisabetta, lo vuoi il caffè? – Mia madre dormiva ancora e per il caffè non era il momento, ma lui amava svegliare mia madre.

Alle cinque sentivo i passi dei miei amici che scendevano le scale. Erano rumorosi, allegri. Aspettavo che bussassero alla porta. Ecco che bussano. Guardavo mio padre, mi diceva: – Vai, vai che ha rinfrescato, vai che più tardi scendo anch'io a fare quattro calci.

condominio: edificio con appartamenti di diversi proprietari

agganciava: attaccava / appendeva con dei ganci

brezza: vento debole

pergolato: riparo con travi e tetto di legno

frastagliate: (qui) confuse, indistinguibili

battigia: parte della spiaggia bagnata dal mare

tapparelle: strutture di legno o plastica davanti alle finestre per riparare dalla luce

sciacquone: dispositivo per scaricare l'acqua del WC

da: Antonio Pascale, La manutenzione degli affetti, Einaudi (La controra)

Buona domenica!

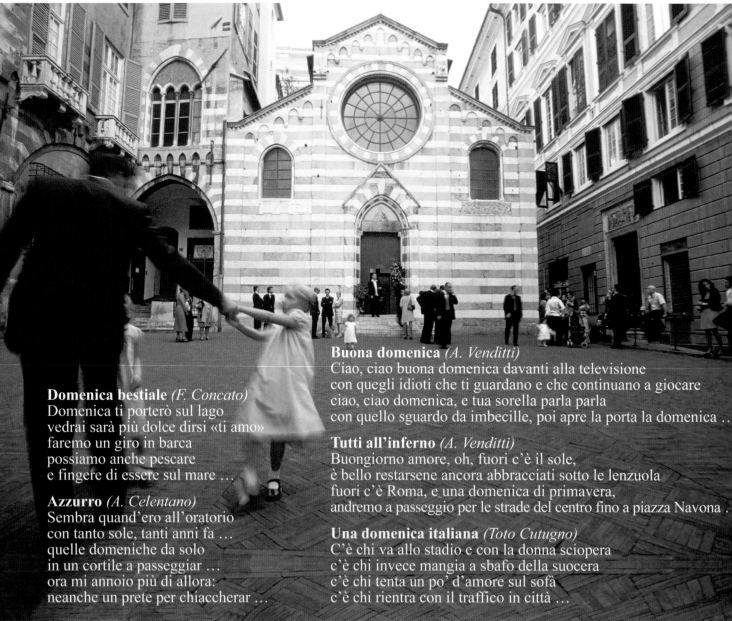

Leggete le strofe.

Nelle seguenti canzoni vengono descritti alcuni aspetti della domenica. Quali?

Domenica bestiale *(F. Concato)*
Domenica ti porterò sul lago
vedrai sarà più dolce dirsi «ti amo»
faremo un giro in barca
possiamo anche pescare
e fingere di essere sul mare ...

Azzurro *(A. Celentano)*
Sembra quand'ero all'oratorio
con tanto sole, tanti anni fa ...
quelle domeniche da solo
in un cortile a passeggiar ...
ora mi annoio più di allora:
neanche un prete per chiaccherar ...

Buona domenica *(A. Venditti)*
Ciao, ciao buona domenica davanti alla televisione
con quegli idioti che ti guardano e che continuano a giocare
ciao, ciao domenica, e tua sorella parla parla
con quello sguardo da imbecille, poi apre la porta la domenica ...

Tutti all'inferno *(A. Venditti)*
Buongiorno amore, oh, fuori c'è il sole,
è bello restarsene ancora abbracciati sotto le lenzuola
fuori c'è Roma, e una domenica di primavera,
andremo a passeggio per le strade del centro fino a piazza Navona .

Una domenica italiana *(Toto Cutugno)*
C'è chi va allo stadio e con la donna sciopera
c'è chi invece mangia a sbafo della suocera
c'è chi tenta un po' d'amore sul sofà
c'è chi rientra con il traffico in città ...

Rileggete i brani.
A che cosa vi fa pensare la domenica? Formate la vostra «rete di parole» con le espressioni dei testi e con le vostre associazioni personali.

fare un giro in barca

andare sul lago

domenica

restare a letto fino a tardi

A Addio lasagne e divano

1 Lavorate in coppia.

Quali sono le vostre abitudini domenicali? Intervistatevi a vicenda, prendete appunti e riferite.

2 **Leggete.**

Ecco i risultati di un sondaggio sulla domenica degli italiani.
Date ad ogni capoverso un titolo a vostra scelta e confrontate in plenum.

....

Dolce far niente addio. È finita la bella vita della domenica. Niente dormite fino a tardi, nessuna abbuffata a pranzo e riposini tra letto e divano tra televisione e coccole. Un italiano su due ha perso l'abitudine del sano riposo domenicale e ha cominciato a sfruttare anche la giornata di festa in faccende e attività tralasciate durante la lunga settimana lavorativa. A confermare la nuova tendenza del vivere moderno è un sondaggio di Eta Meta tra un migliaio di italiani tra i 18 e i 55 anni.

....

Ormai ci si sveglia presto e si inizia subito un vero e proprio *tour de force*. Il 52% degli italiani infatti si sveglia prima delle nove. Alla colazione seguono attività varie: il 33% degli italiani fa sport, il 21% si dedica a incombenze come «accompagnare i bambini al parco» o «portare il cane a correre».

....

Il vecchio pranzo in famiglia a base di lasagne, carne e dolce, il tutto generosamente annaffiato di vino, resiste solo nel 41% delle famiglie. Oggi ci si incontra piuttosto con gli amici per il brunch in uno dei tanti locali aperti la domenica

(24% degli intervistati), o si opta per la classica gita fuori porta, anche in inverno (22%). Il 17% preferisce restare a casa evitando accuratamente parenti e amici.

....

E se un tempo il pomeriggio era santificato a TV, pantofole e divano, il programma della nuova domenica all'italiana prevede tutt'altro. Solo il 21% resiste alla tradizione di calciodipendente. Nel 69% dei casi, il gentil sesso stabilisce la nuova agenda degli appuntamenti: bisogna fare i «lavoretti in casa» (un marito su 4) o portare i bambini al cinema (uno su 5).
Per il 37% degli intervistati la domenica è il momento ideale per recuperare tutto ciò che non è stato fatto nel corso della settimana.

....

Sono proprio i ragazzi a riscoprire il valore del relax domenicale. Per loro la colazione tradizionale è sostituita spessissimo dal brunch (45%), mentre il pomeriggio si divide tra una passeggiata in centro in compagnia del partner (31%), una puntata al cinema (26%) e cena leggera a casa di amici dove assistere in TV al posticipo di serie A (24%) o giocare assieme ai videogame (21%).

Fra i risultati del sondaggio c'è un aspetto che vi sorprende? Perché?

3 Completate con le informazioni ricevute dal testo.

Il 52% degli italiani   ....

Il 45% dei giovani   ....

Il 41% delle famiglie   ....

Il 37% degli italiani   ....

Il 33% degli italiani   ....

Il 31% dei giovani   ....

Il 17% degli italiani   ....

4 Lavorate in coppia.

Come definireste voi le abitudini domenicali nel vostro paese? Discutetene, prendete appunti e scrivete un breve testo aiutandovi con le espressioni date.

la maggior parte
la metà
un terzo
una piccola parte

della gente, delle persone
dei giovani, degli anziani
degli uomini, delle donne
delle famiglie

5 Completate.

Completate con le forme impersonali.

Come si trascorre la domenica in Italia?

.... prima delle nove e .... un vero e proprio *tour de force*.

Il pranzo tradizionale è in declino: oggi .... piuttosto con gli amici per il brunch.

~~si~~ si sveglia → ci si sveglia

6 Discutete.

Discutete su come sono cambiate le abitudini della gente rispetto ad un tempo.

interessarsi di politica / ai problemi dell'ambiente ◆ occuparsi degli anziani
vivere in famiglia ◆ praticare sport ◆ viaggiare ◆ andare a messa

Es. 1 – 3
pp. 132 – 133

ESEMPIO   Oggi ci si interessa di più / di meno ...

Ascolto

1 Ascoltate.

Ascoltate la canzone *Domenica bestiale* di Fabio Concato. Che impressione vi fa?

2 Riascoltate.

Mettete una crocetta accanto all'affermazione esatta.

L'autore			
vuole andare	☐ al lago.	☐ al mare.
propone di fare un giro	☐ in moto.	☐ in barca.
vuole	☐ pescare.	☐ giocare.

All'autore piace			
partire da Milano	☐ la mattina presto.	☐ quando in città c'è caos.
passare il tempo a	☐ prendere il sole.	☐ raccogliere fiori.
mangiare	☐ in silenzio.	☐ chiacchierando.

3 Scrivete.

Completate la seguente strofa a piacere.

Domenica ti porterò ....   possiamo anche ....

vedrai sarà più dolce dirsi ....   e fingere di essere ....

faremo ....

B Lei ha già un impegno per domenica?

1 🎧 Ascoltate.

Che cosa propone l'ingegner Rovati al dottor Frattini?

● La ringrazio d'avermi accompagnato all'albergo, ingegner Rovati.
○ Ma si figuri.
● Ci vediamo lunedì alla riunione. Le auguro una buona domenica.
○ A proposito di domenica, dottor Frattini, volevo chiederLe ... Lei ha già qualche impegno?
● Mah, niente di preciso. Pensavo di visitare un po' Trento. La conosco ancora poco, nonostante ci venga spesso.
○ Beh, sì, prima che la direzione La richiami a Milano dovrebbe approfittarne ... io però per domenica volevo proporLe di andare al Mart di Rovereto.
● Il Mart? Ah sì, ne ho sentito parlare, il museo specializzato nel Futurismo ...
○ Proprio così. Ma ci sono anche sezioni con altri artisti del '900, Modigliani, De Chirico ...
● Ah, però ...
○ E poi sono esposte anche opere di arte contemporanea italiana e internazionale.
● Ma Lei c'è già stato?
○ A dire il vero non ancora, sebbene voglia

farlo da tempo. Pare che l'architettura stessa del museo valga già una visita.
● La ringrazio, ci vengo con piacere.
○ Si immagini, il piacere è tutto mio. Anzi, se vuole, potremmo pranzare insieme prima di andare al Mart o, se preferisce, potremmo andarci nel pomeriggio e andare a cena dopo aver visitato il museo.
● Beh, se per Lei è indifferente, preferirei andare a cena.
○ Perfetto, allora passerò a prenderLa domani in albergo ... alle due e mezza Le andrebbe bene?
● Va benissimo.
○ Allora a domani.

Che cosa c'è da vedere al Mart?

2 Raccontate.

Descrivete al vostro compagno una mostra o un museo che avete visitato e che vi è piaciuto particolarmente. Che cosa è esposto? Aiutatevi con le espressioni seguenti.

artista, capolavoro, opera d'arte, quadro
pittura, fotografia, scultura
epoca preistorica, romana, gotica, medioevale
rinascimento, barocco, stile liberty

3 Completate e osservate.

Non conosco bene Trento, ... ci venga spesso.

Non ho ancora visitato il Mart, ... voglia farlo da tempo.

Non sono mai stato a Rovereto anche se non è lontano da qui.

Con quali congiunzioni si usa il congiuntivo in questo tipo di frasi, con quale invece no?

4 Raccontate.

Ci sono progetti che vorreste realizzare da tempo ma che non avete ancora realizzato?
Parlatene con il vostro compagno.

> ESEMPIO Non ho ancora mangiato in un ristorante giapponese, nonostante nella
> mia città ce ne siano un paio. Mi piacerebbe molto provare.

5 Completate.

Dovrebbe visitare Trento	prima che la direzione La richiami a Milano. prima di ripartire.
Potremmo mangiare insieme	prima .... al Mart. dopo .... il museo.

Che differenza c'è tra le prime due frasi?
Che cosa notate nell'uso di *prima* e *dopo*?

6 Lavorate in coppia.

Domani avete una giornata piena
di cose da sbrigare ma nel pomeriggio volete a tutti i costi lasciar-
vi due ore libere per visitare una
mostra che altrimenti non potreste
più vedere ... e naturalmente siete
in ufficio dalle 9.00 alle 16.00.
Come vi organizzate per ottimizzare il tempo? Osservate il promemoria oppure pensate ai vostri
impegni reali e dite che cosa fate
prima e dopo.

ritirare giacca in lavanderia
telefonare a Luca prima della sua partenza per Torino
ritirare pacchetto alla posta
fare la spesa
fare benzina
andare alla Galleria d'Arte Moderna
lasciare ai ragazzi qualcosa di pronto da mangiare
passare dal commercialista
portare il cane dal veterinario
rispondere alla mail di Flavia

7 Prendete appunti.

Cercate nel dialogo le espressioni usate dal dottor Frattini e
dall'ingegner Rovati per:

proporre qualcosa	accettare un invito
....	....
....	....
....	....
....	....

8 Lavorate in coppia.

Un vostro collega italiano trascorre un fine settimana nella vostra città.
Proponetegli di fare qualcosa insieme.

Es. 4–9
pp. 133–135

C Possiamo spegnere il televisore?

1 Fate un sondaggio.

Mettete una crocetta accanto alle affermazioni che rispecchiano i vostri comportamenti e cercate poi qualcuno che abbia le vostre stesse risposte.

Guardo la televisione

☐ per abitudine.

☐ raramente perché non mi piace.

☐ la sera per rilassarmi.

☐ solo se c'è qualcosa che mi interessa.

Per tenermi informato

☐ ascolto il giornale radio.

☐ guardo il telegiornale.

☐ leggo il quotidiano.

☐ leggo le notizie in Internet.

Ascolto la radio

☐ in macchina.

☐ spesso durante la giornata.

☐ molto raramente.

☐ la mattina quando faccio colazione.

2 Ascoltate.

Perché Fabio discute con sua madre?

● Ah, certo che le lasagne come le fai tu, mamma, non le fa nessuno. Possiamo spegnere il televisore, adesso?

○ No, non spegnere che tra poco c'è il *Tg2*.

● D'accordo, allora spegniamo dopo.

○ Dopo il telegiornale puoi fare quello che vuoi.

▲ Eh, no, dopo comincia *Domenica In* e non la voglio perdere.

● Scusa, ma noi siamo venuti per passare la domenica con voi e poi guardiamo la TV?

▲ Ma no, a volume basso, che fastidio ci dà?

● Insomma, sempre questa brutta abitudine di tenere la televisione accesa in ogni momento ...

▲ Perché, scusa, vuoi dirmi che voi non la guardate mai la televisione a casa?

△ A dire il vero raramente. Forse la guarderemmo più spesso se la sera non avessimo così sonno. Ma le trasmissioni più belle le fanno sempre tardi.

● Capirai, fino alle undici di sera fanno solo show o quiz idioti ... no, io non li sopporto.

○ Ma come, con tutti i canali che ci sono non trovate niente da vedere?

● Qualche volta, ma di rado. Se trasmettessero un bel film o un documentario in prima serata la televisione la guarderei anch'io, ti assicuro. Proprio per questo ci siamo comprati un lettore DVD, così guardiamo i film che vogliamo, e senza pubblicità.

△ Sì, è vero. Così se ci addormentiamo guardando un film, lo possiamo riguardare la sera dopo.

○ Dove avete messo il telecomando che qui non si sente niente?

△ Eccolo.

▲ Beh, io adesso comincio a mangiare altrimenti diventa tutto freddo.

3 Completate le frasi.

Cercate un seguito per queste frasi e riferite in plenum.

Accendo la TV solo se ...
Abbasso il volume del televisore ...
Spengo la TV ogni volta che ...

Nascondo il telecomando se ...
Alzo il volume del televisore quando ...
Tengo sempre accesa la TV perché ...

Es. 10–12
pp. 135–136

4 **Rileggete il dialogo e completate.**

avere	Ma voi non guardate mai la TV a casa?
avessi	A dire il vero raramente.
avessi	
avesse	La .... più spesso se la sera non .... così sonno.
avessimo	
aveste	Se .... un bel film in prima serata, la .... anch'io.
avessero	

5 **Scrivete.**
Completate le frasi con un seguito a vostra scelta.

Se fossi invisibile ...   Se non esistessero le automobili ...
Se mancasse la corrente per una settimana ...   Se tutti al mondo parlassero la stessa lingua ...

6 **Formate delle frasi.**
Provate ad immaginare che cosa dovrebbe accadere per convincervi a fare le seguenti cose.

◆ buttare il televisore
◆ partecipare a un quiz televisivo
◆ guardare la TV per 12 ore di fila

◆ raccontare la vostra vita in un talk show
◆ rimanere una notte a navigare su Internet
◆ non accendere il computer per un mese

ESEMPIO ▸ Butterei il televisore solo se ... ne avessi uno nuovo!

7 **Discutete in piccoli gruppi.**
Che cosa vi piace guardare in televisione?
Che cosa non guardate mai? Perché?

Lettura

1 **Discutete.**
Secondo voi quali sono i luoghi più adatti per parlare di sport?

2 **Leggete.**

C'è chi dice: il Bar Sport ha chiuso. Non è vero. Ha traslocato. Dalle periferie delle città s'è trasferito al centro della televisione. Il giornale è ancora lì, sul frigo dei gelati, ma lo leggiamo meno. Abbiamo vite caotiche, e lo sport viene sbocconcellato, come ogni altra cosa. La «Gazzetta» al mattino, un commento a colazione, una battuta in ufficio, un'opinione dall'autoradio, un programma in TV la sera.

Al Bar Sport – ricordate? – era diverso. Al momento di tirar giù la saracinesca, le pagine sportive erano veline. Le avevano consumate i clienti, in cerca di spunti per la loro commedia umana. C'era il Competente, che da giovane aveva giocato in prima categoria e, appena si parlava di calcio storceva il naso. L'Imparziale, che pretendeva di portare equilibrio in uno sport pieno di interessanti squilibrati. L'Isterico, euforico per qualunque vittoria e depresso dopo ogni sconfitta. L'Onesto, che voleva parlare di fair play, ma non sapeva come pronunciarlo.

Poi c'erano il Milanista e l'Interista, lo Juventino e l'Altro: quello che in Lombardia tifava Torino, Cagliari o Sampdoria (l'importante era essere in minoranza). Poi c'era il coro formato da quelli che ascoltavano, guardavano, gridavano qualcosa mentre giocavano a carte.

Ogni Bar Sport schierava il Seduttore e il Timido, il Fascio e il Comunista, il Sagrestano e il Bestemmiatore, il Professore e l'Uomo dello Stravecchio, lo Scommettitore e l'Irascibile (scusate: l'Incazzato Full Time). Senza di loro il Bar Sport sarebbe stato solo un bar, un posto buono per un caffè in piedi.

Il Bar Sport si poteva chiamare anche Caffè Commercio o Bar Garibaldi: cambiava poco. Comunque sia, si è trasferito. Oggi è in esilio presso innumerevoli programmi che parlano di calcio, in TV e alla radio. Non posso dire che siano tutti buoni, ma non mi sento nemmeno d'affermare che siano del tutto inutili. Sono la continuazione della discussione da bar con altri mezzi, e prendono il calcio per quello che è: un racconto popolare [...].

da: Beppe Severgnini, Manuale dell'imperfetto sportivo, Rizzoli

3 **Mettete una crocetta accanto alle affermazioni esatte.**

Secondo l'autore …

☐ prima si discuteva di sport al bar, oggi se ne discute alla televisione.

☐ anche oggi si discute a lungo di sport con amici e conoscenti.

☐ un tempo il giornale del *Bar Sport* la sera aveva le pagine sportive consumate.

☐ il *Bar Sport* non era diverso da altri bar.

☐ un tempo il *Bar Sport* era frequentato da tante persone con caratteristiche differenti.

☐ i programmi sportivi trasmessi oggi in TV sono tutti inutili.

4 **Sottolineate.**
L'autore caratterizza i frequentatori del *Bar Sport* dando ad ogni tipo un nome diverso. Chi frequentava il *Bar Sport*? Sottolineate le parole nel testo e cercate di spiegarne le caratteristiche.

5 **Lavorate in coppia.**
Ciascuno di voi si immedesima in uno dei tipici frequentatori del Bar Sport. Preparate un breve dialogo sullo sport o su un argomento a vostra scelta.

Es. 13
p. 137

D *La Gazzetta dello sport*

1 **Discutete.**
Conoscete alcuni di questi giornali e riviste italiani? Secondo voi a quali categorie appartengono?

quotidiano ◆ quotidiano sportivo ◆ settimanale di attualità e politica
rivista femminile ◆ rivista specializzata

2 **Discutete.**
Se leggete il quotidiano, quali pagine preferite leggere e perché?

cultura ◆ cronaca ◆ politica interna/estera ◆ finanza ◆ economia ◆ sport

3 **Lavorate in coppia.**
Riferite di un articolo o di una notizia che avete letto di recente e che vi ha particolarmente colpito.

4 🎧 **Ascoltate.**

In che momento della domenica si incontrano i due uomini?
Quali elementi ve lo fanno capire?

5 🎧 **Osservate e riascoltate.**
Guardate il disegno e mettete
una crocetta accanto alle parole
dette dai due uomini
nel dialogo.

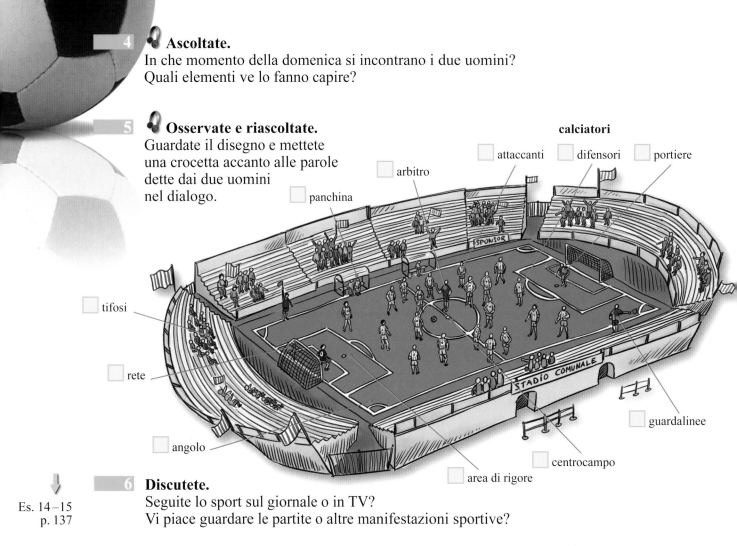

calciatori

☐ attaccanti   ☐ difensori   ☐ portiere

☐ arbitro

☐ panchina

☐ tifosi

☐ rete

☐ angolo

☐ guardalinee

☐ centrocampo

☐ area di rigore

Es. 14–15
p. 137

6 **Discutete.**
Seguite lo sport sul giornale o in TV?
Vi piace guardare le partite o altre manifestazioni sportive?

Si dice così

Ringraziare e reagire a un ringraziamento

La ringrazio d'avermi accompagnato.	Ma si figuri. Si immagini.

Proporre di fare qualcosa insieme e accettare (formale)

Volevo chiederLe, Lei ha già qualche impegno? Volevo proporLe di andare al Mart. Potremmo pranzare insieme o andare a cena.	Mah, niente di preciso. La ringrazio, ci vengo con piacere. Se per Lei è indifferente, preferirei andare a cena.
Alle due e mezza Le andrebbe bene?	Va benissimo.

Chiedere un permesso e reagire

Possiamo spegnere il televisore?	No, non spegnere che tra poco c'è il Tg. D'accordo, spegniamo dopo. Eh, no, dopo comincia Domenica In e non la voglio perdere.

Grammatica

1. Forma impersonale dei verbi riflessivi   ➔ 13   note

La domenica **ci si** sveglia tardi.
La sera **ci si** incontra con gli amici.

2. La congiunzione *nonostante* **(e** *anche se*)   ➔ 31

Non sono ancora stato a Lecco ...
... **nonostante sia** vicino.
... **anche se è** vicino.

3. Uso, nelle subordinate,
delle congiunzioni *prima* **e** *dopo*   ➔ 28

Vorrei visitare il Duomo   **prima che** chiuda.
                            prima di partire.
                            dopo aver fatto qualche foto.

4. Il *congiuntivo imperfetto*   ➔ 22

	andare	avere	finire	essere
io	and**assi**	av**essi**	fin**issi**	**fossi**
tu	and**assi**	av**essi**	fin**issi**	**fossi**
lui, lei, Lei	and**asse**	av**esse**	fin**isse**	**fosse**
noi	and**assimo**	av**essimo**	fin**issimo**	**fossimo**
voi	and**aste**	av**este**	fin**iste**	**foste**
loro	and**assero**	av**essero**	fin**issero**	**fossero**

fare → **facessi**, dare → **dessi**, stare → **stessi**, dire → **dicessi**

5. Il periodo ipotetico (1)   ➔ 33

Se stasera **ho** tempo, **vado** al cinema.

Se avessi tempo, ti **accompagnerei**.

6. Uso dell'articolo determinativo   ➔ 1

Il 24% degli italiani si alza presto anche la domenica.

Sono poche le persone che non hanno **la** televisione.
Non ho **la** macchina perché non mi piace guidare.

UNITÀ 6

I tempi cambiano!

1 **Guardate le quattro foto e leggete le didascalie.**
Single, divorziati, coppie sposate, coppie di fatto: in quale situazione vi riconoscete?

2 **Leggete le prime due interviste.**
Confrontate le risposte delle due donne. In quali punti concordano, in quali no?

Oggi va la famiglia **fai da te**

La divorziata

La single

Federica Corinaldesi, 43 anni, ricercatrice di marketing di Roma

Loredana Lalli, 39 anni, impiegata di Roma

Stato di famiglia?

Divorziata da dieci anni, dopo un solo matrimonio.

Zitella. O meglio, come si dice adesso, single.

Perché avete scelto di essere single?

Perché è molto difficile trovare un partner che non invada il tuo spazio.

A essere sincera, per colpa di una seria delusione d'amore.

Qual è l'aspetto più positivo della vostra situazione sentimentale?

Poter prendere le mie decisioni senza dover essere costretta a sentire il parere dell'altro. E a subirne i consigli.

L'autonomia, la libertà. Insomma, il non dover rendere conto a nessuno di quello che faccio.

E il più negativo?

Mantenersi: vivere da soli è molto più costoso che vivere in coppia.

Qualche attimo di malinconia, quando l'umore non è alle stelle.

Che cosa provate quando tornate a casa la sera sapendo che non c'è un'altra persona ad aspettarvi?

Un meraviglioso senso di leggerezza. Posso dedicarmi in santa pace al mio hobby preferito: il découpage.

Che bello buttarmi nella vasca da bagno senza sentirmi in colpa perché dovrei preparare la cena.

Che tipo di vita sociale ha una single?

Esco con gli amici, anche se sono «accoppiati». E se voglio andare al cinema, non ho problemi a farlo da sola.

Ho le giornate sempre impegnate: lavoro molto, esco con gli amici e spesso sto con la mia famiglia.

Esiste un uomo ideale per cui perfino voi potreste diventare delle mogli perfette?

A livello estetico parecchi: Denzel Washington, Beckham. Ma mi sembra una missione impossibile.

Andy Garcia. Scherzo. Il mio uomo ideale non è bello a tutti i costi, ma di sicuro intelligente e simpatico.

Non vi manca una persona vicina con la quale confidarvi ogni giorno?

No, ho un sacco di amici a cui «rompo le scatole».

A volte sì, a volte no. Ma ho molti cari amici.

3 **Rileggete le interviste.**

Ricercate nei testi le espressioni corrispondenti a quelle che seguono e trascrivetele.

donna non sposata (parola poco gentile!)
sentirsi responsabili per il dispiacere di qualcuno
esperienza amorosa negativa
dare fastidio a qualcuno
non dover motivare le proprie azioni
guadagnare i soldi per vivere

4 **Leggete le altre due interviste.**

A quale coppia vanno le vostre simpatie?

Stato di famiglia?

Siamo sposati dal 1996.   Siamo una coppia di fatto dal 1993 e siamo anche genitori di due bambine piccole.

Per quale motivo ci si sposa?

Per amore, solo per amore.   Per tutelare partner e figli.

La coppia sposata

La coppia di fatto

E un motivo per non sposarsi?

Nessuno. A meno che la persona in questione non sia già sposata.   Perché il matrimonio è soltanto una formalità, un pezzo di carta.

Qual è la difficoltà di vivere insieme?

Lavorare insieme. A volte.   Avere due bambine piccole.

E qual è la gioia?

La colazione a letto la mattina.   Avere due bambine piccole.

Per cosa litigate di solito?

Io sono un po' sorda ed Eddy parla sempre a voce troppo bassa.   Per le classiche stupidaggini che sembrano gravi quando si è nervosi.

Avete mai minacciato di andare via di casa?

E per andare dove?   No, è impensabile.

Come si crea l'armonia in casa?

Con l'eros, prima di tutto. E poi anche con la compagnia di tanti amici che vengono a trovarci.   Lasciando le tensioni fuori dalla porta quando si torna a casa la sera. E respirando a fondo per dieci minuti.

Quando avete un problema, chiedete aiuto al vostro partner?

Mah, non sempre c'è da fidarsi (ridono tutti e due).   Sì, ci appoggiamo molto l'uno all'altra.

Vi raccontate tutto?

No.   Sì.

Alessandra Moro, 47 anni, ed Edoardo Buttarelli, 52 anni, hanno un'agenzia fotografica a Milano

Elvia Geni, 38 anni, manager e Patrizio Valde, 40 anni, dirige un'agenzia di viaggi a Milano.

da: Donna moderna

5 Completate e discutete.

Completate individualmente le frasi e discutetene poi in gruppo.

Il mio / la mia partner ideale ...   Un mio lato positivo ...   Trovo difficile ...
Se il mio / la mia partner ...   Una mia brutta abitudine ...   Per me è facile ...

Es. 1–3
pp. 138–139

6 Lavorate in coppia.

Prendete a modello una delle quattro interviste e intervistatevi a vicenda.

A L'Italia, un paese che cambia

1 Fate delle ipotesi.

Secondo voi in che modo è cambiata la società italiana rispetto ai seguenti aspetti?

matrimoni ◆ nascite ◆ emigrazione ◆ immigrazione

2 Leggete il testo e verificate le vostre ipotesi.

(1) La famiglia patriarcale con la «mamma» a casa ad occuparsi dei figli, le chiese piene la domenica, i treni carichi di emigranti che abbandonavano il Sud: era questa l'Italia del secondo dopoguerra e, più tardi, del boom economico. Oggi le cose sono cambiate: la manodopera da alcuni anni arriva dall'estero, le chiese si svuotano, la donna ha raggiunto la parità e le cicogne fanno sciopero.

(2) Soprattutto la trasformazione della famiglia ha cambiato la faccia del Bel Paese. Il matrimonio non è più l'unione per la vita: oggi i divorzi e le separazioni sono in continuo aumento. Da tutto ciò emergono nuovi tipi di famiglia che rappresentano una parte sempre maggiore della popolazione italiana: negli ultimi dieci anni sono aumentati i single, le convivenze e le «famiglie ricostituite», cioè quelle in cui uno dei coniugi ha alle spalle un'unione fallita.

(3) L'anno scorso, nella «cattolicissima» Italia, il 26% ha preferito dire «sì» in municipio davanti al sindaco anziché in chiesa, davanti al sacerdote. Persiste invece la tradizione di far battezzare i figli, ma da 5 anni a questa parte cala costantemente il numero delle nascite. L'anno scorso, con una media di 1,24 nati per ogni donna, inferiore ancora una volta a quella dell'anno precedente, l'Italia ha confermato di essere il paese dell'Unione Europea con la quota più bassa di nascite.

(4) È così che l'Italia ha raggiunto anche il triste primato del Paese con la popolazione più anziana. Al bassissimo tasso di fecondità si affianca l'indice di vecchiaia tra i più alti al mondo: l'anno passato l'aspettativa di vita per le donne italiane è salita a 82,9 anni, risultando superiore a quella degli uomini che possono contare di vivere in media 76,7 anni.

(5) Un aiuto per «ringiovanire» la popolazione può però forse arrivare dagli immigrati: nel Nord infatti si è registrato ultimamente un lieve aumento delle nascite grazie anche alla presenza delle donne immigrate. L'immigrazione, dunque, fenomeno relativamente nuovo per l'Italia, oggi è anche una risorsa per contribuire alla crescita della popolazione.

(6) E a proposito di migrazioni. Sono riprese quelle interne anche se con caratteristiche e modalità differenti: adesso le mete più ambite non sono più Milano, Torino e Genova bensì il Nord-Est, patria delle piccole e medie imprese e motore dell'economia italiana, e il centro: nell'ultimo decennio si è visto un forte incremento degli spostamenti dal Mezzogiorno in queste due aree del paese.

3 **Rileggete il testo.**
In quali paragrafi si parla dei seguenti argomenti?

☐ anziani   ☐ nascite e bambini   ☐ chiesa/religiosità

☐ rapporto di coppia   ☐ società degli anni '50-'60   ☐ migrazioni

4 **Lavorate in gruppi.**
Cercate di riassumere oralmente il contenuto del testo.
Un gruppo si concentra sulla situazione passata, l'altro sulla situazione presente.

5 **Completate.**
Cercate nel testo i sinonimi delle seguenti parole.

più grande	....	più basso	....
più piccolo *minore*	....	più alto	....

6 **Leggete e completate con i comparativi.**

Camilla è una ragazza molto ambiziosa. Lavora per una grande ditta di Milano, ha da poco ottenuto una promozione ed ha incarichi di .... responsabilità. Da quando dirige l'ufficio esportazioni, la percentuale delle vendite è salita notevolmente: quest'anno è stata addirittura .... a quella degli ultimi cinque anni. Una grande soddisfazione per Camilla, che vive quasi esclusivamente per il suo lavoro. La famiglia per lei ha un'importanza .... Per il momento non intende sposarsi, perché le possibilità di carriera per una donna con famiglia purtroppo sono ancora .... a quelle di una donna single.

7 **Rileggete il testo e completate.**

Nel Nord .... ultimamente un lieve aumento delle nascite.

Nell'ultimo decennio .... un forte incremento degli spostamenti.

Cosa notate nell'uso del *si* impersonale al passato prossimo?

8 **Discutete.**
Quali sono secondo voi i motivi che hanno portato ai cambiamenti avvenuti nella società italiana? Prendete spunto anche dalle foto a pagina 54 ed esprimete le vostre opinioni.

9 **Lavorate in gruppi.**
Ponetevi le seguenti domande, prendete appunti e riferite in plenum.

Chi ha il parente più anziano?   Chi ha più figli?
Chi si è sposato più giovane?   Chi è figlio unico?
Chi è il maggiore/il minore dei fratelli?   Chi ha più fratelli?
Chi ha più conoscenti stranieri?

Es. 4-9
pp. 139-140

B Le arriverà per posta.

1 🔊 **Ascoltate.**
Qual è il motivo della telefonata?

● Comune di Viterbo, buongiorno.

○ Buongiorno, senta, sono venuto l'altro ieri per fare un certificato di residenza e ho trovato gli uffici chiusi.

● Beh, probabilmente sarà venuto il pomeriggio.

○ Mah, veramente non era ancora l'una ... comunque io ho bisogno di questo certificato e volevo sapere se si può fare la richiesta per telefono.

● Certo, il certificato Le arriverà per posta all'indirizzo che Lei avrà comunicato all'impiegato. Il pagamento è in contrassegno.

○ Ah, ho capito.

● Comunque Le ricordo che può servirsi anche dell'autocertificazione.

○ Ah, è vero! A questo non ci avevo pensato, sa?

● C'è un modulo che può scaricare direttamente da Internet. Quando l'avrà compilato potrà portarlo personalmente all'ufficio richiedente oppure inviarlo per posta. In questo caso dovrà allegare anche la fotocopia di un documento d'identità valido.

○ Però, senta, visto che sono già al telefono forse mi conviene richiederlo subito.

● Va bene. Allora Le passo l'impiegato dell'Ufficio Anagrafe. Attenda in linea.

○ Grazie.

...

● Senta, adesso non risponde nessuno. Sarà uscito un attimo dall'ufficio. Vuole aspettare o richiama?

Quali possibilità esistono per richiedere un certificato?

2 **Rileggete il dialogo.**
Sottolineate nel dialogo tutte le espressioni relative ai documenti
e a ciò che è necessario per ottenerli.

3 **Raccontate.**
Avete mai perso uno di questi documenti? Com'è successo?
Che cosa avete fatto per riaverli?

Avete mai avuto bisogno di queste autorizzazioni o conoscete
qualcuno che ne ha bisogno nel vostro paese?

patente
carta d'identità
passaporto

permesso di soggiorno
permesso di lavoro

4 **Completate.**
Rileggete il dialogo e completate le frasi.

dare	Posso richiedere un certificato di residenza per telefono?
avrò	Sì, il certificato Le arriverà all'indirizzo che Lei ....
avrai	
avrà dato	all'impiegato.
avremo	L'impiegato adesso non risponde, ... un attimo.
avrete	
avranno	

In quale frase il futuro anteriore esprime una supposizione?

5 **Fate delle ipotesi.**
Cosa sarà successo?

Es. 10–13
pp. 141–142

Lettura

1 **Leggete.**

Cercate di individuare tutti i personaggi di questo brano di G. Guareschi.

Il Battesimo

Entrarono improvvisamente in chiesa un uomo e due donne, e una delle due era la moglie di Peppone, il capo dei rossi. Don Camillo, che in cima a una scala stava lucidando col sidol l'aureola di San Giuseppe, si volse e domandò cosa volevano.

«C'è da battezzare della roba» rispose l'uomo. E una delle donne mostrò un fagotto con dentro un bambino.

«Chi l'ha fatto?» chiese don Camillo scendendo.

«Io» rispose la moglie di Peppone.

«Con tuo marito?» si informò don Camillo. «Si capisce! Con chi vuole che l'abbia fatto: con lei?» ribatté secca la moglie di Peppone.

«C'è poco da arrabbiarsi» osservò don Camillo avviandosi verso la sagrestia. «So assai, io: non avevano detto che nel vostro partito è di moda l'amore libero?»

[...]

Indossati i paramenti, don Camillo si appressò al fonte battesimale.

«Come lo volete chiamare?» chiese don Camillo alla moglie di Peppone.

«Lenin, Libero, Antonio» rispose la moglie di Peppone.

«Vallo a far battezzare in Russia» disse calmo don Camillo rimettendo il coperchio al fonte battesimale.

Don Camillo aveva mani grandi come badili, e i tre se ne andarono senza fiatare. Don Camillo cercò di sgattaiolare in sagrestia, ma la voce del Cristo lo bloccò.

«Don Camillo, hai fatto una gran brutta cosa! Va' a richiamare quella gente e battezza il bambino.»

«Gesù» rispose don Camillo. «Dovete mettervi in mente che il battesimo non è mica una burletta. Il battesimo è una cosa sacra. Il battesimo ...»

«Don Camillo» lo interruppe il Cristo. «A me vuoi insegnare cos'è il battesimo? A me che l'ho inventato? Io ti dico che tu hai fatto una grossa soperchieria. Perché se quel bambino, metti il caso, in questo momento muore, la colpa è tua se non ha il libero ingresso in Paradiso!»

«Gesù non drammatizziamo!» ribatté don Camillo. «Perché dovrebbe morire? È bianco e rosso come una rosa!»

«Non vuol dire!» lo ammonì il Cristo. «Gli può cadere una tegola in testa, gli può venire un colpo apoplettico. Tu lo devi battezzare.»

Don Camillo allargò le braccia: «Gesù, pensateci un momento. Si fosse sicuri che quello poi va all'Inferno, si potrebbe lasciar passare: ma quello, pure essendo figlio di un brutto arnese, può benissimo capitarvi fra capo e collo in Paradiso. E allora ditemi voi come posso permettere che vi arrivi in Paradiso della gente che si chiama Lenin? Io lo faccio per il buon nome del Paradiso.»

«Al buon nome del Paradiso ci penso io» gridò seccato Gesù.

«A me interessa che uno sia un galantuomo: che si chiami poi Lenin o Bottone non mi importa niente. Al massimo, tu potevi far presente a quella gente che dare ai bambini nomi strampalati spesso può significare metterli nei pasticci, da grandi.»

«Va bene» rispose don Camillo. «Io ho sempre torto. Cercheremo di rimediare.»

In quel momento entrò qualcuno. Era Peppone solo, col bambino in braccio. Peppone chiuse la porta col chiavistello.

«Di qui non esco» disse «se mio figlio non è stato battezzato col nome che voglio io.»

da: G. Guareschi, Don Camillo, Milano 1948

2 **Lavorate in coppia.**

Riassumete con poche frasi il contenuto del testo insieme al vostro compagno.

3 **Lavorate in coppia.**
Abbinate alle espressioni presenti nel testo la loro spiegazione.

il capo dei rossi	rispondere
mettersi in mente	strano
ribattere	all'improvviso
burletta	scherzo, gioco
fra capo e collo	andar via senza farsi notare
sgattaiolare	persona un po' sospetta
strampalato	il leader dei comunisti
brutto arnese	capire
mettere qualcuno nei pasticci	creare dei problemi a qualcuno

4 **Lavorate in gruppi.**
Don Camillo, Peppone, la moglie di Peppone, il Cristo. Distribuite i ruoli all'interno del vostro gruppo e provate a drammatizzare la scena che avete appena letto.

Es. 14–15
pp. 142–143

5 **Lavorate in piccoli gruppi e scrivete.**
Secondo voi, come potrebbe continuare la storia?

6 **Raccontate.**
E voi sapete perché vi è stato dato il nome che portate?
Siete contenti del vostro nome o avreste preferito averne un altro?

C **Saremmo stati più felici se ...**

1 **Ascoltate.**
Di chi parlano le due persone e di quali problemi?

● È da tanto che non vedo Suo figlio! Ha finito gli studi?
○ Sì, finalmente! Però purtroppo non ha ancora trovato un lavoro.
● Eh, non è facile con i tempi che corrono. Ma ha già fatto domanda da qualche parte?
○ Sì, ne ha fatte tante, però finora niente. Sa, il problema è che lui vorrebbe un posto vicino a casa, non ha tanta voglia di spostarsi, perché qui c'è la sua ragazza, ci sono i suoi amici ...
● Eh, lo so. Anche Paolo, se avesse avuto la possibilità di trovare qualcosa in Italia, non sarebbe andato a Boston. E Le dirò che anche noi saremmo stati più felici, se lui fosse rimasto qui. Ma è anche vero che se non fosse andato all'estero non avrebbe avuto così tante possibilità di carriera.
○ Sì, Lei ha ragione, con la disoccupazione che c'è oggi bisogna adattarsi ...
● Eh sì, proprio per questo i ragazzi dovrebbero essere un po' più flessibili. Oggi ai dipendenti si richiede più mobilità. Dica a Riccardo di riflettere bene e di prendere in considerazione anche uno spostamento. E me lo saluti tanto, mi raccomando!

2 **Rileggete il dialogo.**
Raccogliete le espressioni relative alle seguenti intenzioni.

◆ spiegare il punto centrale di una questione
◆ introdurre un problema da un altro punto di vista

◆ continuare ad argomentare
◆ esprimere accordo

3 Rileggete e completate.

avere
se	avessi
	avessi
	avesse avuto
	avessimo
	aveste
	avessero

Se Paolo .... la possibilità di trovare

qualcosa in Italia, non .... a Boston.

Anche noi .... più felici se lui

.... qui.

Ma se non .... all'estero, non

.... così tante possibilità di fare carriera.

4 Completate le frasi.
Immaginate cosa potrebbe dire Paolo sulla sua decisione di lavorare all'estero.

Se non mi avessero offerto un posto a Boston ....

Sarei rimasto nella mia città se ....

Se i miei genitori non mi avessero sostenuto ....

Se avessi avuto già dei legami in Italia ....

Se non avessi trovato dei colleghi disponibili ....

5 Fate conversazione.
Che cosa sarebbe successo se nella vostra vita alcune cose fossero andate diversamente?
Prendete spunto dalle seguenti frasi e discutetene con i vostri compagni.

- Se (non) avessi cambiato città ...
- Se (non) mi fossi sposato/-a ...
- Se non avessi avuto quell'insegnante di ...
- Se non fosse nato mio figlio ...
- Se (non) mi fossi laureato/-a ...
- Se (non) avessi incontrato ...

6 Raccontate.
Voi, cosa avete fatto dopo aver finito la scuola/gli studi/la formazione professionale?
Che possibilità avete avuto e quali ostacoli avete incontrato?

Es. 16–18
p. 143

7 Leggete.
Leggete l'articolo. Secondo voi, il fenomeno descritto è una particolarità che riguarda solo l'Italia?

Hanno vinto i concorsi ma non lavorano: «Andiamo all'estero.» Il ministro Letizia Moratti: «Il governo provvederà.»

Cervelli in fuga la rivolta dei 1.700 ricercatori italiani

di CLAUDIA DI GIORGIO

ROMA – Ormai, sono pronti ad andarsene. Ieri, a Roma, 200 degli oltre 1.700 giovani ricercatori italiani che aspettano inutilmente, da uno o magari due anni, di avere il posto vinto con regolare concorso, hanno convocato la stampa e mostrato i passaporti, i biglietti d'aereo, i contratti firmati con università ed istituti di ricerca di altre nazioni. Ed hanno ripetuto che loro non avrebbero assolutamente voglia di emigrare e che non pensavano di diventare dei cervelli in fuga. Anzi hanno creduto, e credono ancora, nella ricerca italiana. Lo dimostrano i loro lunghi anni di precariato (pagati, a volte, meno di una collaboratrice familiare) all'interno delle nostre istituzioni, e la scelta di concorrere a posizioni professionali che all'estero sarebbero pagate il triplo.

da: la Repubblica

Ascolto

1 🎧 **Ascoltate.**
Lavorate in coppie e scambiatevi le informazioni che avete sentito.

2 🎧 **Ascoltate.**
A quale delle due ragazze si riferiscono le seguenti affermazioni? Inserite la lettera appropriata.

Valentina (a)   Laura (b)

☐ sta in Germania ancora per qualche mese.

☐ è stata assunta da una ditta.

☐ fa uno stage presso l'Istituto di cultura.

☐ pensa di comprarsi una macchina.

☐ non ha ancora idee chiare sul futuro.

☐ avrà degli ospiti italiani.

3 **Rispondete.**
Quali compiti svolge Valentina e quali dovrà svolgere Laura? Che cosa intendono fare prossimamente le due ragazze?

iՈՈ ISTITUTO ITALIANO DI CULTURA

Programma

Da aprile ad agosto

Si dice così

Informarsi su qualcosa o qualcuno	**Rassegnarsi**
Volevo sapere se si può fare la richiesta per telefono. È da tanto che non vedo Suo figlio! Ha finito gli studi?	Eh, non è facile con i tempi che corrono. Bisogna adattarsi.

Al telefono (formale)	**Mandare i saluti ad una terza persona**
	E me lo saluti tanto, mi raccomando!

Al telefono (formale)

Comune di Viterbo, buongiorno.
Le passo l'impiegato ...
Attenda in linea.
Senta, adesso non risponde nessuno.
Vuole aspettare o richiama?

Mandare i saluti ad una terza persona

E me lo saluti tanto, mi raccomando!

Far notare qualcosa

Comunque Le ricordo che può servirsi anche di ...   Ah, è vero!

Grammatica

			note

1. Comparativi e superlativi irregolari   2 →

I matrimoni hanno una durata **minore** di un tempo.
Di **maggiore** importanza sono altri fattori.
La quota è **inferiore a** quella dell'anno scorso.
Il costo della vita è **superiore a** quello di tre anni fa.

Inferiore e *superiore* si uniscono alla preposizione *a*.

Sandra è **la maggiore** di tre sorelle.
È **il numero inferiore** in assoluto degli ultimi anni.

2. Il *si impersonale* al passato prossimo   13 →

Si è registrato un lieve aumento della quota.
Si è scritto molto su questo argomento.

3. Il *futuro anteriore*: formazione e uso   17 →

fare	io avrò fatto
venire	noi saremo venuti/-e

Il certificato Le arriverà
    quando **avrà firmato** il contratto.
Mi porterai il modulo
    quando l'**avrai compilato**.

Il signor Rizzo **sarà** già **andato via**.
Avrai telefonato quando ero uscito un attimo.

4. Il *congiuntivo trapassato*   23 →

studiare	io avessi studiato
andare	noi fossimo andati/-e

5. Il periodo ipotetico (2)   33 →

Saremmo stati felici, **se lui fosse rimasto** qui.
Se avessi detto qualcosa, ti **avremmo aiutato**.
Se avessi trovato un posto qui, non **sarei andato** via.
Sarebbe stato più facile, **se avesse terminato** gli studi.

Benvenuti in Sardegna!

Guardate le foto.
Immaginate una didascalia per ogni foto.

3
BENVENUTI A BARUMINI
BENI ARRIBAUS A BARUMINI
WILLKOMMEN IN BARUMINI
BIENVENUS A'BARUMINI
WELCOME TO BARUMINI

complesso nuragico
di Barumini

Scegliete la foto che vi attira di più e
motivate ai compagni la vostra scelta.

A Dai nuraghi a Porto Cervo

1 **Leggete.**

Abbinate a ogni paragrafo contrassegnato da una casella una delle foto della pagina accanto.

Il 2 giugno 1946 l'Italia passa dalla monarchia alla repubblica con un referendum al quale partecipano per la prima volta anche le donne. La Repubblica Italiana viene suddivisa in regioni. Per motivi di carattere politico, linguistico o geografico cinque regioni, tra cui la Sardegna, ricevono in seguito lo statuto speciale, il quale garantisce loro una maggiore autonomia.

Tappeti e coperte di lana, ceramiche, ferro battuto e la lavorazione del corallo: l'artigianato in Sardegna ha ancora un certo peso economico. Una produzione artigianale tutta sarda è quella degli oggetti in sughero, dai tappi di uso comune ai souvenir.

L'interno dell'isola è aspro, selvaggio e spesso disabitato. Lungo la costa con numerosi parchi marini e lunghissime spiagge di sabbia bianca e rosa sorgono alcune delle più belle e famose località balneari esistenti al mondo: la Baia di Alghero, il Golfo di Cagliari, la Gallura e la Costa Smeralda, il cui centro principale è Porto Cervo, frequentato dai personaggi famosi del jet set internazionale.

I sardi, pur vivendo su un'isola, non hanno una tradizione marinara. Invece la tradizione pastorizia, con la produzione della lana, della carne e di formaggi come il pecorino, ha origini antichissime. Nelle zone collinose sono coltivati l'ulivo e la vite. Quest'ultima è presente quasi ovunque e assicura una produzione enologica qualitativamente elevata.

Il sardo conserva ancora le caratteristiche originarie del latino proprio grazie al suo lungo isolamento. Solo con l'Unità d'Italia nel 1861 l'italiano diventa la lingua ufficiale anche in Sardegna. Oggi in Sardegna, oltre al sardo, si parlano il catalano (ad Alghero) e una variante di dialetto genovese (a Carloforte e a Calasetta).

Intorno al 2° millennio a.C. in Sardegna si afferma la civiltà nuragica che prende il nome dai nuraghi, ossia da costruzioni in pietra, generalmente di forma circolare, la cui antica funzione è tuttora sconosciuta. Ne esistono più di 7.000 in tutta l'isola. A causa di queste loro costruzioni i sardi vennero chiamati nell'antichità tirreni, cioè costruttori di torri. È proprio da questa definizione che ha origine il nome Mar Tirreno.

2 **Mettete una crocetta sulle affermazioni corrette.**

- In Italia alcune regioni hanno più autonomia di altre.
- In una parte della Sardegna si parla il catalano.
- La Gallura è una zona interna della Sardegna.
- I sardi sono sempre stati pescatori.
- In Sardegna si produce del buon vino.
- In Sardegna l'artigianato è ancora importante per l'economia.
- Gli antichi abitanti della Sardegna si chiamavano nuraghi.

3 **Lavorate in gruppi.**

Rileggete le didascalie che avevate immaginato per le foto di pagina 62. Quali aspetti avete ritrovato nel testo? Potreste aggiungere ancora qualcosa, basandovi sulle vostre conoscenze personali? Su quali punti vi interesserebbe ricercare ancora informazioni?

4 **Osservate.**

> L'Italia diventa una repubblica con un referendum al quale partecipano anche le donne. La Sardegna riceve lo statuto speciale, il quale garantisce una maggiore autonomia.

> La Costa Smeralda, il cui centro principale è Porto Cervo, è famosa in tutto il mondo. I nuraghi sono costruzioni in pietra la cui antica funzione è tuttora sconosciuta.

Cercate di tradurre queste frasi nella vostra lingua.

5 **Riformulate.**
Riformulate le frasi come nell'esempio.

Il sardo è una vera e propria lingua. Le sue caratteristiche sono quelle originarie del latino.

Il sardo, le cui caratteristiche sono quelle originarie del latino, è una vera e propria lingua.

La zona interna dell'isola è in parte disabitata. Il suo territorio è spesso aspro e selvaggio.

....

La costa ha spiagge bellissime. Le sue località sono famose in tutto il mondo.

....

6 **Discutete.**
Cercate di capire se il vostro compagno potrebbe essere adatto a trascorrere una vacanza con voi in Sardegna. Informatevi sui suoi interessi.

Ascolto

1  **Ascoltate.**
Nella conversazione che ascolterete Giovanna, Cesare ed Adriana raccontano della loro vacanza in Sardegna. Quali sono state le loro esperienze?

Cesare

Adriana

2 **Riascoltate.**
Guardate la carta a pagina 62. Quali luoghi nominano gli amici?

3  **Ascoltate e abbinate.**
Cosa hanno fatto o visitato Giovanna, Cesare ed Adriana nelle seguenti località?

dintorni di Arbatax	ballo tondo
Orgosolo	casa di Garibaldi
Caprera	domus de janas
Villa Grande	gita
Porto Cervo	murales

Giovanna

4 Guardate le foto.

In quale momento e dove pensate che siano state scattate?

↓
Es. 1–6
pp. 144–145

B Il mio bagaglio non è arrivato.

1 🎧 Ascoltate.

Che tipo di denuncia deve fare Paola e perché?

● La mia valigia non arriva! Speriamo che non l'abbia presa qualcuno per sbaglio.

○ Ma dai, finché non sono passati tutti i bagagli è inutile preoccuparsi. E poi, guarda. Quella lì sul nastro di chi è? Non è la tua?

● No, non è la mia! La mia è blu, quella lì è nera. Vedi? È di quel signore.

○ Su, vedrai che arriva anche la tua.

● Non vorrei che mi succedesse quello che è successo a Valerio. È rimasto tre giorni senza bagaglio.

○ Calmati, Paola, non ti agitare. Aspettiamo un attimo.

● No, ormai sono passate tutte. Maledizione! E adesso che faccio?

○ Intanto andiamo a fare la denuncia. Poi si vede, dai. Guarda, l'ufficio è là in fondo.

...

△ Buonasera.

● Buonasera. Senta, il mio bagaglio non è arrivato.

△ Cosa Le manca?

● Mi manca una valigia.

△ Ecco il modulo per la denuncia. Deve compilarlo. Lei è residente qui?

● No.

△ Allora ha diritto ad un kit in sostituzione degli oggetti di prima necessità.

● Ecco, spero di non aver dimenticato niente.

△ La prego di ricontrollare ancora l'esattezza dei dati relativi al suo bagaglio.

● Ho ricontrollato tutto. Ecco.

△ Bene. Non appena il bagaglio sarà rintracciato La avviseremo in albergo.

● No, preferirei che mi telefonaste sul cellulare, ho scritto il numero sul modulo.

2 Rileggete il dialogo.

Come esprime Paola la sua preoccupazione?
Che cosa dice l'amica di Paola per calmarla?

3 Lavorate in coppia.

Che cosa mettete sempre nel vostro bagaglio a mano quando viaggiate in aereo?

spazzolino da denti   dentifricio   pettine   fazzoletti di carta

medicinali   pile   rullino   gioielli   trucco   biancheria intima

4 Completate.

La mia valigia non è stata consegnata.

Non vorrei che .... quello che è successo a Valerio.

Per avvisarmi preferirei che .... sul cellulare.

5 Fate i dialoghi.

Siete in vacanza con un amico/un'amica. Purtroppo accadono alcuni contrattempi che vi irritano un po'. Cercate di esprimere in modo gentile e tuttavia molto chiaro come preferireste che andassero le cose in futuro. Aiutatevi con le seguenti espressioni:

◆ il portiere dell'albergo non vi ha informato in tempo di una telefonata importante
◆ la cameriera dell'albergo ha buttato il giornale di ieri che avevate lasciato in camera
◆ il vostro amico/la vostra amica dice di non essere sensibile alle scottature ma usa sempre i vostri prodotti solari
◆ il vostro amico/la vostra amica dimentica sempre qualcosa in camera quando state per partire per un'escursione

> preferirei che ...
> (non) vorrei che ...

> sarebbe bene/opportuno che

> sarebbe bello se ...
> sarei contento/contenta se

6 Completate.

> Dai, ... sono passati tutti i bagagli; è inutile preoccuparsi.
>
> .... il bagaglio sarà rintracciato La avviseremo in albergo.

Come tradurreste le frasi?

7 Completate.

Paola telefona al suo compagno e gli racconta della disavventura che ha avuto con il bagaglio. Inserite *finché non* o *non appena* al posto giusto.

«Insomma, la valigia non c'era. .... ho capito che era inutile aspettare ho fatto la denuncia, ma ci vorrà un po' di tempo .... avranno controllato tutti i bagagli. Comunque .... me la riportano ti faccio sapere. Certo che è una bella seccatura, ... mi consegnano la valigia per me la vacanza non incomincia ...»

8 Raccontate.

Vi è mai capitato un inconveniente durante una vacanza?
Siete riusciti a risolverlo? In che modo?

9 🎧 Ascoltate e mettete una crocetta.

Di cosa si lamentano le persone?

☐ manca la corrente   ☐ ci sono poche coperte   ☐ la camera è fredda

☐ la serratura è difettosa   ☐ la camera puzza di fumo   ☐ il letto è scomodo

☐ manca la carta igienica   ☐ mancano gli asciugamani   ☐ la doccia è guasta

☐ c'è una lampadina fulminata   ☐ la finestra non si apre   ☐ il frigo bar è vuoto

Es. 7– 12
pp. 146–147

Lettura

1 📖 **Guardate e leggete.**

Leggete il primo testo e inserite le seguenti parole nelle apposite caselle del disegno:

rocce ◆ torrente ◆ valico
sorgente ◆ punto di ristoro
bivio ◆ sentiero segnalato

MONTE LIMBARA

Altitudine: 1.180 m. slm
Dislivello: 650 m
Partenza: da Olbia sulla S.S. 127, prima di Calangianus al Km 30,3 a sinistra si trova un'ex stazione ferroviaria in rovina, poco dopo svoltare a sinistra e tra due rocce di granito si può parcheggiare.
Tempi: parcheggio-grotte 2 h, grotte-punto panoramico 1 h ¼, ritorno 2 h ½.
Difficoltà: facile escursione in parte su sentieri distinti e in parte su strade forestali.

Descrizione: Il Monte Limbara s'innalza in mezzo agli ampi boschi di querce da sughero della Gallura. Nei pressi si può visitare Tempio Pausania, dove possiamo ammirare il centro storico. Dal parcheggio procediamo verso Ovest su una strada ghiaiosa, continuando diritto per un sentiero ben segnalato. Camminiamo attraverso torrenti verso l'alto fino al Monte Biancu. Qui il nostro sentiero finisce in una pista carrabile, procediamo verso sinistra, e dopo alcuni tornanti ci troviamo al Passo Diliconchi. Scendiamo alle grotte trasformate in cavità abitative, ignoriamo il sentiero a sinistra, superiamo un valico e a sinistra vediamo una sorgente d'acqua. Al bivio successivo andiamo a destra, sopra il Riu Litaghiesu e attraverso un valico saliamo ad un altro bivio. Lì andremo a sinistra, incontreremo dei piccoli sentieri che portano a dei punti di ristoro allestiti e a delle sorgenti. Saliamo fino a quota 1.070 m., procediamo verso destra, poi curviamo a sinistra e arriveremo ad un punto panoramico da cui poi torneremo indietro.

2 📖 **Leggete.**

Leggete ora il secondo testo.

TREKKING NEL GOLFO DI OROSEI

Dislivello: circa 550 m.
Partenza: da Baunei seguire le indicazioni Golgo e percorrere la ripida strada asfaltata che sale sull'altipiano e poi scende sino all'altipiano del Golgo. Prima di raggiungere la chiesetta svoltare a destra (indicazioni Cala Goloritzè) sino in località Sas Piscinas, dove si lascia l'auto.
Tempi: 1 ora di discesa, 1 ora e trenta di risalita preferibilmente nelle ore più fresche.
Difficoltà: escursione facile e ben segnata in cui l'unico impegno è la risalita finale.

Descrizione: Si prende un sentiero verso est che sale sui sassi sino all'altipiano di Annidai. Dopo un breve percorso pianeggiante si scende camminando sotto alcuni lecci alti fino a 30 metri sino ai resti dell'ovile Ghironi, poi si giunge in vista della famosa *Aguglia*, un monolito di calcare con pareti verticali da ogni lato. Il Bacu Goloritzè si restringe e con piccole anse il sentiero passa sotto un caratteristico arco di roccia e scende a toccare l'*Aguglia*, su cui è facile osservare gli scalatori in azione durante una delle scalate più affascinanti d'Europa! Si raggiunge quindi la spiaggia delimitata a destra dall'arco naturale di Punta Goloritzè e dalla Grotta del Fico. Proprio sulla spiaggia in alcune stagioni è attiva una sorgente di acqua dolce. La risalita si svolge lungo il medesimo percorso.

3 Mettete una crocetta.

A quale escursione si riferiscono le seguenti affermazioni?

	M. Limbara	Goloritzè
Ci sono delle abitazioni nelle grotte.	☐	☐
Salendo si raggiunge una zona piana.	☐	☐
Si percorre un sentiero stretto passando sotto le rocce.	☐	☐
Si passa attraverso corsi d'acqua.	☐	☐
Si scende all'andata e si sale al ritorno.	☐	☐
Si arriva ai piedi di una roccia famosa.	☐	☐

4 Rispondete.

Voi quale delle due escursioni scegliereste? Perché?

Es. 13
p. 148

5 Scrivete.

Guardate ora la cartina a pag. 62 e preparate la vostra vacanza in Sardegna. Pensate alla durata, all'itinerario e al programma giornaliero. Confrontate poi con un compagno.

C Avrei bisogno di qualche consiglio.

1 Ascoltate.

Di quali prodotti sardi si parla nel dialogo?

● Buongiorno, signora. Desidera?

○ Buongiorno, vorrei qualche bottiglia di vino da portare a degli amici. Solo che di vini sardi non me ne intendo. Avrei bisogno di qualche consiglio.

● Cosa preferisce? Vino bianco o rosso?

○ Mah, pensavo di prendere sia l'uno che l'altro.

● Allora guardi, di bianco Le consiglio il Vermentino di Gallura, è ottimo con i crostacei ed i frutti di mare. Di rosso abbiamo il Rubicante novello. Non è molto forte e si accompagna soprattutto a pietanze di carne o ai formaggi.

○ Hm. Ma sì, li prendo tutti e due. Ha anche il ... Cannonau?

● Ah, ma allora non è vero che non se ne intende!

○ No, ma me ne ha parlato un amico ...

● Questo è veramente un vino tipico della Sardegna. Ecco. È un po' più forte del Rubicante, ha un gusto morbido e un retrogusto un po' amarognolo.

Il Cannonau va bevuto ad una temperatura di 16/18 gradi, sia con piatti di carne tipici sardi ...

○ Quindi anche con l'agnello arrosto?

● Sì, sia con la carne sia con i formaggi stagionati. Comunque, c'è scritto tutto sull'etichetta.

○ Allora prendo anche questo. A proposito di formaggi, quello è il fiore sardo, vero?

● Brava! Lo conosce? Lo sa che viene prodotto ancora secondo le antiche tecniche dei pastori della Barbagia?

○ No, non lo sapevo, ma l'ho assaggiato ed è buonissimo.

● E questo liquore lo conosce?

○ Il mirto? Sì, ne ho già comprate due bottiglie. Adesso vorrei solo il vino.

● E un po' di pane carasau non lo vuole?

Che cosa decide di comprare la signora?

2 Raccontate.

Quando tornate dalle vacanze vi piace portare a casa prodotti alimentari tipici del luogo?
Portate anche qualcosa ad amici e parenti?

3 Osservate.

> Il Vermentino è ottimo con i crostacei e i frutti di mare.
> Il Cannonau va bevuto a una temperatura di 16/18 gradi,
> sia con l'agnello che con i formaggi stagionati.

In che altro modo potreste esprimere la seconda frase?

4 Lavorate in gruppo.

Immaginate di avere ospiti italiani che vi chiedono informazioni sulla cucina del vostro
paese. Consigliate loro una specialità, una pietanza o una bevanda, spiegate di che cosa si
tratta e date delle indicazioni su come va consumata.

5 Lavorate in coppia.

Leggete le informazioni sui prodotti e riformulate le indicazioni
secondo l'esempio.

ESEMPIO   Gli gnocchetti sardi
            vanno cotti per ...

gli Gnocchetti Sardi n.146
TEMPO DI COTTURA 11 MINUTI

*In Sardegna, loro terra di origi-
ne, li chiamano "Malloreddus"
ovvero "piccoli tori". Ancora
oggi preparati con cura ineguagliabile, accompagnati
da un sugo ricco e saporito,
gli Gnocchetti Sardi portano
in tavola tutto il sapore della
Sardegna.*

6 Osservate.

> Conosci il mirto?
>
> Sì, ne ho comprate due bottiglie.

> Conosci anche il fiore sardo?
>
> Sì, ne ho assaggiato un pezzetto ieri al mercato.
> È buonissimo!

7 Lavorate in coppia.

Volete organizzare una piccola festa. La vostra partner/il vostro partner vi ha dato una
mano e ha già fatto la spesa. Per essere sicuri che ci sia tutto vi informate su quello che ha
comprato e in che quantità. Offritevi di comprare quello che eventualmente manca ancora.

ESEMPIO   ● Hai comprato i salatini?
            ○ Sì, ne ho prese tre buste. Pensi che bastino?

8 Completate.

Trascrivete accanto alle frasi dello specchietto quelle corrispondenti presenti nel dialogo.

Non mi intendo **di vini sardi**	→	....
Un amico mi ha parlato **del Cannonau**	→	....

9 Lavorate in gruppo.
Ponetevi a vicenda le seguenti domande e rispondete pensando ai vostri amici o ai vostri parenti.

Chi si occupa di organizzare le feste?   Chi si intende di vini?
Chi soffre di allergie a prodotti alimentari?   Chi parla sempre di diete?
Chi si ricorda sempre del vostro compleanno?   Chi si dimentica sempre di qualcosa?
Chi secondo voi non ha mai sentito parlare della
cucina sarda?

ESEMPIO   ● Chi si intende di vini nella tua famiglia?
          ○ Se ne intende mio cugino Peppe.

10 Fate conversazione.
Durante le vacanze vi è mai capitato di comprare un oggetto tradizionale o un altro souvenir e di pentirvi dell'acquisto quando siete tornati a casa?

⬇ **Si dice così**

Es. 14–17
pp. 148–149

Esprimere preoccupazione	**Tranquillizzare qualcuno**
Non vorrei che mi succedesse ...	Ma dai, è inutile preoccuparsi.
E adesso cosa faccio?	Su, vedrai che ...
Speriamo che (non) ...	Calmati, non ti agitare.

Chiedere e dare consigli per un acquisto

Vorrei qualche bottiglia di vino.	Che cosa preferisce?
Avrei bisogno di qualche consiglio.	Allora guardi, di bianco Le consiglio ...
Di vini non me ne intendo.	Di rosso abbiamo ...

Descrivere le caratteristiche di un vino   **Esprimere una preferenza o un desiderio**

È un vino tipico.   Preferirei che
È ottimo con ...   Vorrei che
Ha un gusto morbido.   Sarebbe bene che ⎤ veniste domani.
Va bevuto ad una temperatura di ...   Sarebbe bello se
Si accompagna ai formaggi.   Sarei contento se ⎦

Grammatica

1. I pronomi relativi *il/la quale* e *che/cui*   8 →

note

	a	con
il la quale	al alla quale	con il con la quale
i le quali	ai alle quali	con i con le quali
che	a cui	con cui

Alcune regioni hanno uno statuto speciale, **il quale/ che** garantisce loro una maggiore autonomia.
Alcune regioni, **tra le quali/tra cui** la Sardegna, hanno lo statuto speciale.

2. Il pronome relativo *il/la cui*   9 →

L'isola, **il cui interno** è montuoso, è ideale per fare il trekking.
I nuraghi, **la cui** antica **funzione** è sconosciuta, sono numerosi.
Sulla costa, **le cui spiagge** sono bellissime, si trovano tanti alberghi.

3. Il *condizionale* seguito dal congiuntivo   19 →

Preferirei che mi **informaste** immediatamente.
Non **vorrei** che **succedesse** un'altra volta.

4. La forma passiva con *andare*   27 →

Il modulo **va firmato**.
Questi vini **vanno bevuti** piuttosto freddi.

5. Il pronome partitivo *ne* al *passato prossimo*   7 →

Hai comprato gli gnocchetti sardi?
Sì, **ne** ho **prese** due **confezioni**.
Hai assaggiato questo dolce?
Sì, **ne** ho **presi** già due **pezzi**.

6. *Ne* al posto di una parte della proposizione   6 →

Non si intende **di cucina**.   → Non se **ne** intende.
Mi occupo io **di fare la spesa**.   → Me **ne** occupo io.

A Per parlare

1 Guardate la foto.
Descrivete ciò che vedete sulla foto e provate a darle un titolo.

2 Fate delle ipotesi.
Dove potrebbe essere stata scattata la foto? In quale situazione?
Chi potrebbero essere le persone fotografate?
Perché si staranno passando un biglietto?
Che cosa potrebbe essere scritto sul biglietto?

3 Raccontate.
Ricordate un biglietto o un messaggio scritto che avete ricevuto o mandato
in una situazione particolare? Parlatene agli altri.

4 Mettete in scena!

Siete colleghi di lavoro. Fra una settimana Anna, la segretaria del capo reparto, andrà in pensione e darà una piccola festa d'addio. Per questa occasione alcuni di voi vorrebbero farle un bel regalo, ma non tutti sono d'accordo. Il tempo comincia a stringere e oggi dovete assolutamente prendere una decisione. Durante la pausa di mezzogiorno vi incontrate nella mensa aziendale per discuterne.

Francesco,
49 anni

➤ L'idea non ti entusiasma tanto. Detesti le feste d'addio e pensi che del regalo se ne debba occupare la ditta.

Rosa,
35 anni

➤ Anna è per te una collega carissima. Pensi che non si debba badare a spese e sai anche che cosa potrebbe piacerle.

Carla,
29 anni

➤ La cosa ti mette piuttosto in imbarazzo, sei stata assunta da poco, non conosci bene Anna e non vorresti spendere troppo.

Fabrizio,
40 anni

➤ Per te va bene qualsiasi cosa: sei disposto a pagare qualsiasi cifra, basta che se ne occupino gli altri.

Mimma,
55 anni

➤ Siete colleghe da trent'anni e avete rapporti anche fuori dal lavoro. Sei convinta che il regalo che la renderebbe più felice sarebbe l'iscrizione ad un corso all'Università della Terza Età.

B Da ascoltare

1 Ascoltate e completate.

Leggete il seguente testo tratto dall'ascolto dell'unità 6 e completatelo con le parole trascritte di seguito. Ascoltate poi la registrazione e controllate.

addirittura ◆ però insomma ◆ ma dai ◆ guarda ◆ sai ◆ davvero
quindi ◆ comunque insomma

● E io, ..., ho una notizia! Ho trovato un lavoro finalmente! Sai che è da tanto tempo che lo cercavo!

○ Un lavoro? ....? Sono contenta per te!

● Mmm, sì guarda, l'unico problema è che non è esattamente a Stoccarda, è a Marbach, vicino a Stoccarda, ... ci s'arriva abbastanza bene con il treno e poi eventualmente potrei anche pensare di comprare una macchina.

○ .... una macchina! ...., Stoccarda è ben fornita di mezzi, ... non penso che avrai problemi.

● Eh sì, perché ...., i collegamenti degli autobus e dei treni ... bene, ... non sarà un problema. L'importante è lavorare! E tu poi in Italia cosa farai?

○ Eh, non ho ancora idea!

Ci sono espressioni simili nella vostra lingua? Voi le usate?

C Per scrivere

1 **Leggete.**

Leggete la lettera e sottolineate le espressioni che usa Patrizia per:

- cominciare e concludere la lettera
- ringraziare e scusarsi
- chiedere notizie
- fare un invito o una proposta

Cara Alessandra,

come stai? Spero bene. Innanzi tutto volevo ringraziarti della cartolina che ci avete mandato dalle vacanze e poi mi volevo scusare se non mi sono fatta viva per così tanti mesi. A partire da settembre ci sono stati vari cambiamenti e il tempo a mia disposizione si è ridotto ancora di più. Da quando Gianluca va all'asilo, ho ripreso a lavorare a tempo pieno. Mia madre va a prenderlo e me lo tiene finché Massimo torna dal lavoro. Lui smette già alle cinque, io invece a volte torno dopo le otto e sono stanca morta. Non è facile. Vorrei stare di più con Gianluca, ma c'è in vista un avanzamento di carriera, perciò al momento sono costretta a fare qualche sacrificio. Fortunatamente Massimo, sapendo che il lavoro mi dà grandi soddisfazioni, mi sostiene molto. E tu, invece, cosa stai facendo di bello? E come sta il resto della famiglia? Marilena fa progressi a scuola? Non immagini quanto ci farebbe piacere rivedervi. Sì, avrei proprio una gran voglia di fare una bella chiacchierata con te. Perché non venite a trovarci a Pasqua? Io prenderò due tre giorni di vacanza, ma non andremo via. Non volete venire a farci un po' di compagnia? Insomma, spero di ricevere presto tue notizie.
Vi abbraccio tutti con grande affetto e vi mando tanti bacioni

Patrizia

2 **Scrivete.**

Ora scrivete voi una lettera o una e-mail ad un amico in cui:

- rispondete a una sua lettera o e-mail
- lo ringraziate per un saluto o un regalo
- gli proponete qualcosa
- ....

D Da leggere

1 **Leggete.**

Leggete il seguente articolo. Le parole spiegate al margine vi possono aiutare nella comprensione.

Genova, *finisce in manette* Vittoria Benetti

Narcotizzava le *vittime* e correva al tavolo verde

Rapinava per giocare al casinò

GENOVA – L'età avanzata non era un ostacolo. Nonostante gli ottant'anni suonati derubava *coetanee* dopo averle *stordite* con *sonniferi* nel caffè e subito dopo si giocava al casinò il bottino. È finita in manette la "carriera" di Vittoria Benetti, arrestata dagli agenti della Polizia Ferroviaria del compartimento della Liguria nella sua casa di Vicenza per l'ultimo colpo da mille euro.

L'ultima vittima era stata una settantenne occasionale compagna di viaggio. L'aveva avvicinata alla stazione ferroviaria di Montecarlo, dove si era recata a *sfogare la sua passione* per il *gioco d'azzardo*. Conquistata la sua fiducia grazie ai modi gentili ed alla parlantina sciolta, Vittoria Benetti l'aveva drogata con una robusta dose di sonniferi e poi era corsa, sempre in treno, al casinò di Nova Gorica, in

Slovenia, a *puntare* i mille euro della vittima.

Gli agenti della Polfer, capito di avere a che fare con una vecchia conoscenza, hanno fatto vedere alla derubata la foto della Benetti e sono corsi nella sua casa di Vicenza, dove l'hanno trovata. Durante una *perquisizione* sono saltati fuori psicofarmaci, biglietti ferroviari, documenti e tessere che hanno consentito di risalire ad almeno altri cinque *furti* commessi di recente. Proprio il timore che Vittoria tornasse a colpire e soprattutto che, data l'età, *eccedesse* nella dose di sonnifero somministrato *ha indotto* gli *inquirenti* a rinchiuderla nel carcere veronese di Montorio in attesa che la magistratura valuti se assegnarla all'ospedale psichiatrico giudiziario che l'ha già avuta in cura.

da: la Repubblica

Glossario a margine:

finisce in manette:
viene arrestata

vittime:
chi subisce un danno materiale o personale

rapinava:
rubava

coetanee:
persone della stessa età

stordite:
quasi addormentate

sonniferi:
medicinali per dormire

sfogare la sua passione:
manifestare liberamente una passione

gioco d'azzardo:
gioco di fortuna vietato dalla legge

puntare:
scommettere soldi per vincere

perquisizione:
ricerca di elementi e/o prove a carico dell'indagato nei luoghi di sua permanenza

furti:
rapine

eccedesse:
esagerasse

ha indotto:
ha fatto decidere

inquirenti:
responsabili dell'indagine

UNITÀ 9

Che giornataccia!

Osservate le illustrazioni.
Quale delle situazioni rappresentate vi darebbe più fastidio?

 Leggete.
Leggete la lettera di una lettrice alla rivista *Gioia*.

Chi mi aiuta a sopravvivere alle grane?

 Ore 7.30: suona la sveglia. Passano dieci minuti e i miei figli cominciano a litigare su chi è arrivato prima in bagno. Ed è solo l'inizio.
Un cappuccino al bar e il signore di fianco a me mi sbuffa una boccata di fumo in faccia. Esco dal caffè e sul marciapiede sono costretta allo slalom fra schifezze di vario genere. Salgo in auto e al primo semaforo l'auto alla mia sinistra pensa bene di girare a destra, tagliandomi la strada. Arrivo finalmente in ufficio e la mia collega, come sempre, sta urlando nel telefono una ridda di insulti al suo fidanzato. E sono solo le 10.15 ... Che cosa si può fare per sopravvivere agli altri, alla maleducazione diffusa e alle mille grane, piccole, ma insostenibili, che ti capitano fra capo e collo quotidianamente? Confido nella vostra comprensione e in una brillante idea ... **Laura, Torino**

Abbinate.
Riguardate le illustrazioni. A quali dei momenti descritti nella lettera corrispondono?
Di quali altre situazioni si lamenta la lettrice?

Discutete.
Ci sono situazioni o comportamenti quotidiani che vi danno particolarmente fastidio? Quali?

Lavorate in coppia.
Che risposta dareste voi a Laura? Confrontate i vostri consigli in plenum.

A Le consiglio l'insulto doc.

1 Leggete.

Ecco la risposta alla lettera di Laura. Cosa intende Cottafavi con il termine *insulto doc*?

da: Gioia

Risponde **Beppe Cottafavi**, autore di *Il piccolo libro degli insulti* (Mondadori)

Cosa vuole che Le dica, gentile signora? Posso rifarmi a una citazione, con l'Umberto Eco di *Il pendolo di Foucault*: «Siamo circondati da stupidi. Non si scappa. Tutti sono stupidi, tranne Lei e me. Anzi, per non offendere, tranne Lei». Compilando il mio librettino, ho scoperto che mandare al diavolo qualcuno può essere estremamente liberatorio. Prima di tutto, è meglio insultare che picchiarsi. Poi, ci sono anche insulti colti e doc, si possono copiare o inventare, buono stimolo per l'intelligenza e l'ironia. Come avrà intuito, sono un detrattore della filosofia new age e delle tecniche che inducono alla calma e al rilassamento. Meglio, appunto, l'insulto. Dà energia, fornisce una scarica di adrenalina ed è persino creativo. Anche quando è solo pensato. Ma, nemico di ogni buonismo, continuo a ritenere che il meglio sia pronunciarlo ...

Ripensate ai consigli che avevate dato prima a Laura. C'è stata, tra le vostre, una risposta simile?

2 Ascoltate e completate i fumetti.

Ascoltate le reazioni di alcune persone e completate i fumetti.

1 Il dottor Finallegri vuole che tu riscriva la lettera perché ha firmato al posto sbagliato.

Proprio ora che volevo andare a casa.

2 Guarda che anche Gianni dice che dovresti smettere di fumare.

Parla proprio lui che fuma come una ciminiera.

3 Paola! Vuoi uscire dal bagno? Tuo fratello aspetta da mezz'ora!

Io aspetto sempre delle ore quando è in bagno lui!

4 Secondo lei non avresti dovuto reagire così.

invece di mettere sempre il naso nei miei.

3 Raccontate.

Quali sono le situazioni in cui perdete la calma?
Quali sono le vostre strategie per ritrovarla?

4 Osservate.

Ho scoperto che mandare al diavolo qualcuno può essere liberatorio.

Prima di tutto, è meglio insultare che picchiarsi.
Non dire niente a volte è peggio che parlare.
Ed è più scortese parlare alle spalle che dire le cose apertamente.

Es. 1–4
pp. 150–151

5 Formate delle frasi.
Esprimete il vostro parere su come comportarsi in una situazione di conflitto. Aiutatevi con le seguenti espressioni.

È	meglio/peggio			
	più/meno	fastidioso scortese facile rilassante opportuno	.... che	

B Pensavo che qui fosse possibile parcheggiare.

1 Osservate le foto.
Vi è capitato di prendere una multa per non aver rispettato uno dei seguenti o altri divieti? Raccontate brevemente cosa è successo.

2 Ascoltate.
Che infrazioni ha commesso la signora?

● Ehm, buongiorno.
○ Buongiorno. Ecco, Gliela posso consegnare direttamente.
● Mi ha dato la multa? Ma perché, scusi? Che infrazione ho commesso?
○ E me lo chiede? Non vede che ha parcheggiato in sosta vietata?
● Ma come? Pensavo che fosse possibile parcheggiare qui. Io fino a prova contraria di cartelli con il divieto di sosta non ne vedo.
○ Signora, non solo Lei ha parcheggiato fuori dagli spazi consentiti, ma addirittura a ridosso di un passo carraio. E ringrazi il cielo di cavarsela solo con una multa perché da qui la macchina dovrebbe essere rimossa.
● Mi dispiace, non ci ho fatto caso. Dovevo accompagnare il bambino a scuola, ero già in ritardo ... e poi, insomma, non mi sembra che la macchina ostruisca il passaggio.
○ Guardi, qui ci passa al massimo una bicicletta. La Sua macchina intralcia, quindi Le assicuro che è inutile discutere.

● Le do ragione, ma per cinque minuti ...
○ Signora, io sto girando qui da più di un quarto d'ora.
● Però anche Lei sa che qui è un problema trovare un posto per la macchina. Non è colpa mia se non ci sono parcheggi.
○ Neanche mia, signora. Io faccio solo il mio lavoro, perciò La prego di spostare l'auto.
● La sposto, la sposto. Comunque, guardi, non credevo di prendere la multa per una cosa del genere. Speravo che i vigili avrebbero chiuso un occhio ... considerando la situazione dei parcheggi.
○ Signora, La prego di non insistere. ArrivederLa e buona giornata.
● Sì, buona giornata! È cominciata proprio alla grande. Ma guarda che roba, uno parcheggia un attimo la macchina fuori dalle strisce e gli fanno subito la multa.

3 Completate.

Pensavo .... parcheggiare qui.

Non credevo .... la multa per una cosa del genere.

Speravo .... un occhio ...

Non immaginavo proprio che il vigile mi avesse fatto la multa.

4 **Lavorate in coppia.**

Giulio è un po' sotto stress e si è dimenticato di alcune cose importanti. Il suo telefono suona in continuazione: familiari, amici e colleghi gli ricordano i suoi impegni. Come potrebbe giustificarsi, secondo voi? Aiutatevi anche con le seguenti espressioni.

Oddio scusa, credevo che ...   È vero, mi dispiace, ma pensavo ...
Ma come? Io veramente pensavo ...   Ma sei sicuro? A me sembrava ...

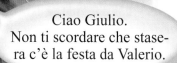

Ciao Giulio, ma che fai? Ti aspetto da mezz'ora in Piazza Cavour!

Senti Giulio, ma non saresti dovuto passare dall'avvocato Marini oggi pomeriggio?

Buongiorno dottor Bianchi. Senta, non mi voleva mandare il contratto?

Ciao Giulio. Non ti scordare che stasera c'è la festa da Valerio.

5 **Rileggete.**

Cercate e raggruppate secondo le categorie elencate le frasi del dialogo con cui la signora ...

... esprime sorpresa e incredulità.   ... cerca la comprensione del vigile.
... si mostra conciliante.   ... cerca di giustificarsi.

6 **Lavorate in coppia.**

A
Avete parcheggiato in seconda fila per portare delle cose ad un amico. La vostra assenza è durata un po' più del previsto. Tornando vi aspetta una persona che non è potuta uscire con la propria macchina dal parcheggio.

B
Trovate una macchina che ostruisce il passaggio e che vi impedisce di uscire dal parcheggio. Siete costretti ad aspettare, anche se andate piuttosto di fretta. Dopo un bel po' arriva il proprietario della macchina.

7 **Rileggete.**

Cosa dice la signora nell'ultima battuta del dialogo al posto di:
«... si parcheggia un attimo la macchina fuori dalle strisce ...»?

....

8 **Riformulate.**

Come potreste dire altrimenti? Trasformate le frasi usando *uno*.

1. Quando si è di malumore, si comincia a litigare per niente.
2. Quando ci si alza in ritardo perché non è suonata la sveglia, la giornata spesso continua storta.
3. Se si va di fretta, si commettono più facilmente delle infrazioni.
4. Quando c'è traffico non si sa cosa fare per mantenere la calma.
5. Quando ci si arrabbia, si dicono delle cose ingiuste.

↓
Es. 5–11
pp. 151–153

1 **Leggete.**

Sottolineate nel testo le parole e le frasi che vi aiutano a capire in quale città si svolge il racconto.

STORIA DI UNA CONTRAVVENZIONE

1 «Dottò abbiamo preso la multa!» mi dice con tono rassegnato il tassista.

«Che volete dire con 'abbiamo preso la multa'? Che l'ho presa pure io?»

5 «Ebbé mi pare evidente.»

«Veramente non capisco. Allora secondo voi, vi sembra normale che chi guida commette l'infrazione e chi sta seduto dietro deve pagare la multa?»

10 «E no dottò, perdonatemi, ma adesso state sbagliando. Siamo giusti! Voi prima dite 'Andate di fretta' e poi non ne volete pagare le conseguenze.»

«Ma quale fretta?! E che c'entra la fretta?!»

«E come che c'entra? Voi come mi avete detto quando siete salito alla stazione? 'Andate di fretta agli aliscafi per 15 Capri'. Avete detto così, sì o no?»

«Sentite, a prescindere che io ho detto solo 'Agli aliscafi per Capri', ma quando anche avessi aggiunto 'di fretta', fino a prova contraria il responsabile dell'automezzo siete solo voi.»

20 «E già, ma a me che me ne importava di passare con il rosso? Se l'ho fatto è per farvi un piacere, e per farvi arrivare prima agli aliscafi. Vuoi vedere adesso che invece di guadagnare, quando lavoro, ci debbo pure rimettere?»

«Un'altra volta non passavate con il rosso.»

25 «Io veramente sono passato con il giallo, io! Voi non lo so. Comunque adesso sta venendo la guardia e così vediamo che dice.»

«Ma che deve dire, scusate? Che se il conducente passa con il rosso, viene ritirata la patente al passeggero?»

30 «Non lo so, adesso vediamo.»

Il vigile si avvicina con lentezza, saluta militarmente e dice:

35 «Patente e libretto di circolazione.»

«Scusate signora guardia,» dice il mio tassista mentre tira fuori i documenti richiesti «adesso voi siete una persona che lavora, no? Tutto il giorno qua in mezzo, piove o non piove. Io pure lavoro, il signore invece va a Capri. Ora secondo voi, chi deve pagare la multa?»

40 «Mah!» dice ridendo la guardia. «Se il signore vuole contribuire spontaneamente, io non ci trovo niente da dire.»

«Ma che contribuire e contribuire! Io non tiro fuori una lira.» [...]

45 «Signora guardia,» dice il mio tassista uscendo dal taxi per parlare meglio con il vigile «pensate che prima di affittare ho fatto tre ore di fila a piazza Garibaldi e che quando ho visto il signore io mi credevo che era straniero, che se sapevo che era napoletano e pure un poco tirato di mano, io non lo facevo nemmeno salire ...»

50 «Sentite,» dico io guardando l'orologio «o mi accompagnate o me ne vado. Io qua perdo l'aliscafo.»

«Lo vedete che andate di fretta!» dice trionfante il tassista.

55 «E va bene» dice il vigile. «Per questa volta andate pure. Però ricordatevi che la prossima volta mi pagate questo e quello. Quando uno si va a divertire non deve andare mai di fretta, se no che divertimento è.»

Fu così che il mio taxi si avviò in mezzo ad una folla sorridente e soddisfatta.

60 «Meno male dottò che è finito tutto bene» mi dice il tassista all'arrivo. «Vi giuro però su quella cara immagine, che se la guardia vi faceva pagare la contravvenzione, a me mi sarebbe veramente dispiaciuto.»

«Quant'è?» chiedo laconicamente mentre scendo dal 65 taxi.

«Fate voi.»

da: Luciano De Crescenzo, Così parlò Bellavista, Mondadori, Milano

Quale parte del testo vi è sembrata particolarmente divertente? Perché?

2 **Fate una crocetta.**

Quali affermazioni sono corrette?

☐ Il taxi viene fermato per eccesso di velocità.

☐ Il tassista pensava di fare un piacere al cliente.

☐ Il tassista teme di dover pagare la multa.

☐ Il tassista spera che la multa la paghi il passeggero.

☐ Il passeggero è disposto a pagare la multa.

3 Lavorate in gruppo.
Cercate di chiarire il significato delle seguenti espressioni.

- [ ] e che c'entra la fretta?!
- [ ] io non ci trovo niente da dire
- [ ] tirato di mano
- [ ] su quella cara immagine

4 Fate una lista.
Ricercate nel testo tutte le parole che possono riferirsi al traffico.
Cercate di memorizzarle secondo le tecniche a voi note.

5 Discutete.
Con quali argomenti il tassista cerca di convincere il cliente a pagare la multa?

6 Lavorate in coppia.
Prendete il ruolo del tassista, del passeggero o del vigile
e raccontate ad un vostro conoscente quello che è successo.

Es. 12
p. 154

C Dove Le fa male?

1 Raccontate.
Siete mai dovuti andare al pronto soccorso o ci avete mai accompagnato qualcuno?
Per quali motivi? Aiutatevi con le seguenti espressioni.

avere dolori ◆ cadere ◆ ferirsi ◆ scottarsi ◆ tagliarsi ◆ scivolare

2 Ascoltate.
Perché è andato al pronto soccorso il signor Guastalla?

- Vediamo un po'. Provi a mettere giù il piede.
- Eh, mi fa male.
- Dove Le fa male esattamente?
- Qui, alla caviglia.
- Hmm, è un po' gonfia. Allora è meglio fare subito una radiografia. Potrebbe essere una frattura. Com'è avvenuto l'incidente?
- Ma, niente, sono caduto mentre imbiancavo a casa di mia figlia. Ero sulla scala, non so proprio come sia successo, so solo che scendendo ho perso l'equilibrio e sono finito per terra.
- Ha battuto anche la testa?
- No.
- Ha dolori anche in altre parti del corpo?
- No, anzi, in un primo momento non mi faceva male nemmeno il piede. È stata

mia figlia a volermi portare qui al pronto soccorso. Ed è stato meglio così, perché durante il tragitto sono cominciati i dolori.
- Ho capito. Adesso facciamo la radiografia. Venga, La aiuto. Ecco ... basta che non appoggi il piede a terra.
  ...
- Signor Guastalla?
- Sì?
- Le è andata bene, se l'è cavata con una lussazione. Ora Le mettiamo subito una fascia elastica e poi potrà andare.
- Posso già tornare a casa?
- Sì, ma a patto che si metta a riposo e non appoggi il piede a terra. E poi fra una settimana vada dall'ortopedico per un controllo.

3 **Lavorate in coppia.**
Guardate le illustrazioni e immaginate cosa potrebbe dire un medico al suo paziente nei casi descritti.

Può tornare a casa a patto che ...

Basta che ... e non ci saranno problemi.

4 **Completate.**

Sono caduto .... imbiancavo a casa di mia figlia.

Prima il piede non mi faceva male, ... il tragitto sono cominciati i dolori.

Come tradurreste queste frasi?
Quando si usa *mentre*, quando invece si usa *durante*?

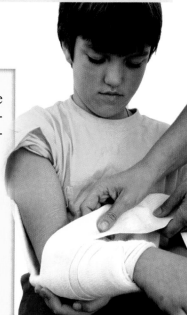

5 **Lavorate in coppia.**
Siete in Italia e avete un piccolo problema di salute. Telefonate allo Studio polispecialistico *Villa Aurora* e vi fate dare un appuntamento con il medico che può aiutarvi a risolvere il vostro problema. Spiegate brevemente alla segretaria che disturbi avete.

avete dei dolori addominali ◆ avete un po' di febbre ◆ dovete farvi togliere i punti ◆ vi siete scottati in spiaggia ◆ avete mal d'orecchi ◆ vi fa male l'occhio sinistro ◆ si è infiammata una ferita che avete alla gamba ◆ vostro figlio deve farsi cambiare una fasciatura ◆ avete un continuo senso di nausea

STUDIO POLISPECIALISTICO VILLA AURORA
73014 Gallipoli (LE) – Via Savonarola 6
tel: 0833 287565

BARRA GUIDO medico generico	**COLUCCIA SANDRO** dermatologo	**SCARCIA BRUNA** ostetrica e ginecologa
BOCCUNI MARIA ROSARIA pediatra	**GORGONI ALBERTO** oculista	**TRIANNI GIORGIO** neurologo e psichiatra
CAGGIULA SALVATORE dentista, medico chirurgo ed odontoiatra	**PINDINELLI MARCELLO** internista	**DE MARINI MARIA** otorinolaringoiatra

6 **Lavorate in coppia.**
Siete nella sala d'attesa di uno studio medico. Aspettando cominciate a chiacchierare con un altro paziente e raccontate il motivo per cui vi trovate lì, che cosa è già stato fatto e cosa ci sarà ancora da fare (un'ecografia, una radiografia, le analisi del sangue ecc.).

Es. 13–16
pp. 154–155

non capisco perché non mi passi ...   non so come sia successo ...

D Ma dai! Non ci credo!

1 **Ascoltate.**
Di chi parlano le due persone? Che cosa raccontano?

- Oh, Dio che giornata! Sono sfinita. Oggi mi si è anche bloccato il computer. Se penso a quello che ho da fare domani mi sento male.
- ○ Non ci pensare adesso e goditi la serata.
- Hai ragione ... solo che prima ogni tanto riuscivo a fare una pausa ma adesso, da quando sono sola, non ci riesco più. E poi ogni giorno ne capita una nuova.
- ○ Ma perché sei sola, scusa? La tua collega dov'è?
- Ah, ma non sai che Cinzia ha avuto un bambino?
- ○ Un bambino!? No, non lo sapevo!
- Beh, a dire il vero, anche noi in ufficio l'abbiamo saputo solo all'ultimo momento. Fino al sesto mese non si vedeva assolutamente che era incinta.
- ○ Ma non aveva già due figli grandi?

- Sì, uno di quattordici e uno di sedici anni. Li ha avuti quando era molto giovane.
- ○ Però, chi l'avrebbe mai detto! E io che credevo che fosse divorziata.
- Sì, infatti, è divorziata. Ma adesso ha un nuovo compagno.
- ○ Ah, davvero? E dove l'ha conosciuto?
- Veramente lo conosceva già da tanto tempo, credo che fosse un suo vicino quando abitava al quartiere Trieste.
- ○ Ma dai! Non ci credo.
- No, è la verità. Lui fa il carabiniere e si sono ritrovati dopo un sacco di anni in caserma, l'anno scorso. Te l'immagini? Lei era andata lì a denunciare il furto della macchina ...
- ○ Ma roba da matti!

2 **Prendete appunti.**
Rileggete il dialogo.
Con quali espressioni si manifesta incredulità?

3 **Completate.**
Trascrivete le battute del dialogo.

- Se penso a quello che ho da fare domani mi sento male.
- ○ Non .... adesso e goditi la serata!
- Prima riuscivo a fare ogni tanto una pausa ma adesso non .... più.

4 **Osservate.**
Rileggete il dialogo. Che significato hanno *avere* e *sapere* al passato prossimo e all'imperfetto?

Non sai che Cinzia ha avuto un bambino?
Un bambino? Non lo sapevo!
Anche noi l'abbiamo saputo solo all'ultimo momento.
Ma non aveva già due figli grandi?

Cercate nel dialogo un altro verbo che cambia il significato a seconda del tempo usato.

5 **Lavorate in coppia.**
Ad una festa incontrate un amico che non vedevate da molto tempo.
Vi raccontate a vicenda cosa è successo di importante nella vostra vita negli ultimi anni.
Entrambi siete già al corrente di alcuni avvenimenti, ma non di tutti.

Es. 17–18
p. 155

Ascolto

1 🎧 **Ascoltate il dialogo.**
Che cosa è successo
a Giovanna qualche
settimana fa?

Criminalità, arrestati due giovani scippatori

Due giovani erano stati notati ieri verso le 13.30 da una pattuglia dell'arma in via San Biagio mentre stavano svuotando una borsetta a bordo di un ciclomotore. L'oggetto apparteneva ad una signora scippata poco prima e che era riuscita a segnarsi il numero di targa del motorino dei rapinatori. I carabinieri hanno accertato che i due ragazzi – uno maggiorenne e uno minorenne – avevano compiuto ieri mattina anche uno scippo a Navacchio, ai danni di un'altra signora.

da: Il Tirreno

2 🎧 **Riascoltate e mettete una crocetta.**

	Vero	Falso
1. A Giovanna è stata rubata la borsa.	☐	☐
2. Giovanna era stata a cena con un'amica.	☐	☐
3. È riuscita a raggiungere lo scippatore.	☐	☐
4. Quando l'hanno derubata è caduta.	☐	☐
5. È andata a sporgere denuncia.	☐	☐
6. Anche la madre di Massimiliano è stata scippata.	☐	☐
7. Era da sola e ha avuto paura.	☐	☐
8. Ha potuto dare una descrizione del ragazzo alla polizia.	☐	☐

3 **Lavorate in coppia.**
Vi è mai capitata una disavventura del genere? Raccontate.

Si dice così

Difendere e ribadire la propria posizione

E me lo chiede? Non vede che ...
Io fino a prova contraria ...
E poi, insomma, non mi sembra che ...
Non è colpa mia se ...
Le assicuro che è inutile discutere.
La prego di non insistere.

Esprimere sorpresa e incredulità

Ma come? Pensavo che ...
Non lo sapevo!
Però, chi l'avrebbe mai detto!
Ma dai! Non ci credo.
Ma guarda che roba.
Ma roba da matti!

Mostrarsi concilianti

Mi dispiace, non ci ho fatto caso.
Le do ragione.
È vero, mi dispiace, ma ...

Lamentarsi della propria situazione

Dio che giornata! Sono sfinita.
E poi ogni giorno ne capita una nuova.
Se penso a quello che ho da fare domani ...

Al pronto soccorso (medico)

Dove Le fa male?
Ha dolori anche in altre parti del corpo?
Le è andata bene, se l'è cavata con ...

Al pronto soccorso (paziente)

Mi fa male ... / Ho mal di ...
Sono cominciati i dolori ...
Non capisco perché non mi passi ...

1. Comparazione (tra due verbi) con il *che* → 3

È meglio **parlarsi** che **picchiarsi**.
A volte **tacere** è più difficile che **parlare**.

2. Concordanza dei tempi con il *congiuntivo* → 34

	avessi già **pagato** la multa.	-anteriorità
Pensavo che	Paolo **fosse** qui.	-contemporaneità
	la spesa l'**avresti fatta** tu.	-posteriorità

Nel caso il soggetto sia uguale, si utilizza la frase infinitiva:
Pensava di farcela.

3. *Congiuntivo*: **uso (2)** → 19

Può fare sport **a patto che** non **esageri**.
Basta che torni fra una settimana.

4. Differenza tra *mentre* **e** *durante* → 28

Durante la notte mi è venuta la febbre.
Mentre camminavo, sentivo un forte dolore.

Nota bene: Dopo **mentre** non usiamo mai il *passato prossimo*.

5. *Ci* **al posto di una parte della proposizione** → 5

Non riesco **a rilassarmi**.   Non **ci** riesco.
Penso **a quello che hai detto**. **Ci** penso.

6. Significato differente di alcuni verbi
(al passato) → 12

sapere	**Ho saputo** del suo incidente. **Sapevo** già tutto.
avere	**Ha avuto** un figlio. **Aveva** un figlio.
conoscere	**Ha conosciuto** Paolo a Roma. **Conosceva** Paolo da due anni.

note

Completate.
Leggete le frasi che seguono e completatele.

Mi sento a mio agio con *persone tranquille / i miei vecchi amici* ....

Se ho bisogno di un consiglio (non) mi rivolgo a ....

Quando ho un problema, mi confido con ....

La persona più importante per me al di fuori della famiglia è ....

Le mie amicizie più recenti risalgono a ....

Mi piace star solo / sola ....

Preferisco stare in compagnia di ....

In una persona apprezzo ....

Di una persona in genere mi dà fastidio ....

Lavorate in gruppi.
Confrontate le vostre risposte con quelle di due o tre persone della vostra classe e parlatene insieme.

A   Peccato davvero!

1   Osservate.
Guardate le tre fotografie. Secondo voi in che occasione sono state scattate?

2   Ascoltate.
Ascoltate il dialogo osservando le fotografie e cercate di identificare le persone descritte dalla donna che racconta. Inserite i loro nomi nelle caselle.

3   Prendete appunti.
Ascoltate ancora una volta il dialogo e scrivete accanto ai nomi tutte le informazioni che riuscite a raccogliere sulle seguenti persone.

Angela: ....

zia Caterina: ....

zio Ettore: ....

Riccardo: ....

Lorella: ....

4   Fate delle ipotesi.
Osservate di nuovo le foto. Chi potrebbe essere secondo voi Barbara, la donna che racconta? Quale altra persona vi incuriosisce particolarmente? Perché? Che impressione vi fa?

5   Lavorate in coppia.
Raccontate della vostra famiglia, dei parenti e degli amici che vedete spesso e di quelli che vedete raramente. Con quali andate più d'accordo, con quali invece non avete affinità? Aiutatevi, se volete, con le seguenti espressioni.

la conosco dai tempi della scuola

sono molto legata a

è la mia zia preferita

gli sono molto affezionato

per me è come un fratello

siamo cresciuti insieme

Es. 1–5
pp. 156–157

B Gli diceva che doveva studiare.

1 🎧 Ascoltate e leggete.
Ecco uno stralcio del dialogo precedente.

○ Ma sai, mio zio è uno che ha sempre messo il naso negli affari degli altri. Quando veniva a trovarci e vedeva che Alessandro era sempre in giro, gli diceva che doveva studiare altrimenti non sarebbe mai arrivato alla laurea. Ripeteva sempre che lui alla sua età aveva già finito gli studi e lavorava ...
● Erano anche altri tempi ...

○ Addirittura una volta gli chiese se voleva fare un po' di pratica nel suo studio ma Alessandro naturalmente gli rispose di no. D'altra parte era proprio lo zio Ettore che gli diceva continuamente di andare all'estero.

2 Completate.
Rileggete e completate le frasi.

| Lo zio Ettore diceva che Alessandro | .... studiare altrimenti |
| | non .... mai .... alla laurea. |

Ripeteva sempre che lui alla sua età .... già .... gli studi e ....

Una volta chiese ad Alessandro se .... fare un po' di pratica nel suo studio.

Gli diceva continuamente di .... all'estero.

3 Osservate.
Ecco le affermazioni dello zio Ettore al discorso diretto. Confrontatele con le frasi nello specchietto al discorso indiretto. Che cosa notate nella trasformazione delle forme verbali?

Non arriverai mai alla laurea.

Alla tua età avevo già finito gli studi e lavoravo.

Va' all'estero!

Vuoi fare un po' di pratica nel mio studio?

Devi studiare.

Sua madre gli diceva di alzarsi presto ...

4 Scrivete e riferite.
Scrivete su un foglietto il vostro nome e quello che vi dicevano sempre quando eravate bambini o più giovani. Scambiate i foglietti all'interno del gruppo. Riferite poi ai compagni quello che avete letto senza rivelare il nome di chi l'ha scritto e fate indovinare di chi si tratta.

MANUEL

Mia madre mi diceva:
"Alzati presto altrimenti arrivi a scuola in ritardo!"

Mio padre mi diceva:
"Il motorino te lo compreremo solo se sarai promosso."

5 🎧 Ascoltate.
Cosa racconta Mario a Claudio? Ascoltate la telefonata e prendete appunti.

6 Completate.

Completate la mail di Claudio con quello che aveva raccontato Mario scegliendo
tra i verbi di seguito quelli adatti.

andare ◆ mandare ◆ traslocare ◆ partire ◆ potere ◆ telefonare
rimanere ◆ finire

Ciao Tiziana,

mi hai chiesto se avevo notizie di Mario. È da tanto che anch'io non lo sento più, se non ricordo

male da prima delle ferie. Mi aveva raccontato che .... i lavori alla casa nuova e

che .... a settembre. Mi aveva detto però che prima di traslocare ....

in vacanza in Tunisia. Io gli avevo raccontato che .... a casa perché avevo tanto da

fare e lui mi aveva consigliato di .... comunque per qualche giorno. Mi aveva anche

chiesto se gli .... prestare la mia macchina fotografica digitale, ma non mi andava,

era nuova. Forse si è offeso per questo, infatti aveva detto che mi .... una cartolina

e che mi .... a settembre, ma non si è fatto più sentire. È scomparso nel nulla. Ho

provato a chiamarlo un paio di volte senza trovarlo e poi ho lasciato perdere. Se riesci a rintrac-

ciarlo tu, fammelo sapere, cari saluti

Claudio

---

7 Lavorate in coppia.

Ad una festa incontrate una persona che non vedevate da molto tempo e a cui in passato
eravate legati da una grande amicizia. Per motivi incomprensibili e mai chiariti non vi
siete più visti. Adesso avete finalmente l'occasione per parlarne.

Es. 6−9
pp. 157−159

C L'unione fa la forza!

 1 Leggete.

Leggete il breve testo e inserite le seguenti parole al posto giusto.

parcheggi ◆ quercia ◆ alberi ◆ piante ◆ verde ◆ aria

La marcia in difesa del verde
Oggi il corteo per gli alberi minacciati dai box

Marceranno in difesa dei loro .... sotterranei. Con striscioni, cartelli, fischietti
Per le foglie che rinfrescano l'...................... e piccole .... da trascinare lungo
d'estate e i tronchi che fanno compagnia le strade. Oggi alle 17, dalla .... più
d'inverno. Per il .... di quartie- antica di Milano in piazza XXIV Maggio, parte
re minacciato dai cantieri dei .... la marcia degli alberi.

da: la Repubblica

---

2 🎧 Ascoltate.

Ezio e Ornella hanno opinioni diverse.
Sottolineate le espressioni che usano per
affermare il loro punto di vista.

PARCO NATURAL

● Allora, com'è andato l'esame?
○ Bene. Anzi, mi faresti un piacere? Potresti
dare tu questi libri a Giorgio domani? Io
non lo vedo perché vado alla manifestazione in difesa del verde.
● Ah, vai alla manifestazione? Non sapevo
che fossi così idealista.
○ Perché, scusa?
● Mah, io sono piuttosto scettico sull'efficacia delle manifestazioni. Per me, scendere in piazza a gridare slogan non serve
a un bel niente. A volte ho l'impressione
che la gente ci vada per divertirsi.
○ No, io non la vedo così, anzi ci tengo ad
andarci. Secondo me è importante far
vedere che su certe cose la gente non è
d'accordo.

● Ma non si risolve niente ed è una perdita
di tempo.
○ Guarda che l'opinione pubblica, i movimenti contano. Soprattutto a livello
comunale o di quartiere. Se si è uniti si è
più forti e si riesce a muovere qualcosa.
● Ma tanto poi i politici se ne fregano,
continuano per la loro strada.
○ Come sei disfattista. A comportarsi
come te si finisce con l'accettare tutto,
col diventare passivi. No, io ci vado.
Manifestare è un diritto, come votare, ed
io ne faccio uso.

Con quali argomenti difendono le proprie idee Ornella ed Ezio?

3 Discutete.

Quali argomenti aggiungereste voi a favore o contro la partecipazione ad una manifestazione?

4 Discutete.

Voi avete mai partecipato ad una manifestazione? C'è un motivo che potrebbe indurvi a
farlo?

per la pace/contro la guerra   contro la xenofobia   contro le centrali nucleari
per il diritto allo studio   per le pensioni   contro i licenziamenti/la disoccupazione

5 Completate.

Tu ci vai alla manifestazione?
Sì, perché se si è .... si è più ....
e si riesce a muovere qualcosa.

Perché secondo voi gli aggettivi sono al plurale?

6 Lavorate in gruppi.

Pensate in plenum ad un problema su cui attualmente si discute.
Poi formate due gruppi. Uno raccoglie gli argomenti a favore di
una posizione, l'altro raccoglie quelli contro. Infine entrambi
i gruppi partecipano ad una tavola rotonda dove
possono esprimere le proprie posizioni.

Noi invece non la vediamo così ...

Noi riteniamo che ...

Es. 10–14
pp. 159–160

D Sedotto da ... un gatto

1 Discutete.
Quali animali vi piacciono particolarmente? Di quali invece diffidate?

2 Leggete.

Anni fa mia moglie mi ha imposto la convivenza con una gattina trovata in fin di vita dietro una siepe. Insomma una trovatella. Ero diffidente: finché ho vissuto in campagna ho sempre avuto cani grandi, affettuosi, ubbidienti. I gatti non li capivo. Ho fatto tutta la resistenza di cui ero capace a questa piccola furbina. Che invece, non si sa perché, ha scelto me come suo grande amore, con tutte le fusa e le moine del caso. Mia moglie le dà da mangiare, ma quando c'è da saltare in braccio a qualcuno sono io il suo preferito. Anzi, la massima aspirazione di Mimma (nome datole da nostro figlio) è quella di avvolgersi al mio collo come una sciarpa: appena mi sdraio ci prova. Inutile dire che mi ha conquistato, facendomi scoprire il mondo dei felini: adesso sono così "gattolico" che ho letto con piacere le vostre pagine in occasione della festa del gatto. E mi è venuta voglia di mandarvi la mia storia e una sua foto scattata qualche mese fa.
Federico, Vercelli

da: Gioia

Avete un animale in casa o potreste immaginarvi di averne uno? Quale?

3 Completate.

Mia moglie mi ha imposto la convivenza con una gattina _____ in fin di vita.	
che aveva trovato	
Mimma è il nome _____ da nostro figlio.	
che le è stato dato	
Mi è venuta voglia di mandarvi una sua foto _____ qualche mese fa.	
che ho scattato	

4 Scrivete.
Una rivista italiana ha indetto un concorso dal titolo *L'oggetto del cuore*. Per parteciparvi è sufficiente scrivere la breve storia di un oggetto al quale si è particolarmente legati.

ESEMPIO   Vorrei raccontarvi la storia di questa conchiglia, trovata un anno fa ...

5 Raccontate.
Vi è mai capitato di aver instaurato con una persona che vi ispirava diffidenza un rapporto rivelatosi inaspettatamente piacevole?

Es. 15–17
p. 161

a

Ha gli occhi d'acqua stanca, la nonna, le mani coperte di chiazze che non vanno via, il collo incartapecorito. Ma la voce è ancora da uccellino [...].

– E tu che fai da queste parti?
– Lavoro.
– Non studi più?
– Ho quarant'anni, nonna.

da: Marco Lodoli, Cani e lupi, Einaudi, Torino 1995

b

"Mia moglie è quella che vedete laggiù" precisa il professor Deravines. "Mi affretto a dirlo per evitare spiacevoli equivoci. Infatti, tra noi due, salta subito all'occhio una certa differenza di età. E, come non bastasse, lei i suoi anni li porta splendidamente, mentre io ... Be', devo ammetterlo, dimostro qualche anno in più dei miei cinquantotto. Nei primi tempi del nostro matrimonio, l'equivoco ricorrente di essere scambiato per suo padre non mi dispiaceva, anzi mi procurava una sottile soddisfazione. Adesso, invece, comincia a urtarmi i nervi.

da: Paolo Maurensig, Venere lesa, Mondadori, Milano 1998

c

... la storia con Sabrina divenne, per Corrado, sempre più importante. Infine, dopo tre anni di quella vita piena di sotterfugi, fu lei a decidere che era giunto il momento di mettere a posto le cose. Voleva una relazione normale. Una famiglia. Glielo disse. Glielo ripeté. Insistette affinché lui prendesse una decisione. Continuò a farlo per un po'.

da: Angelo Ferracuti, Nafta, Guanda, Milano 2000

Lettura

1 **Leggete.**
Su queste due pagine vedete alcuni stralci di romanzi e racconti.
In quali si parla di un rapporto di coppia?

2 Rileggete.
A quale testo si riferiscono le seguenti affermazioni?
Un'affermazione può riferirsi a più testi.

Si parla di un rapporto tra parenti. ....

Si parla di un rapporto felice. ....

Si racconta di un'amicizia. ....

Si parla di una relazione segreta. ....

Si parla di una relazione tra coetanei. ....

d

eeeeeeeee

Una sera, tornando dalla radio ho incontrato una donna in ascensore che mi ha detto: "Io vado al dodicesimo piano e Lei?" "Anch'io. Viene a visitare l'appartamento vuoto?" "L'ho appena affittato." Stavo per dirle il mio nome e che se avesse avuto bisogno di qualcosa, avrebbe potuto suonare alla mia porta, quando l'ascensore si è fermato con un leggero sibilo e lei è scesa in fretta. "Arrivederci." "Arrivederci." Io ho aperto la mia porta, lei la sua.

da: Dacia Maraini, Voci, Rizzoli, Milano 1994

e

Salvatore Scardaccione aveva nove anni, la mia stessa età. Eravamo in classe insieme. Era il mio migliore amico. Salvatore era più alto di me. Era un ragazzino solitario. A volte veniva con noi ma spesso se ne stava per i fatti suoi. Era più sveglio del Teschio, gli sarebbe stato facilissimo spodestarlo, ma non gli interessava diventare capo.

da: Niccolò Ammaniti, Io non ho paura, Einaudi, Torino 2001

g

Via Antonio Gramsci si chiamava ancora via Roma quando Alfredo regalò il villino sul mare a Maria, sua promessa sposa. Era il 1919, la canzone di moda era *Parlami d'amore Mariù*: in primavera la portò ad Anzio a vedere quel terreno panoramico, a picco sugli scogli, e le annunciò il regalo di fidanzamento. Come gli innamorati fanno soltanto nei film, Alfredo passò con la macchina a prendere Maria in via Visconti, senza dirle la destinazione. Quando scesero, due ore dopo, c'era il sole alto. Lui la condusse per mano fino a riva, lei credeva di sognare. Per farle capire che non scherzava, mio nonno unì al regalone il regalino di un girocollo finissimo, da ragazza, e due orecchini pendenti con gli zaffiri cabochon: "Ti serviranno per venire con me all'Opera, ormai siamo fidanzati."

da: Barbara Palombelli, C'era una ragazza, Mondadori, Milano 1999

f

➤ Il Nini abitava con noi fin da quando era piccolo. Era figlio di un cugino di mio padre. Non aveva più i genitori. [...] Senza il Nini eravamo cinque fratelli. Prima di me c'era mia sorella Azalea, che era sposata e abitava in città. Dopo di me veniva mio fratello Giovanni, poi c'erano Gabriele e Vittorio. Si dice che una casa dove ci sono molti figli è allegra, ma io non trovavo niente di allegro nella nostra casa.

da: Natalia Ginzburg, La strada che va in città, Einaudi, Torino 1942

---

3 **Rileggete.**

Cercate nei brani le espressioni o le frasi corrispondenti alle seguenti spiegazioni e scrivetele nelle lacune.

azioni fatte in segreto (c) ....

avrebbe potuto prendere il suo posto di capo (e) ....

in posizione verticale sulle rocce (g) ....

fare in modo che non si interpreti in maniera sbagliata (b) ....

4 **Lavorate in coppia.**

Scegliete uno degli stralci e fate delle ipotesi sull'ambiente e sui personaggi.
Date poi un titolo alla storia e scrivete come potrebbe continuare.

5 **Raccontate.**

C'è una descrizione che vi ricorda, anche solo parzialmente, il vostro rapporto con una persona particolare?

E Sei eccezionale!

1 Lavorate in gruppi.
Conoscete delle espressioni per
manifestare simpatia e affetto
verso qualcuno? Raccoglietele
all'interno del gruppo e riflettete
poi su quali espressioni usereste
o meno con i vostri amici o familiari.

Ti adoro.

Ti ammiro molto.

Con te mi trovo bene.

Sei eccezionale!

2 Lavorate in coppia.
Ecco alcune cartoline illustrate. Quali preferite?
Secondo voi chi potrebbero essere destinatario e mittente di ciascuna?
In quali occasioni potrebbero essere spedite?

Si dice così

Esprimere affetto

Ti voglio bene.
Ti sono molto affezionato.
Per me sei come un fratello.

Raccontare di persone perse di vista

Non si è fatto più sentire.
È da tanto che non lo sento più.
È scomparso nel nulla.

Riferire ciò che ha detto un'altra persona

Diceva / ripeteva / rispose che ...
Aveva raccontato che ...
Aveva consigliato di ...
Chiese se ...

Esprimere dispiacere

Peccato davvero!

Chiedere gentilmente

Mi faresti un piacere?
Potresti ... ?

Affermare il proprio punto di vista

Sono piuttosto scettico.
Per me, non serve a un bel niente.
Io non la vedo così, anzi ci tengo a ...
Secondo me è importante (far vedere) che ...
Non si risolve niente ed è una perdita
    di tempo.

Grammatica

1. I *possessivi* con i nomi di parentela   1 →

Tina è **la mia** cugina **preferita**.
Il mio fratello **più grande** abita a Pisa.

2. L'uso del *passato remoto* (nella lingua parlata) 16 →

L'uso del passato remoto nella lingua parlata
è frequente nell'Italia Centrale e Meridionale.

Due anni fa Aldo mi **chiese** dei soldi in
prestito, ma gli **risposi** di no.

3. Il discorso indiretto (2)   35 →

Lo zio **disse / ha detto / diceva**:
"A vent'anni mi **sono messo** in proprio."
"Tu **studi** troppo poco."
"Un giorno **sarai** medico."
"**Cercati** un lavoro all'estero!"

Lo zio **disse / ha detto / diceva** ...
... che a vent'anni si **era messo** in proprio.
... che Giulio **studiava** troppo poco.
... che un giorno Giulio **sarebbe stato** medico.
... a Giulio di **cercarsi** un lavoro all'estero.

"Alla tua età *avevo* già *finito* gli studi e *lavoravo*."
– Ripeteva che alla *sua* età *aveva* già *finito* gli studi e
lavorava.

4. *Si impersonale*: particolarità   13 →

Se si è **uniti**, si è più **forti**.
È importante essere **attivi**.

**5. Il *participio passato* al posto di una
frase secondaria (1)**   25 →

Soprattutto nella lingua scritta, una proposizione può
essere abbreviata sostituendo una frase relativa con il
participio passato.

Le foto **che abbiamo fatto** a Pasqua sono venute bene.
Aprì in fretta la lettera **che le era arrivata** la mattina.

Le foto **fatte** a Pasqua sono venute bene.
Aprì in fretta la lettera **arrivatale** la mattina.

note

Abbinate.

Leggete i nomi delle pietanze. Abbinate alle parole regionali in corsivo le parole italiane corrispondenti.

Specialità regionali

1. polenta e *osèi* (Veneto e Lombardia)
2. risi e *bisi* (Veneto e Friuli)
3. *alivi cunzati* (Sicilia)
4. salsicce e *friarielli* (Campania)
5. pan di *ramerino* (Toscana)
6. *panadas* di pecorino (Sardegna)
7. *ciacci* di ricotta (Emilia-Romagna)

☐ cime di rapa fritte ☐ focaccine ripiene ☐ rosmarino ☐ uccelli ☐ piselli ☐ olive condite ☐ cialde

Osservate.

Guardate i disegni. Riconoscete quello che è rappresentato? Sotto quale nome vi è noto?

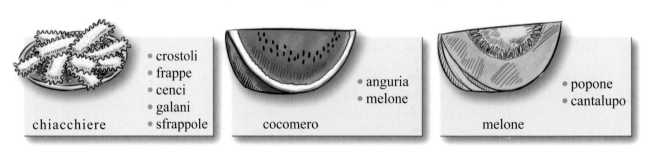

- crostoli
- frappe
- cenci
- galani
- sfrappole

chiacchiere

- anguria
- melone

cocomero

- popone
- cantalupo

melone

Discutete.

Riflettete sulla vostra lingua. In quali ambiti c'è una particolare varietà di espressioni regionali? Perché, secondo voi?

A Fatta l'Italia, bisogna fare gli italiani.

1 Fate delle ipotesi.
Leggete il titolo del passo. Cosa potrebbe significare secondo voi?

2 Leggete.
Ecco una pagina tratta da *La storia d'Italia a fumetti*.

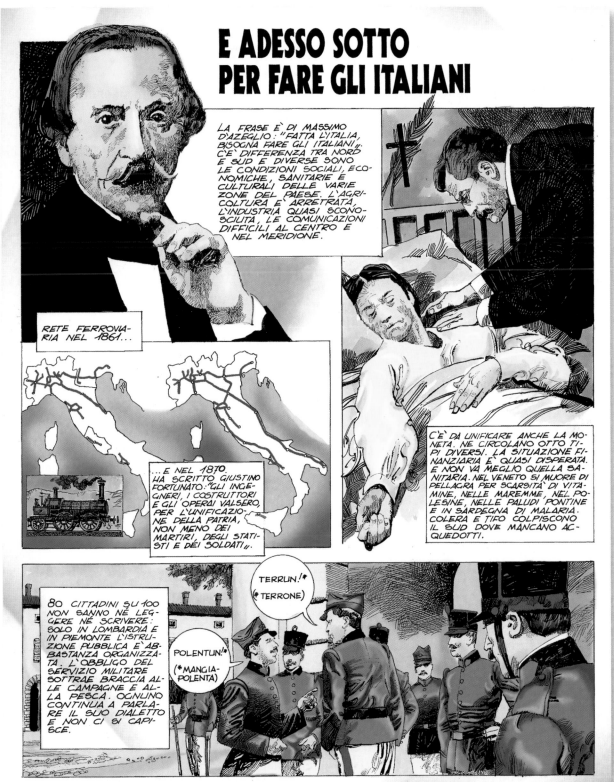

da: Enzo Biagi, La storia d'Italia a fumetti, Mondadori

3 Completate.
Rileggete i testi e completate le frasi.

L' .... era quasi inesistente.

Esistevano otto tipi diversi di ....

Le condizioni .... erano pessime e si moriva ancora di colera o di malaria.

L'80% dei cittadini italiani ....

Tra italiani non ci si capiva perché ....

4 Abbinate.
Rileggete i fumetti e abbinate le parole ai loro significati o ai loro sinonimi.

arretrato	essere importante, contare
palude	togliere
scarsità	mancanza
valere	terreno umido, malsano
sottrarre	poco sviluppato

5 Rileggete i brani.
Quali problemi si dovettero affrontare con l'unificazione dell'Italia?

6 Riformulate.
Cercate di formulare diversamente la seguente frase:

C'è da unificare anche la moneta. → ....

7 Discutete.
Esiste ancora l'analfabetismo nel vostro paese?
Esistono grandi differenze tra nord e sud o tra est e ovest?
Ci sono altri problemi? Come si potrebbero risolvere?

si dovrebbe   andrebbe

ci sarebbe da   bisognerebbe

8 Osservate.

Fatta l'Italia bisogna fare gli italiani. → Dopo aver fatto l'Italia, bisogna fare gli italiani.

9 Mettete in ordine.
Di seguito avete date e avvenimenti della storia d'Italia. Riuscite ad abbinarli?

1860–61	dopo la marcia su Roma Mussolini diventa capo del governo
1915	l'Italia entra in guerra (prima guerra mondiale)
1922	l'Italia entra in guerra (seconda guerra mondiale)
1940	l'Italia viene unificata
1946	viene approvata la legge sul divorzio
1970	gli italiani proclamano la repubblica
1992	a Milano inizia l'inchiesta Mani pulite

10 Formate due squadre.
Ricordate alcuni avvenimenti importanti della storia più recente del vostro paese?
Preparate una serie di domande e ponetele alla squadra avversaria.

Es. 1–6
pp. 162–163

11 Scrivete.
"Fatta l'Europa ... bisogna fare gli europei."
Che cosa vi viene in mente su questo tema?

Ascolto

1 Ascoltate l'intervista.
Da che regione proviene il signor Dal Mas
e qual è la sua lingua madre?

2 Riascoltate.
Sottolineate in quali regioni viene parlato il ladino.

Piemonte ◆ Veneto ◆ Valle d'Aosta ◆ Friuli
Lombardia ◆ Liguria ◆ Trentino Alto Adige

3 Riascoltate e rispondete.
Rispondete alle domande e confrontate.

Che ricordi ha il signor Dal Mas della scuola?
Che lingua si parla oggi a scuola nelle Dolomiti?
In che ambito viene parlato ancora il ladino?
Cosa si fa per tutelare la lingua e la cultura ladina?

4 Lavorate in coppia.
In Italia vengono parlate, oltre all'italiano e ai suoi dialetti, diverse lingue. Guardate la cartina e osservate la distribuzione dei diversi gruppi linguistici di antico insediamento. Che considerazioni potete fare? Eravate già al corrente di qualche informazione?

5 Raccontate.
Nel vostro paese ci sono delle minoranze linguistiche?
Ci sono delle attività per tutelare la loro lingua?

1. albanesi
2. catalani
3. croati
4. francofoni
5. franco provenzali
6. friulani
7. di lingua tedesca
8. greci
9. ladini
10. occitani
11. sloveni
12. sardi

Es. 7
p. 164

B Come si dice da voi?

 **Leggete.**

Chiamatelo folklore, attaccamento alle radici o, se siete più intolleranti, una cattiva abitudine. Fatto sta che gli italiani tra loro parlano ancora in vernacolo. La conferma arriva da una statistica Istat. Il dialetto è parlato quotidianamente da 12,6 milioni di persone, cioè circa un quarto della popolazione totale. Mentre altri 15 milioni di italiani (il 28,3% del totale) abitualmente mescolano la parlata locale con quella nazionale. Se il dato di fondo è che la lingua italiana è sempre più diffusa specie tra le nuove generazioni, è anche vero che resiste un 6% della popolazione che parla esclusivamente o prevalentemente il dialetto nei rapporti familiari, con amici e con estranei.

Secondo i sociologi la sopravvivenza delle parlate locali ha giustificazioni e ragioni molto serie: per i giovani ci sarebbe il bisogno di fondo di affermazione della propria appartenenza a un gruppo; per i meno giovani sarebbe invece una forma di orgoglio cittadino.

---

2 Rileggete.
In quale punto del testo si indicano gli ambiti in cui si parla il dialetto?
Dove vengono indicati i motivi per cui si preferisce il dialetto all'italiano?

3 Fate un'inchiesta.
Quante persone nel vostro corso parlano il dialetto? In quali ambiti lo fanno?

4 Ascoltate.
Quali parole usano i ragazzi per indicare i rifiuti?

● Mamma mia, questa pizza surgelata è immangiabile. Fa schifo, io la butto.
○ Armando, aspetta, non gettare tutte le *scovaze* assieme.
● Le *scovaze*?
○ Sì, i rifiuti, la spazzatura.
● Ah, da voi a Gorizia si dice *scovaze*?
○ A Genova noi diciamo *rumenta*.
● Noi invece diciamo *'a munnezza*. Allora dimmi, dove la devo gettare 'sta *munnezza*?
○ Dammi qua, ci penso io. Guarda, questo è per il secco e questo è per l'umido.
● Cioè l'organico.

○ Sì, l'organico. Per la carta e il vetro ci sono fuori i raccoglitori, li avrai già visti.
● Ok. Ho capito che qui mi tocca fare la raccolta differenziata.
○ Sì, la facciamo tutti, quindi sarebbe opportuno che la facessi anche tu.
● E vabbè! Certo che se sapevo che eravate così ecologisti ...
○ E che facevi?
● Niente, magari prendevo la stanza da un'altra parte.
○ Ma dove li trovi dei compagni simpatici come noi?

5 Raccontate.
Durante i vostri viaggi in Italia avete sentito parlare in dialetto? Dove?

6 Osservate.
Rileggete le ultime battute del dialogo. In che altro modo potreste esprimere le seguenti frasi?

● E vabbè! Certo che se sapevo che eravate così ecologisti ...
○ E che facevi?
● Niente, magari prendevo la stanza da un'altra parte.

7 Completate con gli aggettivi.

incomprensibile ◆ insopportabile ◆ invivibile ◆ imbevibile
irripetibile ◆ illeggibile ◆ immangiabile ◆ imprevedibile

Una pizza che non si può mangiare è *immangiabile*.

Un vino che non si può bere è ....

Una città in cui non si può vivere è ....

Una persona che non si riesce a sopportare è ....

Un evento che non si può prevedere è ....

Un fatto che non si riesce a comprendere è ....

Un documento che non si può leggere è ....

Una cosa che non si può o non si deve ripetere è ....

Quale prefisso hanno gli aggettivi? Che funzione ha? Come si modifica a seconda dei casi?

8 Raccontate.

E da voi, come è organizzata la raccolta dei rifiuti?

9 Leggete e completate.

Leggete questo breve articolo e inserite le seguenti parole nelle lacune.

acqua ◆ naturale ◆ consumi ◆ ambiente ◆ biologico ◆ auto ◆ ecologica

Es. 8–15
pp. 164–166

Comprare prodotti biologici, scegliere energie rinnovabili, suddividere i rifiuti, non sprecare acqua e luce ... Vademecum **dei piccoli grandi gesti quotidiani che possiamo (e dobbiamo) compiere tutti. Perché l'ambiente si salva anche con lo stile. Di vita.**

BIO

Al supermercato bisogna cercare i prodotti con la dicitura "..........................." o "da agricoltura biologica.". Altre espressioni, come "...........................", non significano nulla.

ECOLABEL

È il marchio europeo concesso, dopo rigorosi controlli, a tutti quei prodotti industriali che sono stati fabbricati e che funzionano nel rispetto dell'........................... .

ACQUA

No ai rubinetti lasciati aperti e alle docce troppo lunghe, sì all'installazione di un depuratore che renderà migliore l'........................... con la quale cuciniamo e farà durare più a lungo gli elettrodomestici. Chi ha un giardino può ridurre .... e spese installando una cisterna per l'acqua piovana.

INTERNET

La spesa on line è .... per almeno due motivi. Da un lato crescono i prodotti bio e quelli tradizionalmente meno inquinanti, come il sapone di Marsiglia. Dall'altro, la consegna a domicilio razionalizza i trasporti e inquina molto meno rispetto all'uso di tante .... individuali.

da: Gioia

C Un matrimonio albanese

1 🎧 **Ascoltate il dialogo.**

● E il matrimonio in Calabria com'è stato?
○ Bellissimo, davvero suggestivo. Sai, il cugino di Raffaele ha sposato una ragazza di Civita, un centro albanese in provincia di Cosenza.
● Ha sposato un'albanese?
○ Sì, tra l'altro, che io sappia, a Civita esiste una delle comunità albanesi più numerose e importanti in Italia. L'albanese lo parlano ancora e ci tengono molto alle loro tradizioni.
● Certo che dev'essere stato bello.
○ Molto. E siccome hanno conservato il rito greco-ortodosso, anche la cerimonia in chiesa è particolare.
● Ah, sì? E che cosa fanno?
○ Mah, per esempio, dopo lo scambio degli anelli il sacerdote posa una coroncina di fiori d'arancio sul capo degli sposi.
● Ah!
○ E dopo devono bere entrambi del vino dallo stesso bicchiere. Poi il bicchiere viene frantumato a terra affinché venga sancita l'indissolubilità della loro unione.
● Ma senti! E finisce così?
○ No, la cerimonia in chiesa si conclude solo dopo che il sacerdote e gli sposi hanno fatto tre giri intorno a un tavolo dove c'è il Vangelo.
● Ah!

○ E poi c'è stata la festa, hanno cantato dei canti augurali in albanese, poi hanno fatto delle danze tradizionali ...
● E avete mangiato bene?
○ Eccome! Ci siamo fatti una mangiata! E ci siamo bevuti tanto di quel vino ... la festa è andata avanti fino a notte inoltrata. Ma ne è valsa la pena.
● Ma sai che sarei curiosa di andare da quelle parti? Non ci sono mai stata.
○ Noi ad agosto ci torniamo. E se venissi con noi?

Quale aspetto della cerimonia vi sembra particolarmente bello o curioso?
A quale momento della cerimonia descritta dalla donna attribuireste il valore più simbolico?

2 **Lavorate in coppia.**
Le tradizioni legate alle minoranze linguistiche spesso sono in pericolo.
Pensate che sia opportuno intervenire per tutelare le minoranze linguistiche? Discutete.

ESEMPIO ► ● Si dovrebbe far imparare la lingua a scuola affinché non vada dimenticata.
○ Secondo me è inutile intervenire dall'esterno.

3 **Osservate.**

Ad agosto torniamo a Civita.
E se venissi anche tu con noi?
E se ci andassimo insieme?

4 **Lavorate in coppia.**
Prendete i ruoli
di A e B e fate
il dialogo.

A

Siete un tipo molto attivo e raccontate spesso alla vostra collega/al vostro collega quello che fate il fine settimana. Non avreste niente in contrario se lui/lei venisse con voi, anzi, vi farebbe piacere.

B

La vostra/Il vostro collega vi racconta spesso quello che fa il fine settimana. Fatele/Fategli capire che avreste interesse a fare qualcosa con lui/lei.

5 **Raccontate.**
Siete mai stati ad un matrimonio turco, greco, italiano ecc.?
Che cosa avete notato? Conoscete delle tradizioni o delle usanze particolari
della vostra o di un'altra zona riguardanti feste religiose o altro?

Es. 16–18
pp. 166–167

Lettura

1 **Leggete.**
Ecco una pagina del diario
di un ragazzo tredicenne a
Napoli alla fine degli
anni '50.

Sento strilli e voci napoletane, parlo napoletano, penso napoletano, però scrivo italiano. "Stiamo in Italia, dice babbo, ma non siamo italiani. Per parlare la lingua la dobbiamo studiare, è come all'estero, come in America, ma senza andarsene. Molti di noi non lo parleranno mai l'italiano e moriranno in napoletano. È una lingua difficile, dice, ma tu l'imparerai e sarai italiano. Io e mamma tua no, noi nun pu, nun po, nuie nun putimmo" Vuole dire "non possiamo" ma non gli esce il verbo. Glielo dico "non possiamo", bravo, dice, bravo, tu conosci la lingua nazionale. Sì la conosco e di nascosto la scrivo pure e mi sento un poco traditore del napoletano e allora in testa mi recito il suo verbo potere: i' pozzo, tu puozze, isso po', nuie putimmo, vuie putite, lloro ponno. Mamma non è d'accordo con babbo, lei dice: "Nuie simmo napulitane e basta". Ll'Italia mia, dice con due elle di articolo, ll'Italia mia sta in America, addò ce vive meza famiglia mia. "'A patria è chella ca te dà a magna',"dice e conclude. Babbo per scherzare le risponde: "Allora 'a patria mia si' tu". Lui non vuole dare torto a mamma, da noi non si alza la voce, non si litiga. Se lui è contrariato mette la mano sulla bocca e si copre mezza faccia.

da: Erri De Luca, Montedidio, Feltrinelli, Milano

2 **Discutete.**
Cosa intende il padre quando usa la parola *lingua*? Perché dice di non sentirsi italiano?

3 **Rileggete il testo.**
Secondo voi ...
◆ perché il ragazzo si sente traditore quando usa l'italiano?
◆ perché mezza famiglia vive in America, come dice la madre?
◆ perché l'uomo non è d'accordo con quello che dice sua moglie?

4 **Traducete.**
Provate a tradurre le frasi che la madre pronuncia in napoletano.

5 Lavorate in gruppi.

Leggete i seguenti detti popolari in dialetto e cercate di spiegarne il significato aiutandovi con la traduzione in italiano. Riferite poi agli altri gruppi la vostra interpretazione.

Genova
O meize de çiòule o ven pe tûtti.
Il mese delle cipolle viene per tutti.

Sicilia
Cònzala comu voi, sempri cucuzza è.
Condiscila come vuoi, sempre zucchina è.

Calabria
Hai u ciàngi ed hai u mangi.
Devi piangere, ma anche nutrirti.

Napoli
'N tiempo 'e tempesta ogni pertuso è puorto.
Durante la tempesta ogni buco è un porto.

Milano
A Milan, anca i moron fann l'uga.
A Milano fanno l'uva anche i gelsi.

Abruzzo
A' ju cavàjje stràcche, Ddìe mànne le mosche.
Al cavallo stanco Dio manda le mosche.

Venezia
El formagio a marenda, oro – a disnar, arzento – a sera, piombo.
Il formaggio è oro a colazione, argento a pranzo e piombo a cena.

Toscana
Fare come l'ova. Che più che bollono e più che assodano.
Fare come le uova, che più tempo cuociono e più diventano sode.

Si dice così

Esprimere disgusto per un cibo

Questa pizza è immangiabile.
Fa schifo.

Constatare e rassegnarsi

Ho capito che qui mi tocca ...
E vabbè!

Chiedere qualcosa con insistenza

Sarebbe opportuno che anche tu facessi ...

Informarsi e rispondere in maniera entusiasta

E ... com'è stato?

E avete mangiato bene?

Bellissimo, davvero suggestivo.
Ne è valsa la pena!
Eccome!

Assumersi il compito di un'altra persona

Dammi qua, ci penso io.

Proporre qualcosa con cautela

E se venissi anche tu con noi?
E se ci andassimo insieme?

Commentare qualcosa

Ma senti!
Certo che dev'essere stato bello.

1. Il *participio passato* al posto di una frase secondaria (2)　　　　25 →

note

> **Quando ebbe terminato** il lavoro, si riposò.
> **Dopo aver fatto** l'Italia, bisogna fare gli italiani.

> **Terminato** il lavoro, si riposò.
> **Fatta** l'Italia, bisogna fare gli italiani.

2. Esprimere la necessità di fare qualcosa　　　　15 →

> I palazzi **vanno** restaurati.
> **Bisogna**
> **Ci sono da** } restaurare i palazzi.
> **Si devono**

3. Aggettivi: prefissi e suffissi　　　　37 →

> Questa pizza non è male, è mangi**abile**.
> La tua decisione è comprens**ibile**.
> È stato un avvenimento **in**solito.
> Maria è una persona **im**matura.
> Questo è un verbo **ir**regolare.

4. Il periodo ipotetico (3)　　　　33 →

> Se l'**avessi saputo**, **sarei venuto** prima.
> Se lo **sapevo venivo** prima.

5. *Congiuntivo*: uso (3)　　　　30 ,19 →

> Ha scritto questo libro **affinché** le sue esperienze
>   di guerra non **vadano** dimenticate.
> Te lo dico **perché** tu **possa** capire il motivo.

6. Il *congiuntivo imperfetto*: uso　　　　22 →

> Che ne dici? Se ci **andassimo** insieme?
> E se mi **dessi** una mano tu?

A Per parlare

1 Guardate la foto.
Descrivete ciò che si vede nella fotografia.

2 Lavorate in gruppi.
Dove si trova la donna? Cosa vuole esprimere con il suo gesto? Secondo voi a chi lo sta facendo? Che cosa sarà successo? Che cosa succederà dopo?

3 Esprimetelo coi gesti.
Ecco alcuni gesti tipici degli italiani. Sareste capaci di abbinarli all'espressione corrispondente?

☐   ☐   ☐   ☐   ☐   ☐

1. Taglia corto.   3. Costa un sacco di soldi.   5. Tra di loro c'è qualcosa.
2. Andiamocene.   4. È finito./Non ce n'è più.   6. Ma che vuoi?

4 **Mettete in scena!**
Siete un gruppo di amici in vacanza a Pantelleria, un'isola a sud-ovest della Sicilia. Dopo due settimane bellissime oggi si torna a casa. Fino a ieri sera il tempo è stato splendido ma da stamattina è peggiorato e per i prossimi giorni si prevede maltempo continuo. Mentre fate colazione in albergo ricevete una telefonata dell'agenzia: causa mar mosso, sono stati cancellati tutti i collegamenti in traghetto e in aliscafo. Ci sarà l'ultimo collegamento aereo con la Sicilia nel pomeriggio, ma bisogna affrettarsi a prendere i biglietti. In alternativa l'agenzia vi offre di restare ancora in albergo fin quando le condizioni del tempo non vi permetteranno di tornare via mare. Vi richiameranno fra mezz'ora per conoscere la vostra decisione. Mettetevi d'accordo e decidete cosa fare.

Lorella Rossi, *26 anni*
■ Vorresti tornare perché devi prepararti per un esame ma non puoi permetterti l'aereo.

Sergio Colombini, *31 anni*
■ Non vedi l'ora di tornare perché Valentina ti dà un po' ai nervi.

Nicoletta Rinaldi, *31 anni*
■ Non puoi fermarti neanche un giorno di più ma c'è un problema: hai il terrore di volare.

Valentina Merli, *28 anni*
■ Non hai fretta di tornare. Se Sergio decidesse di fermarsi ancora qualche giorno resteresti volentieri anche tu.

Emanuele Chiodi, *33 anni*
■ Soffri di mal di mare e saresti contento di tornare in aereo. Però non vuoi che il gruppo si divida.

B **Da ascoltare**

1 **Ascoltate e completate.**
Leggete il seguente stralcio dell'ascolto dell'unità 9 e completatelo con le parole seguenti. Ascoltate poi la registrazione e controllate.

si fa per dire ◆ sai ◆ quindi ◆ diciamo ◆ insomma

● Come stai?

○ Sì, sto abbastanza bene adesso, grazie! Eh, mi sono ripresa, ..., dallo shock che ho ...

● Dallo shock?

○ Eh sì, sai, dallo shock, insomma, ... Eh, no, mi hanno scippata.

● Oh mio Dio!

○ Un paio di settimane fa.

● Mmm.

○ E .... sai sono rimasta un po' male. Eh, no, è successo di sera. Ero, ero in giro con una mia amica.

Eravamo state al cinema, stavamo camminando quando qualcuno mi ha dato una spinta e quindi stavo quasi per cadere in avanti e mi sono accorta che non avevo più la borsa. E ho visto un ragazzino scappare e ho cercato, ho cercato di andargli dietro, ma naturalmente lui era più veloce di me, e poi all'angolo della strada c'era un motorino con un suo amico e lui è saltato su e sono spariti.

● Sì, sì, sono sempre in due poi.

○ Eh sì, eh sì. .... è stato un po' uno spavento, ...

Perché, secondo voi, la protagonista del dialogo utilizza proprio queste espressioni/parole?

C Per scrivere

1 Leggete.

Leggete le lettere di due lettori pubblicate da due riviste italiane e sottolineate le espressioni con cui i lettori spiegano il motivo della lettera, elencano i propri argomenti e arrivano ad una conclusione.

Amiche, istruzioni per l'uso

Scrivo a proposito della lettrice che racconta di essere stata abbandonata anche dalle amiche durante la separazione e il divorzio. Può anche succedere l'inverso, come è capitato a me: l'amica che ha divorziato, dopo mesi in cui si appoggiava a me con telefonate, visite, pianti, confidenze, adesso che ha superato il peggio è quasi scomparsa. Ho provato a parlargliene e lei ha ammesso candidamente che le ricordo troppo il periodo peggiore della sua vita! Ci siamo promesse di mantenerci in contatto, di cercarci per vedere se le cose sono cambiate, ma adesso sono io a essere un po' delusa. E anche un po' gelosa: finché si trattava di lamentarsi le andavo bene, adesso preferisce uscire con nuove conoscenze. Insomma, non si sa mai qual è la cosa giusta da fare. Allontanarsi o avvicinarsi agli amici che stanno male?

Lettera firmata

da: Gioia

Basta code, meglio il treno

Anche le scorse vacanze natalizie si sono distinte per il numero impressionante di incidenti stradali. Come al solito ho letto grandi dichiarazioni d'intenti per l'aumento della sicurezza stradale. Secondo me l'unica vera soluzione è un'altra: il treno. Quante volte abbiamo la possibilità di lasciare a casa l'auto e non lo facciamo per pigrizia? Quante volte ce ne pentiamo una volta incolonnati al ritorno in città? Per quanto mi riguarda ho deciso: a Natale, Pasqua, Ferragosto eccetera mai più in auto. Meglio in treno, magari in prima classe: con quel che costa la benzina, è sempre meno caro.

L. Lucci, Bologna

da: Gente viaggi

2 Scrivete.

Scegliete uno dei seguenti temi o un tema a piacere e scrivete una lettera ad un giornale chiedendo un'opinione o un consiglio.

- L'obbligo della cintura di sicurezza (o del casco in moto) non viene rispettato.
- La vostra vacanza al mare è stata rovinata dal comportamento maleducato dei vostri vicini di ombrellone.
- I nuovi inquilini non fanno la raccolta differenziata e gettano le bottiglie nel bidone con gli altri rifiuti.

D Da leggere

1 Leggete.

Leggete il seguente articolo. Alcune parole sono spiegate al margine della pagina.

CAMPAGNA DEL TOURING CLUB CONTRO LA SEGNALETICA INCOMPRENSIBILE

CARTELLI-REBUS: UTILI SOLO A CHI CONOSCE LE STRADE
Cartelli stradali affollati o inesistenti.

Poco visibili o intempestivi. Alcuni deteriorati, altri incomprensibili

* L'ESPERIENZA – Partenza dal cuore di Milano per raggiungere il lago di Como. Destinazione Laglio, vicino a Cernobbio, per dare una *sbirciatina* a Villa Oleandri, *dimora* vacanziera dell'irresistibile George Clooney.
Ore 12.30: il traffico scorre tranquillo e non permette esitazioni. Soprattutto al semaforo di via Moscova, dove spunta la prima indicazione per Como: cartello blu, sinonimo di strada statale. Pochi istanti per decidere. Ma con un interrogativo: dove si prende l'autostrada? Intanto l'occhio si allunga e, tra i *clacson incalzanti*, coglie il verde del cartello ad hoc, a oltre 50 metri di distanza. Un puro caso. *Sgomberato* l'incrocio, obbedienti alle *frecce*, resta un piccolo dubbio: siamo sicuri di arrivare all'Autostrada dei Laghi?
Il viaggio prosegue, ma sa tanto di scommessa. Corso Sempione, piazza Firenze. Altri cartelli, blu, per Pavia, Piacenza, Varese, addirittura per Como. Tutti in direzione diversa. Niente lascia intendere che siamo sulla buona strada. La *sfida* continua ancora per mezzo chilometro. Poi, all'inizio di viale Certosa, la prima buona notizia: A8, A9, A4 compaiono all'improvviso, come una schiarita in un cielo grigio, su un cartello ben stampato e ben in vista. Forse ci siamo. Si continua incolonnati fino alla fine di viale Certosa, corsia centrale. Poi la *svolta* decisiva. A destra, sempre con la scritta verde, ritorna il segnale «Autostrade». Non c'è scelta. Si gira.

* LABIRINTO – Torniamo alla svolta a destra. Rampa per le autostrade, cartelli sparsi. Fino a quando la segnaletica *si rafforza*, si ingigantisce. Ad un certo punto, a metà strada, esplode in una selva di informazioni. Lettura impossibile, meglio lasciar perdere. Tappa al casello. Ancora qualche chilometro e l'Autolaghi si divide. *Imbocchiamo* la A9, a due corsie, con la certezza di arrivare a Como. Un lungo *rettilineo*, fino al prossimo *casello*. Con l'indicazione Como Nord e Como Sud. E la certezza *si incrina*. Interviene il casellante che consiglia: «Como Nord e si arriva a Cernobbio».
Pagato il pedaggio, però, appare un nuovo cartello: Como Monte Olimpino, oltre a quello di Como Sud. Ci risiamo. Acceleratore premuto, occhio vigile. E, quasi come *da copione*, tra i cespugli *sporge* un cartello bianco. Piccola sosta per leggerlo: Como Nord 2 km. Finalmente. Intanto *sorge* il dubbio che sia lì solo per i camionisti. Il viaggio tende alla fine. Sono le 14.15. Dall'autostrada alla statale Regina. Passiamo per Cernobbio, Moltrasio, Carate Urio. Tutti sul lungolago, ognuno a una diversa altezza sul livello del mare. Dimore splendide, vegetazione lussureggiante, altri cartelli illeggibili o nascosti. A Carate controllano la velocità elettronicamente: difficile leggerlo tra le foglie di un *fico*.
Oltre 14.30: arrivo a Laglio. Di Clooney neppure l'ombra. Si torna a casa, con una domanda: ma come ha fatto Clooney ad arrivare fino a Como?

da: Corriere della Sera

sbirciatina:
sguardo veloce

dimora:
casa

clacson incalzanti:
suono delle macchine che incitano a proseguire

sgomberato:
liberato

frecce:
cartelli che indicano una direzione

sfida:
atteggiamento competitivo

svolta:
curva, cambiamento

si rafforza:
aumenta

casello:
stazione di un'autostrada

imbocchiamo:
entriamo nell'autostrada

rettilineo:
strada dritta

si incrina:
si rompe, diminuisce

da copione:
nella sceneggiatura di un film

sporge:
viene fuori / si vede

sorge:
nasce

fico:
albero di fico

un anno in italia

Gennaio Fe

Gennaio	Febbraio	Marzo	Aprile	Maggio	Giugno
1 Capodanno	1	1	1 Venerdì santo	1 Festa dei Lavoratori	1
2	2	2	2	2	2 Festa della Repubblica
3	3	3	3 Pasqua	3	3
4	4	4	4 Lunedì dell'Angelo	4	4
5	5	5	5	5	5
6 Epifania	6	6	6	6	6
7	7	7	7	7	7
8	8	8 Festa della donna	8	8	8
9	9	9	9	9	9
10	10	10	10	10	10 chiusura delle scuole
11	11	11	11	11	11
12	12	12	12	12	12
13	13	13	13	13	13
14	14 San Valentino	14	14	14	14
15	15	15	15	15	15
16	16	16	16	16	16
17	17	17	17	17	17
18	18	18	18	18	18
19	19	19 San Giuseppe	19	19	19
20	20	20	20	20	20
21	21	21	21	21	21
22	22 Martedì grasso	22	22	22 Santa Rita	22 San Paolino
23	23 Le Ceneri	23	23	23	23
24	24	24	24	24	24
25	25	25	25 Festa della Liberazione	25	25
26	26	26	26	26	26
27	27	27	27	27	27
28	28	28	28	28	28
29	29	29	29	29	29
30	30	30	30	30	30
31		31		31	
Anno nevoso, anno fruttuoso	Chi vuole un bel granaio, lo semini in febbraio	Marzo pazzerello, quando c'è il sole prendi l'ombrello	Poni la zucca d'aprile, verrà grossa come un barile	Per Santa Rita ogni rosa è fiorita	Per San Paolino c'è il grano e manca il vino

Festa della donna
In tutt'Italia si festeggia la festa della donna. Ci sono manifestazioni e feste di vario genere e si usa regalare ad ogni donna un rametto di mimosa.

Festa della Repubblica
La ricorrenza della Festa della Repubblica italiana viene festeggiata con sfilate e parate militari nella capitale e in altre grandi città.

Epifania
La Befana vien di notte con le scarpe tutte rotte con le toppe alla sottana viva viva la Befana!

Pasqua
Nei giorni che precedono la Pasqua hanno luogo numerose manifestazioni religiose. La Via Crucis si svolge il Venerdì santo, che in Italia è un giorno lavorativo.

chiusura delle scuole
Agli inizi di giugno le scuole chiudono per la lunga pausa estiva che durerà fino a settembre.

Lunedì dell'Angelo
Il Lunedì dell'Angelo, detto anche Pasquetta, si usa aprire la stagione delle gite con un pic nic in campagna da trascorrere con amici e parenti.

Martedì grasso · Le Ceneri
Un simbolo del Carnevale, insieme ai coriandoli (attenzione, non confetti!) e alle stelle filanti, sono le chiacchiere, la specialità più semplice e allegra fra quelle dei dolci di Carnevale (vedi pag. 96).
L'ultimo giorno di Carnevale, il martedì grasso, cede il passo al mercoledì delle Ceneri, giorno che segna l'inizio della Quaresima.

Festa della Liberazione
Il 25 aprile è l'anniversario della liberazione dell'Italia dal fascismo.

68° MAGGIO MUSICALE FIORENTINO

un anno in italia

Luglio	Agosto	Settembre	Ottobre	Novembre	Dicembre
1	1	1		1 Ognissanti	1
2	2				
3	3				
4	4	4 Regata Storica	4 San Francesco		
5	5				
6	6				
7	7				7
8	8				8 Immacolata Concezione
9	9		9	9	9
10	10 San Lorenzo	10	10	10	10
11	11			11 San Martino	11
12	12			12	12
13	13			13	13 Santa Lucia
14	14			14	
15	15 Ferragosto	15	15	15	15
16	16	16	16	16	16
17	17	17	17	17	17
18	18	18	18	18	18
19	19				
20	20				
21	21				
22	22				
23	23				
24	24		24		24 Vigilia di Natale
25	25		25		25 Natale
26 Sant'Anna	26	26	26	26	26 Santo Stefano
27	27	27	27	27	
28	28	28	28	28	
29	29	29 San Michele	29	29	
30	30	30	30	30	
31			31		31 San Silvestro
Nuvola vagante non disseta le piante	Per la Madonna d'agosto si rinfresca il bosco	Per San Michele l'uva è come il miele	Per San Francesco parte il caldo e arriva il fresco	A novembre, con le foglie, cadon giù capelli e voglie	Natale con i tuoi, Pasqua con chi vuoi

Umbria Jazz Festival
Il famoso festival internazionale di musica jazz si ripete ogni anno dal 1973 nel meraviglioso scenario della campagna e delle città umbre.

La Regata Storica
La prima domenica di settembre ha luogo a Venezia una delle tante feste popolari italiane a carattere storico.

San Francesco
San Francesco d'Assisi, il santo patrono d'Italia, fu il predicatore e il mistico italiano che visse tra il XII e il XIII secolo e fondò l'ordine francescano.

Ognissanti
Il giorno di Ognissanti si usa andare al cimitero a portare dei fiori ai propri cari. I fiori che tradizionalmente adornano le tombe sono i crisantemi. Per questo motivo in Italia i crisantemi non si regalano.

San Lorenzo
La notte di San Lorenzo si usa guardare in cielo per cogliere al volo una stella cadente ed esprimere un desiderio. In questa notte infatti si crede che le lacrime di San Lorenzo piovano dal cielo e che, soffermandosi a pensare alle sofferenze del martire, possano avverarsi i desideri espressi.

Santa Lucia
La santa cieca nata a Siracusa viene festeggiata in molte parti d'Italia. In alcune città, come Bergamo o Verona, è Santa Lucia a portare i doni ai bambini.

Ferragosto
I giorni intorno al Ferragosto, festa dell'Assunzione in cielo della Madonna, coincidono con il periodo principale delle ferie degli italiani. Le località di villeggiatura sono affollate, nelle città c'è meno gente e molti negozi sono chiusi.

Sagra della castagna
Le sagre sono feste paesane che ruotano intorno ad uno o più prodotti tipici.

Sant'Anna
La festa di Sant'Anna a Jelsi, nel Molise, è uno degli innumerevoli esempi di feste religiose che hanno luogo in ogni parte d'Italia.

Carnevale

Fino all'inizio del ventesimo secolo, i festeggiamenti veneziani furono la manifestazione più famosa ed importante del carnevale italiano. L'uso delle maschere, oggi noto in tutto il mondo, risale al '700, quando, quotidianamente, gli aristocratici veneziani indossavano delle maschere bianche per ornare l'abbigliamento.

Di recente istituzione, invece, il carnevale di Viareggio è diventato una delle manifestazioni più famose della penisola. È caratterizzato da sfilate di carri, sui quali vengono posti dei pupazzi giganteschi di cartapesta che raffigurano scenette sarcastiche e satiriche, ispirate al mondo politico o a episodi tratti dalla storia italiana.

FEBBRAIO

22

Regata Storica

La prima domenica di settembre con la Regata Storica si ricorda l'arrivo a Venezia nel 1489 di Caterina Cornaro, una nobile veneziana diventata regina di Cipro per aver sposato il re Giacomo II. All'inizio c'è un corteo sul Canal Grande, aperto dal Bucintoro (la nave del doge) e da gondole che trasportano persone con abiti d'epoca. Durante la giornata hanno luogo diverse gare alle quali partecipano diversi tipi di barche, tutte a carattere storico.

SETTEMBRE

4

Ricetta del castagnaccio

300 grammi di farina di castagne
3 cucchiai di olio extra vergine d'oliva
80 grammi di pinoli
50 grammi di uva passa
sale quanto basta
Facoltativo: un po' di zucchero e noci

Mettere l'uva passa in una scodella con poca acqua e lasciarla ammorbidire. Nel frattempo in un recipiente, mescolare la farina di castagne, 3 cucchiai di olio, un pizzico di sale, ed aggiungere di volta in volta dell'acqua, fino ad ottenere un composto liscio ed omogeneo. Aggiungere i pinoli e l'uvetta, quindi versare il composto in una teglia unta di olio. Infornare e cuocere per circa 45 minuti a 180 °C.
Una volta pronto, cospargete la superficie del dolce con altri pinoli.

OTTOBRE

16

San Martino

La nebbia agli irti colli
Piovigginando sale,
E sotto il maestrale
Urla e biancheggia il mar;

Ma per le vie del borgo
Dal ribollir de' tini
Va l'aspro odor dei vini
L'anime a rallegrar.

Gira su' ceppi accesi
Lo spiedo scoppiettando:
Sta il cacciator fischiando
Su l'uscio a rimirar

Tra le rossastre nubi
Stormi d'uccelli neri,
Com' esuli pensieri,
Nel vespero migrar.

(Giosuè Carducci)

NOVEMBRE

11

San Giuseppe

Nella tradizione popolare San Giuseppe è il santo protettore dei poveri e dei derelitti. È anche il simbolo della castità, e quindi tutore delle ragazze da marito. San Giuseppe, in virtù della sua professione, è inoltre il protettore dei falegnami, che da sempre sono i principali promotori della sua festa.

Il giorno di San Giuseppe è anche il giorno della Festa del Papà. È inoltre una ricorrenza per chi si chiama Giuseppe o Giuseppina. In diverse parti d'Italia, infatti, si usa festeggiare oltre al compleanno anche l'onomastico, soprattutto se il festeggiato porta il nome di un santo conosciuto nella zona. Per San Giuseppe si preparano le zeppole, le famose frittelle che, pur variando nella ricetta da regione a regione, sono il piatto tipico di questa festa.

MARZO

19

Maggio fiorentino

Nella vita artistica di Firenze la musica ha avuto un ruolo fondamentale: qui è nato, alla fine del '500, il melodramma. Oggi il centro della musica fiorentina è il Teatro del Maggio Musicale Fiorentino che ha sede al Teatro Comunale.

Fondato nel 1933 il Festival del Maggio Musicale Fiorentino è il più antico festival italiano ed uno dei più importanti a livello internazionale. Nato come manifestazione triennale, e divenuto già dal 1937 appuntamento annuale, è da allora una delle mete obbligate per gli amanti della musica.

MAGGIO

10

San Silvestro

Piccoli riti per il nuovo anno:

● Attenzione alla prima persona che incontrate dopo la mezzanotte. Se è un barbone si profila un anno finanziario strepitoso!

● La regola di mangiar lenticchie va sempre bene.

● Indossare per mezzanotte qualcosa di rosso o un indumento intimo assolutamente nuovo.

● Sotto il vischio (ma va benone anche l'agrifoglio) baciare intensamente l'amato/a.

● Mettete sotto il cuscino tre fave secche: una integra, una sbucciata per metà e l'altra per intero. Al momento del risveglio prendetene una a caso: avrete un ottimo anno nuovo se è quella integra, un anno così e così per la mezza. Non vi invidiamo se pescate quella nuda!

DICEMBRE

31

Tu scendi dalle stelle

Tu scendi dalle stelle,
o Re del cielo,
e vieni in una grotta al freddo e al gelo.
Oh Bambino mio divino,
io ti vedo qui a tremar
o Dio beato;
ah quanto ti costò l'avermi amato!

A Te che sei del mondo
il Creatore,
mancan panni e fuoco, o mio Signore
Caro eletto pargoletto
quanto questa povertà
più m'innamora,
giacché ti fece amor povero ancora!

Sant'Alfonso de' Liguori (1700)

DICEMBRE

25

1 Sei un mito!

1 Quiz *Miti italiani*. **Completate prima le domande con le parole date e dopo indicate la soluzione corretta.**

1 Il suo .... appartiene alle collezioni del .... del Louvre di Parigi ed è conosciuto in tutto il mondo anche come *La Gioconda*.

☐ *Venere*   ☐ *La Primavera*   ☐ *Monna Lisa*

2 Lo .... cult, nato nel secondo dopoguerra, viene considerato ancora oggi l'originale. A quale .... deve il suo nome?

☐ All'ape.   ☐ Alla mosca.   ☐ Alla vespa.

3 La pizza Margherita, la pizza più semplice e amata nel ...., nasce nel 1889. A chi deve il suo nome?

☐ Al fiore margherita.   ☐ Alla pizzaiola che l'ha inventata.
☐ A Margherita di Savoia, regina d'Italia.

4 Dante Alighieri nasce a Firenze nel 1265 e scrive l'opera più importante della .... italiana. Qual è il titolo dell'opera?

☐ *Il Decamerone*   ☐ *La Divina Commedia*   ☐ *Il nome della rosa*

5 Genovese di nascita, per incarico della .... di Spagna parte con tre caravelle per le Indie ma sbarca in quella che più tardi si chiamerà America. Chi è?

☐ Cristoforo Colombo   ☐ Marco Polo   ☐ Amerigo Vespucci

mondo

Museo

letteratura

ritratto

insetto

scooter

regina

2 **Completate le espressioni abbinando la colonna di sinistra con quella di destra.**

1.	Scusi	a.	Le dico?
2.	Grazie,	b.	assicuro ...
3.	A dire	c.	il disturbo.
4.	Le	d.	bene.
5.	Ha fatto	e.	il vero ...
6.	Sa cosa	f.	molto gentile.

3 Completate i brevi dialoghi con le espressioni dell'esercizio precedente.

1. ● Ah, signora Ribolini, è Lei. Venga, entri un attimo.

   ○ ...., volevo chiederLe un piacere.

2. ● Ha visto che la signora del terzo piano adesso ha un cane?

   ○ Sì, però .... non mi sembra giusto tenere un cane in

   un appartamento.

3. ● Ho trovato tra la mia posta una lettera per Lei. Eccola.

   ○ ....

4. ● Sa, il figlio dei Furlani a volte ascolta la musica ad altissimo volume, e così ho detto

   a sua madre che mi dava fastidio.

   ○ .... Dava fastidio anche a me.

5. ● Sa, sono un po' incerta se vendere la macchina.

   ○ Guardi, io .... che qui in centro la macchina non serve.

6. ● Noi, da quando abbiamo l'accesso ad Internet, leggiamo sempre il quotidiano on line.

   ○ .... Quasi quasi lo faccio anch'io e disdico l'abbonamento.

4 Unite due frasi usando le congiunzioni date per formare altre frasi come nell'esempio.
Create più frasi possibili e scrivetele sul vostro quaderno.

è venuto a trovarci un nostro amico
mi sento molto stanco
non ho avuto il tempo di fare la spesa
ho preso il pomeriggio libero
ho fatto gli spaghetti aglio e olio
ieri sera sono tornato a casa tardissimo
non ho potuto chiamarti
vorrei andare a letto presto

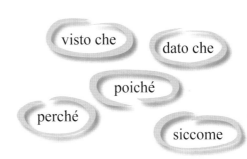

visto che · dato che · poiché · perché · siccome

→ *Siccome mi sento molto stanco vorrei andare a letto presto.*

5 Formulate delle frasi, come nell'esempio, in base ai disegni e agli elementi dati usando *visto che, dato che, siccome, poiché, perché, perciò*. Scrivete le frasi nel vostro quaderno.

rimanere a casa ◆ arrivare in ritardo ◆ andare al mare ◆ andare al cinema ◆
stare a letto ◆ non venire ◆ perdere tempo

→ *Ho perso tempo perché la fotocopiatrice era guasta.*

   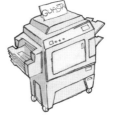 

6 Osservate i disegni e scrivete accanto i nomi alterati usando i suffissi *-ino/a* (per esprimere che è piccolo) *e -one* (per esprimere che è grande).

....

....

....

....

7 Quali tra i nomi dati sono alterati e quali no? Servitevi anche del dizionario in caso di dubbio.

1. palla   – pallone   ....
2. orecchio – orecchino   ....
3. tazza   – tazzina   ....
4. porta   – portone   ....
5. cucchiaio – cucchiaino   ....
6. caro/-a   – carino/a   ....
7. telefono   – telefonino   ....
8. ombrello – ombrellone   ....

8 Sostituite la proposizione subordinata con un gerundio come nell'esempio.

Gianni si è sentito male mentre faceva jogging.
Facendo jogging Gianni si è sentito male. ....

1. Ho imparato molto sulla storia della città perché ho partecipato ad alcune visite guidate.

   ....

2. Ho parlato con mia madre e ho saputo che eri andata a trovarla.

   ....

3. Ho dimenticato di passare in biblioteca perché ho fatto tutto di fretta.

   ....

4. Se fai un po' di sport ti sentirai sicuramente più in forma.

   ....

5. Mentre mettevo in ordine i cassetti ho ritrovato le foto delle vacanze.

   ....

9 Leggete il testo e annotate, come nell'esempio, che cosa esprimono le forme del gerundio evidenziate.

Caro Miguel,
ieri sera tornando dal lavoro, ho incontrato sotto il portone di casa la mia vicina Cristina. Abbiamo incominciato a parlare e, chiacchierando del più e del meno, Cristina mi ha detto che, dovendo andare per un periodo in Spagna per lavoro, vorrebbe prendere lezioni private di spagnolo. Sapendo già quanto è difficile trovare un buon insegnante, le ho consigliato di rivolgersi a te, assicurandole che sei il miglior insegnante di spagnolo di tutta Roma. Le ho dato il tuo numero di telefono e lei ha detto che si farà viva nei prossimi giorni. Comunque, volendo potresti anche metterti tu in contatto con lei, il suo numero di cellulare è 339 5692387. Ti saluto affettuosamente augurandoti una buona giornata e ... buon lavoro con Cristina.

Giovanna

mentre tornavo

....

....

....

....

....

....

10 In città Mariella cerca un regalo per sua madre. Ogni tanto telefona a sua sorella per sentire la sua opinione. Descrivete gli oggetti rappresentati e aggiungete un regalo a vostra scelta. Usate alcuni degli elementi indicati.

di legno ◆ di metallo ◆ di vetro ◆ di alluminio ◆ d'argento ◆ d'oro ◆ di porcellana ◆ di lana ◆ di seta ◆ di pelle ◆ di plastica ◆ lungo ◆ rettangolare ◆ di forma allungata ◆ rotondo ◆ ovale ◆ quadrato ◆ pratico ◆ semplice

Senti, Camilla, alla mamma potremmo regalare una bella caraffa. È ....

....

Ho anche visto una bella fruttiera ....

....

E poi c'era .... che le piacerebbe senz'altro. ....

....

Tu che ne pensi?

11 Sottolineate nel testo le forme del *passato remoto* e scrivete i corrispondenti infiniti.

NACQUE A MILANO nel 1785. Visse prima con il padre a Milano e poi con la madre a Parigi. Nel 1807 si sposò la prima volta. Nel 1827 uscì il suo romanzo più famoso dal titolo *I Promessi Sposi*. Nel 1860 diventò senatore del Regno d'Italia. Morì a Milano nel 1873. È considerato il padre della lingua italiana moderna.

CHI È?

....

....

....

....

....

....

....

....

12 Completate questa breve biografia di Caterina de' Medici con i verbi mancanti al *passato remoto*.

Caterina de' Medici .... a Urbino nel 1519. La nipote di Lorenzo il Magnifico .... nel 1533 Enrico d'Orléans, il futuro Enrico II. .... più volte madre e tre dei suoi figli (Francesco II, Carlo IX ed Enrico III) .... al trono di Francia. L'intelligenza, l'ambizione e la passione per la politica la .... diventare presto protagonista del suo secolo. Per questo .... il titolo di «Madre di Francia». Tra i suoi tanti pregi ci .... anche quello di aver portato, con i cuochi e i pasticcieri che la ...., la cucina fiorentina in Francia e di aver introdotto un oggetto che a Firenze era usato già da tempo: la forchetta. Caterina de' Medici .... nel 1589.

nascere

sposare

diventare

salire

fare

avere

essere

seguire

morire

13 Abbinate ciascuna frase al corrispondente soggetto.

1.	Dicono che il nuovo sindaco è una persona molto in gamba.	a)	qualcuno
2.	Hanno lasciato un messaggio sulla segreteria telefonica.	b)	il comune
3.	Hanno licenziato Carla.	c)	la ditta
4.	Davanti al supermercato stanno facendo dei lavori.	d)	la gente

14 Riformulate le frasi, come nell'esempio, alla forma impersonale.

Il governo ha annunciato una riforma del sistema fiscale.
Hanno annunciato una riforma del sistema fiscale.

1. Il comune sta facendo un'indagine sul lavoro nero.

2. Qualcuno ha suonato alla porta.

3. Il giornale dice che ci sarà una crisi di governo.

4. La ditta ha deciso di chiudere due filiali.

15 Completate le frasi con *finire* o *cominciare*.
Fate attenzione alla scelta del verbo ausiliare (*essere* o *avere*).

1. Stamattina le prove della Bohème .... in ritardo.

2. Sofia Loren .... la sua carriera recitando nei fotoromanzi.

3. Il concerto ieri sera .... alle undici.

4. Mia figlia .... a prendere lezioni di violino.

5. Ieri la serata .... bene, ma .... male perché ho perso le chiavi della macchina.

6. Franco, è vero che .... un corso di pittura?

7. Non sono venuta all'apertura della mostra perché .... di lavorare molto tardi.

8. I lavori di restauro .... due anni fa, ma non .... ancora ....

9. Il regista Salvatores .... a girare il suo nuovo film.

---

16 **Leggete ancora una volta la storia di Pinocchio a pagina 15 e trovate le forme del *passato remoto* degli infiniti dati.**

1. prendere   – ....
2. accorgersi – ....
3. dire   – ....
4. rispondere – ....
5. urlare   – ....

6. cacciare – ....
7. fingere   – ....
8. sentirsi – ....
9. voltarsi – ....
10. vedere   – ....

---

17 **"C'era una volta ..."** - **Abbinate le citazioni ai titoli delle favole. In una manca il nome decisivo. Inseritelo.**

☐ *Cappuccetto rosso*
☐ *Biancaneve e i sette nani*
☐ *Cenerentola*
☐ *Il tavolino magico*
☐ *Hansel e Gretel*

1
Ho mangiato a mia voglia
e non ci sta più una foglia. Mèee! Mèee!

2
● Ma nonna ... che orecchi grandi che hai!
○ È per udirti meglio!
● E che occhi grandi che hai!
○ È per vederti meglio!

3
Strettina è la scarpetta, la vera sposa è ancor nella casetta ...

4
Tira fuori un dito, che voglio vedere se sei ingrassato.

5
● Specchio, specchio delle mie brame, chi è la più bella del reame?
○ La più bella sei tu.
Ma .... lo è molto di più.

2

Fa' pure con calma!

1 **Abbinate le seguenti parole ed espressioni ai due proverbi, alle due foto.**

_A_ andare piano	☐ disdire impegni	☐ delegare compiti	☐ fare le cose in fretta
_B_ sbrigarsi	☐ stressarsi	☐ riposarsi	☐ rilassarsi
☐ stress	☐ pausa	☐ fare di corsa	☐ arrivare in ritardo
☐ fare velocemente	☐ fare con calma	☐ correre	☐ avere pazienza

A C'è un tempo per pescare e un tempo per asciugare le reti.

B Minore il tempo, maggiore la fretta.

2 **Completate la telefonata con i verbi dati.**

● Allora cosa fai, vieni domani?

○ Spero di sì. La mattina devo .... alcune cose, ma per le due penso di ....

● Ma non mangi con noi?

○ No, preferisco ...., altrimenti non .... sbrigare tutto. A mezzogiorno ho un appuntamento dal parrucchiere che non vorrei .... Anzi, magari ci possiamo incontrare direttamente davanti al museo, così perdo meno tempo.

● D'accordo, però non fare come l'altra volta. Per piacere, se sei in ritardo dammi un colpo di telefono.

○ Sì, ...

● No, dico sul serio. Altrimenti guarda che io ...., non resto lì ad aspettare come l'altra volta.

○ Sì, ho capito, però ...., anche tu .... per niente.

saltare il pranzo

farcela   sbrigare

non ti preoccupare

te la prendi

disdire

me ne vado

riesco a

dai

3 Completate l'articolo di giornale con le espressioni, i sostantivi e i verbi dati nel riquadro.

obiettivi ◆ sopportare le frustrazioni ◆ organizzarsi ◆ priorità ◆ il proprio metodo ◆ senso del dovere ◆ Perseguire ◆ concedere spazio

Come evitare i disturbi provocati dallo stress?

Meglio chiarire subito una cosa: senza stress non si vive. Infatti, anche se oggi è diventato un termine negativo, in sé lo stress è una risposta fisiologica normale. Troppo stress però fa male. Allora come evitarlo? Di seguito alcuni consigli.

Chi vuole evitare lo stress, innanzi tutto deve imparare a .... con metodo e darsi delle .... : non tutti gli impegni hanno la stessa importanza. Deve riuscire ad organizzarsi senza imporre .... agli altri. In genere chi ha un forte .... difficilmente riuscirà a .... Eppure questo è determinante per ridurre i momenti di stress, bisogna prendere le cose con un po' più di leggerezza e non scoraggiarsi quando non si raggiungono tutti gli .... i propri obiettivi è giusto, ma è altrettanto giusto .... ai propri piaceri!

4 Completate la tabella con le forme verbali mancanti.

infinito			*andarsene*
io			
tu			
lui, lei, Lei		*se la prende*	
noi	*ce la facciamo*		
voi			*ve ne andate*
loro			

5 Completate le frasi con le opportune forme verbali di *farcela*, *prendersela*, *andarsene*.

1. Secondo te Fernando .... a vincere la gara?

2. Con Viviana non si può mai scherzare. .... per niente.

3. Basta, non ho più voglia di stare qui. ....

4. Devo finire questo lavoro per le cinque, ma non so se ....

5. Dai, venite anche voi, se poi vi annoiate .... Lo sapete che io tanto non ....

6. È già mezzogiorno. Chissà se i ragazzi .... ad arrivare per l'una.

6 *Se* o *quando*? Scegliete la congiunzione corretta.

1. Ti ho già detto tante volte che quando/se mangi devi tenere la bocca chiusa.
2. Quando/Se stasera fai tardi chiamami sul cellulare.
3. Domani, quando/se arrivi, ti vengo a prendere alla stazione.
4. Quando/Se adesso bevo il caffè stanotte rischio di non dormire.
5. Quando/Se domani mattina vado a correre, vengo da te un po' più tardi.
6. Quando/Se domenica venite anche voi, ci fa piacere.
7. Stasera puoi ritirare tu i biglietti quando/se esci dal lavoro?

7 Sfogatevi!
Completate i fumetti.

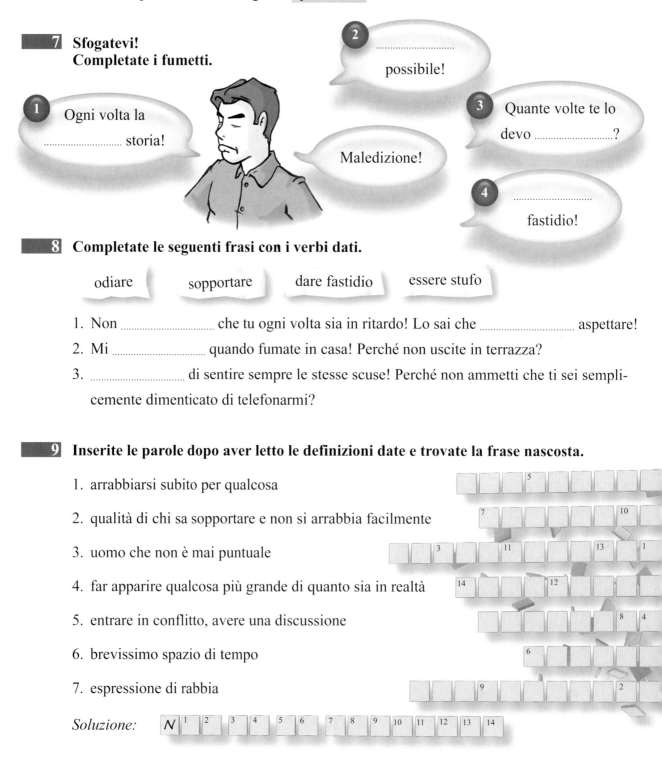

① Ogni volta la .... storia!

② .... possibile!

Maledizione!

③ Quante volte te lo devo ....?

④ .... fastidio!

8 Completate le seguenti frasi con i verbi dati.

odiare   sopportare   dare fastidio   essere stufo

1. Non .... che tu ogni volta sia in ritardo! Lo sai che .... aspettare!
2. Mi .... quando fumate in casa! Perché non uscite in terrazza?
3. .... di sentire sempre le stesse scuse! Perché non ammetti che ti sei semplicemente dimenticato di telefonarmi?

9 Inserite le parole dopo aver letto le definizioni date e trovate la frase nascosta.

1. arrabbiarsi subito per qualcosa
2. qualità di chi sa sopportare e non si arrabbia facilmente
3. uomo che non è mai puntuale
4. far apparire qualcosa più grande di quanto sia in realtà
5. entrare in conflitto, avere una discussione
6. brevissimo spazio di tempo
7. espressione di rabbia

Soluzione: N

10 Completate il dialogo con le frasi date nel riquadro.

> Senti, adesso per favore lasciami in pace, altrimenti non esco proprio. ◆ Solo un attimo. Ho quasi finito. ◆ Eh, mamma mia, Fabrizio! Ti scaldi per niente! ◆
> Ma chi ti dice di farlo? Scusa, se vuoi far prima tu la doccia, perché non ti alzi prima?

● Clara, sei pronta? Non puoi occupare sempre il bagno per delle ore!

○ ....

● Non è possibile! Ogni mattina è la solita storia. Per colpa tua arrivo sempre in ritardo.

○ ....

● No, basta. Non sopporto di aspettare fuori dal bagno tutte le mattine.

○ ....
  ....

● Perché dovrei alzarmi prima per fare un piacere a te? E poi non sono l'unico ad aspettare,
  c'è anche papà che deve andar via. Muoviti!

○ ....

11 Completate il cruciverba con i seguenti verbi al *congiuntivo*.

1. loro - andare
2. io, tu, lui - venire
3. io, tu, lei - volere
4. voi - leggere
5. loro - avere
6. voi - fare
7. io, tu, lui - potere
8. loro - aspettare
9. io, tu, lei - dovere
10. loro - aprire
11. loro - dire
12. io, tu, lui - stare
13. io, tu, lei - capire
14. io, tu, lui - usare
15. io, tu, lei - scusare
16. io, tu, lui - sentire
17. io, tu, lui - mettere
18. noi - uscire

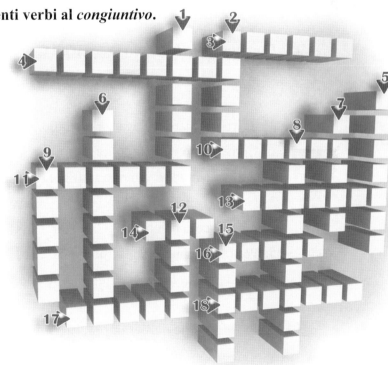

12 Abbinate le frasi.

1.	Penso di essere	a)	sia giusto comportarsi sempre così?
2.	I miei bambini credono ancora che	b)	la mattina gli telefoni prima delle 10.
3.	Non ho voglia di	c)	stare sempre ad aspettare.
4.	Il mio amico non sopporta che io	d)	esista Babbo Natale.
5.	Voi credete che	e)	una persona molto ordinata.

Fa' pure con calma!

13 Tutti ammirano la macchina sportiva nuova di Guido. Che cosa pensano dell'acquisto? Formulate delle frasi come nell'esempio.

Spendere tanto per una macchina è una follia.
Il padre crede che spendere tanto per una macchina sia una follia.

1. Certa gente spende una barca di soldi per delle cose completamente inutili.
   Il vicino pensa che

2. Questa macchina è un po' esagerata, ma ognuno è libero di spendere i propri soldi come vuole.
   Suo fratello pensa che quella macchina

3. Guido ha ragione a fare quello che gli pare perché sognava una macchina sportiva da anni.
   Il suo amico

14 Completate le frasi con le seguenti espressioni.

è possibile   è importante   è giusto   è meglio   è necessario   bisogna

1. Se vuoi andare in vacanza in luglio, non .... che tu lo chieda al direttore.
   Ci mettiamo d'accordo fra di noi.
2. Sull'autostrada c'è molto traffico, forse .... che tu parta più tardi.
3. Non so a che ora tornerò, ... che dopo la partita mi fermi a bere un bicchiere.
4. Siete ancora piccoli ed .... che ascoltiate quello che vi dicono i genitori.
5. Per fare un buon minestrone .... che le verdure siano freschissime.
6. .... che sia tutto pronto per le sei, altrimenti non possiamo partire.

15 Collegate, come nell'esempio, i termini della colonna di sinistra con quelli di destra.

1.	il libretto degli	a) credito
2.	la carta di	b) assegni
3.	l'estratto	c) delle lettere
4.	la carta da	d) prioritaria
5.	la scheda	e) lettere
6.	i bonifici	f) conto
7.	la posta	g) un bonifico
8.	ritirare	h) telefonica
9.	la buca	i) bancari
10.	fare	l) i soldi

16 Che cosa dite dal parrucchiere se ...

1. ... volete farvi tagliare i capelli?

....

2. ... volete cambiare tinta ai vostri capelli?

....

3. ... volete una tinta/tonalità più scura?

....

4. ... volete provare i colpi di sole?

....

5. ... volete che vi facciano un massaggio alla testa?

....

17 Completate le seguenti frasi con i pronomi dati.

me li | ve lo | se la | glieli | te ne | Glielo

1. ● Questa volta al bambino potrebbe tagliare i capelli un po' più corti.

   ○ Va bene, ... taglio proprio corti corti?

2. Se volete l'indirizzo della mia estetista, ... do volentieri, è davvero brava!

3. ● Ma veramente hai imparato a fare i massaggi?

   ○ Sì, se vuoi .... faccio uno.

4. ● Questo sapone va bene per bambini?

   ○ Certo, ... posso consigliare.

5. Io i capelli .... lavo con uno shampoo curativo.

6. Marcello con la barba sembra più vecchio. Perché non .... taglia?

18 Completate i brevi dialoghi con i pronomi combinati.

1. ● Quando porti il DVD a Mariella?

   ○ .... porto venerdì sera.

2. ● Oh che bello, hai l'ultimo libro di De Carlo!

   ○ Sì, l'ho già letto. Se vuoi .... posso prestare.

3. ● Accidenti, si è rotto il rubinetto del bagno e oggi è domenica.

   ○ Non preoccupatevi. .... riparo io.

4. ● Allora, quando scrivi la cartolina ai nonni?

   ○ Adesso non ho voglia, ... scrivo domani.

5. ● Chi vi tiene il cane mentre siete in vacanza?

   ○ Eh, per fortuna .... tiene mia sorella.

3 Conosci l'Emilia-Romagna?

1 Completate il testo con le parole date inserendo i numeri corrispondenti nelle caselle, come nell'esempio. Date un'occhiata a pagina 28, vi sarà sicuramente d'aiuto.

1. confina
2. Pianura
3. regione
4. a pochi chilometri
5. a sud
6. meridionale
7. a ovest
8. attraversano
9. pianeggiante
10. abitanti
11. montuoso
12. si trova
13. fiume
14. province
15. bagnata
16. capoluogo

La ☐3 Emilia-Romagna ☐ a nord con il Veneto e la Lombardia, ☐ con il Piemonte e la Liguria, infine ☐ con la Toscana e le Marche. A est è ☐ dal Mar Adriatico. All'interno della regione, nella parte meridionale ☐ uno Stato indipendente: la Repubblica di San Marino. La fascia settentrionale della regione è ☐ ed è costituita da una parte della ☐ Padana. Nella fascia ☐ invece il territorio è ☐. La ☐ molti fiumi, tra questi il Reno e il Secchia; il ☐ Po costituisce il confine naturale della regione. Le ☐ sono nove e il ☐ della regione è Bologna. Ravenna è ☐ dal mare. La popolazione dell'Emilia-Romagna è di circa 4 milioni di ☐.

2 Geografia o economia? A quale categoria appartengono le seguenti espressioni?

geografia (g)   economia (e)

☐e l'utilizzo di tecnologie moderne	☐ le imprese artigiane	☐ la parte meridionale
☐ i capoluoghi di provincia	☐ una zona montuosa	☐ il settore alimentare
☐ tecnologicamente avanzato	☐ i piccoli imprenditori	☐ la Pianura Padana
☐ una florida produzione agricola	☐ la fascia pianeggiante	☐ l'allevamento di suini

3 Abbinate le due colonne per avere delle frasi di senso compiuto.

1.	L'Emilia-Romagna è una regione	a)	tra i più alti d'Italia.
2.	Si dice che i suoi abitanti abbiano	b)	alti livelli di qualità della vita.
3.	Il nord ha	c)	efficiente e ben organizzata.
4.	Il tasso di imprenditorialità è	d)	«la dotta» e «la grassa».
5.	Le città hanno	e)	a Bologna.
6.	L'università più antica del mondo si trova	f)	più abitanti del sud.
7.	Bologna viene chiamata	g)	un carattere aperto, cordiale e allegro.

4 **Riformulate le seguenti frasi usando la forma passiva.**

1. I Romani hanno costruito la via Emilia.

   La via Emilia ....

2. La fantasia culinaria dei bolognesi ha creato i tortellini.

   I tortellini ....

3. Moltissimi turisti frequentano la costa adriatica.

   ....

4. Il terreno fertile della Pianura Padana ha favorito lo sviluppo dell'agricoltura.

   ....

5. Verdi ha scritto l'*Aida* e *La Traviata*.

   ....

6. I Benedettini fondarono l'Abbazia di Pomposa prima del IX secolo.

   ....

5 **Un collega vi propone di fare insieme un giro in bici.**
Completate il dialogo.

> *Dite al vostro collega di entrare e di sedersi.*

> *Dite che è una bella idea e chiedete se viene anche Guido.*

> *Vi dimostrate sorpresi e dite che Guido è una persona fortunata e che lo invidiate.*

> *Vorreste essere al posto di Guido, ma siccome non lo siete accettate volentieri di partecipare alla gita in bici lungo il Po.*

○ È permesso?

● ....

○ Senti, domenica Giorgio ed io vorremmo fare una gita in bici sul Po. Vieni anche tu?

● ....
  ....

○ No, non lo sai? È partito la settimana scorsa per la California.

● ....
  ....

○ Eh, lui lì ha dei parenti, ha una zia a San Diego.

● ....
  ....

○ Ma sì, dai che anche i dintorni di Ferrara son belli!

Itinerari in bicicletta

 Destra Po: percorso cicloturistico sulla riva destra del Po nel territorio ferrarese a cura della Provincia di Ferrara.

 La montagna modenese entra nel circuito della mountain bike con itinerari nel **Monte Cimone** e nella **Val Dragone** a cura del Consorzio Valli del Cimone.

6 Carlo, un vostro amico, deve dare un esame. Pensando a lui, formulate delle frasi in base agli elementi dati e annotatele sul vostro quaderno.

penso che   non so se   credo che

temo che   è probabile che

essere un po' nervoso ◆ studiare abbastanza ◆ farcela ◆
essere ben preparato ◆ conoscere bene la materia

→ *Penso che Tommaso abbia studiato abbastanza, ma non so se ...*

7 Da quando vostra cugina Elena ha ripreso a lavorare, vi sentite raramente. Scrivete, seguendo le indicazioni date sotto, una breve e-mail a Silvia, un'amica in comune, in cui parlate di Elena e della sua vita.

all'inizio ◆ avere un po' di difficoltà ad organizzarsi ◆ con il tempo ◆
abituarsi alla nuova situazione ◆ adesso ◆ andare d'accordo con i
nuovi colleghi ◆ il bambino ◆ andare volentieri all'asilo ◆ essere
contenta di aver ripreso a lavorare ◆ nei prossimi anni ◆ continuare a
lavorare part-time ◆ il fine settimana ◆ venire a trovare

Il fine settimana verrò a trovarti, va bene? Elena

→ *Ciao Silvia, mi hai chiesto di Elena, ma anch'io da quando ha ripreso
a lavorare la sento molto raramente. Credo che all'inizio ...*

....

....

....

....

8 Completate la lettera con le parole date nel riquadro.

capitali culinarie ◆ vivace ◆ a misura d'uomo ◆ cordiali ◆ pacchia ◆ culturale ◆
provinciale ◆ lato umano ◆ dimensioni medie

Caro Emilio,

ormai sono a Parma da sei mesi e devo dire che mi trovo proprio bene. La città è di

.... ma non è per niente ...., anzi è molto .... ed

ha una vasta offerta .... Tra l'altro io ho avuto la fortuna di trovare un appar-

tamentino vicino al Teatro Regio. Pensa, ho fatto anche l'abbonamento. Ah, per una patita

di opera come me vivere qui è proprio una .... A proposito: a maggio c'è il

Verdi Festival. Non credi che sia una buona occasione per venirmi a trovare? Insomma,

Parma è una città .... e finora mi ha offerto molto anche dal ....

.... Alla Scuola Internazionale di Liuteria ho già conosciuto parecchi studenti, soprat-

tutto stranieri. Ma ho anche degli amici parmigiani, persone molto .... E poi

la cucina! Saprai sicuramente che Parma è una delle .... d'Italia. Beh, con

tutto questo «ben di Dio», devo ammettere di essere ingrassata un po'.

A presto! Stefania

9 **Leggete nuovamente, a pagina 32, l'articolo sui *cantautori* e abbinate ciascuna espressione alla propria spiegazione.**

1.	a due passi da casa
2.	contare più di
3.	fare quattro chiacchiere
4.	tirar tardi
5.	essere di casa
6.	gustarsi qualcosa
7.	di buon livello

a)	rimanere fino alla sera tardi
b)	poco lontano da casa
c)	essere più importante di
d)	di una certa qualità
e)	parlare un po'
f)	frequentare spesso e regolarmente un posto
g)	godersi qualcosa

10 **Completate gli aggettivi e leggete le lettere prima mancanti dall'alto verso il basso (colonna per colonna da sinistra verso destra) per scoprire una citazione tratta dall'articolo di pagina 33. In seguito, abbinate ciascun aggettivo ai nomi dati, come nell'esempio.**

te s sil e   ar ☐ ig ☐ anale   innova ☐ ☐ va   insoddisfat ☐ ☐

s i curo   ☐ fruttat ☐   industr ☐ a ☐ e   ☐ eccan ☐ ca

☐ ☐ namico   auto ☐ ☐ mo   insop ☐ o ☐ tabile   siderur ☐ ica

☐ ☐ ricoloso   agri ☐ ol ☐   s ☐ d ☐ isfatt ☐   a ☐ ☐ mentare

dipe ☐ ☐ ent ☐   co ☐ for ☐ evole   soddisfacen ☐ e   ☐ ☐ igin ☐ le

sa ☐ o   azi ☐ ☐ dale

Citazione: Se i _____

lavoro _____

ambiente di lavoro _____

industria *tessile,* _____

dipendente _____

strategia _____

prodotto _____

11 **Completate con il verbo opportuno.**

1. _____ all'avanguardia
2. _____ un'azienda
3. _____ alle esigenze delle persone
4. _____ un programma di allenamento
5. _____ un supporto
6. _____ la sfera personale
7. _____ in condizione

rispondere   seguire   invadere   dirigere   offrire   essere   mettere

12 Sottolineate i verbi con i quali potete riportare qualcosa detto da un'altra persona.

sottolineare ◆ controllare ◆ dire ◆ accedere ◆ spiegare ◆ aspettare ◆ aggiungere ◆ affermare ◆ ripetere ◆ dare ◆ rispondere ◆ domandare ◆ assicurare ◆ chiedere

13 Completate il testo servendovi di alcuni verbi incontrati nell'esercizio 12.

TONOLLI: la crisi non porterà licenziamenti

Il dottor Ferri, responsabile dell'ufficio esportazioni della Tonolli S.p.A, oggi in un'intervista ......
.... i motivi della grave crisi che sta attraversando l'azienda e ....
.... che non è soltanto un problema della sua ditta, ma che tutta l'economia nazionale

attualmente è in crisi. .... però che i dipendenti non devono preoccuparsi

perché per il momento non ci saranno licenziamenti ed .... che stanno

facendo tutto il possibile per trovare una soluzione rapida e soddisfacente al problema. Infine

.... che per l'anno prossimo si prospetta un lieve miglioramento della

situazione.

14 Quando si riporta qualcosa dal discorso diretto al discorso indiretto non cambiano soltanto i verbi. Che cosa succede con le seguenti parole?

discorso diretto	*discorso indiretto*
«... io ...»	*lui / lei* ....
«... questo libro ...»	....
«... mio fratello ...»	....
«... qui ...»	....
«... la nostra macchina ...»	....
«... mi ha telefonato ... »	....

15 Riportate al discorso indiretto, sul vostro quaderno, la telefonata di Giuliana.

«Buongiorno. Sono Giuliana Roversi dell'Agenzia *GiraMondo*. Ho telefonato all'Hotel *Principe* per prenotare la camera, ma purtroppo dal 15 al 26 luglio non hanno più doppie libere. Comunque ci siamo già informati altrove. Al *President*, che è della stessa categoria, hanno ancora qualcosa. Lì la camera costa solo 10 euro in più al giorno ... per sicurezza l'ho già prenotata, ma devo confermare entro questa sera. Può dire alla signora Grassi di richiamarmi? Io sono qui in agenzia fino alle 18, altrimenti può parlare con il mio collega, che è già al corrente. La ringrazio, arrivederci.»

→ *Ha appena telefonato un'impiegata dell'agenzia di viaggi. Ha detto che ...*

16 Completate il dialogo con le espressioni date.

> se permetti ◆ Dai, non esagerare ◆ non mi sembra ◆ Ma secondo me ◆
> Beh, credo che ◆ non sono d'accordo ◆ che discutiamo a fare ◆ Ma scusa

● Ma perché hanno messo questo spartitraffico proprio qui? A cosa serve? Ingombra solo!

○ .... l'abbiano messo per evitare che le macchine che viaggiano in senso contrario vengano su questa carreggiata, no?

● .... non fa altro che causare delle code. Non ti sembra?

○ ...., quattro macchine non fanno una coda.

● Però, ..., per me è proprio inutile!

○ No, ... Qui prima le macchine correvano troppo. E più avanti c'è la scuola.

● ...., allora bastava mettere un cartello, oppure magari un semaforo, ma più avanti.

○ Ma dai, ... Dovevano fare qualcosa, no? Intanto hanno messo questo spartitraffico, e .... poi che sia stata una cattiva idea.

17 Quali dei seguenti verbi formano il *passato prossimo* con l'ausiliare *essere*, quali con l'ausiliare *avere*?

costare
camminare
nuotare
viaggiare
bastare
piacere
durare
aspettare

è .... ha ....

18 Che cosa avreste fatto? Leggete il racconto di Simona e servendovi degli elementi dati scrivete sul vostro quaderno delle frasi come nell'esempio.

«Ieri ho avuto così tanto da fare. Sono uscita dall'ufficio tardissimo e poi sono passata da mio fratello perché era appena tornato dalle vacanze. Così si è fatto tardi e, forse per la stanchezza, non sono riuscita ad addormentarmi. Stamattina non ho sentito la sveglia, quando mi sono alzata erano già le otto e ho avuto un brutto mal di testa per tutta la giornata ...»

cercare di	un'aspirina	
passare	la sera	un'altra volta
tornare	a casa	le cose meno urgenti
prendere	a letto	subito
andare	da suo fratello	presto
	rimandare	

→ *Io al posto di Simona avrei cercato di rimandare ...*

5 *Buona domenica!*

1 **Cosa possiamo fare nel nostro tempo libero? Formulate delle frasi con gli elementi dati dopo aver osservato i disegni.**

fino a   la partita   in barca   tardi   accompagnare   andare

guardare   sul   i bambini

a letto   fare   lago

un giro   al parco   restare

2 **Completate il testo con i verbi dati, come nell'esempio.**

Se tutta la settimana *ci si sveglia* presto e *si fa* colazione
in fretta, la domenica finalmente ....
più tardi. Se fa bel tempo .... una gita fuori città, oppure .... a casa e .... con tutta la
famiglia. Il pomeriggio ...., ...
la TV o .... un po' facendo una passeggiata. La
sera, se non .... a casa, ... al cinema
a vedere un bel film o .... con gli amici che durante
la settimana non si riescono mai a vedere.

svegliarsi ◆ *fare*

potersi alzare

poter fare

rimanere ◆ *pranzare*

riposarsi ◆ *guardare*

muoversi

rimanere ◆ *andare*

incontrarsi

3 Leggete nuovamente il testo a pagina 43 e servendovi degli elementi dati formulate, come nell'esempio, almeno cinque frasi su cosa fanno gli italiani durante il fine settimana.

la maggior parte la metà un italiano un terzo circa il 20% circa il 40% un quarto	degli italiani dei giovani delle persone delle famiglie su due	(non)	svegliarsi alzarsi riscoprire andare a vedere fare perdere l'abitudine di incontrare rimanere	presto a casa sport il relax domenicale un film un pranzo classico gli amici

→ *Circa il 20 % degli italiani incontra gli amici.*

4 Completate con le parole date questi brevi testi su tre diversi musei d'Italia.

arte moderna ◆ collezioni ◆ opere ◆ mostre ◆ disegni ◆ romana ◆ collezionista ◆ sezioni ◆ fotografia ◆ sculture ◆ surrealismo

MUSEO ARCHEOLOGICO NAZIONALE DI NAPOLI

2 La raccolta di .... greco-romane comprende opere provenienti dalle Terme di Caracalla (Roma), dagli scavi dell'area vesuviana (Pompei, Ercolano) e da .... private. Di grande importanza è la raccolta egizia. Altrettanto importanti la collezione dei mosaici e quella degli affreschi di epoca ....

museo nazionale della scienza e della tecnologia di Milano

1 Sono allestite diverse ...., tra queste la sezione di informatica, di acustica, della misurazione del tempo, della stampa e delle arti grafiche, della ...., del telefono, della radio, della televisione. Una delle sezioni più importanti del museo è la Galleria Leonardo da Vinci, dove è esposta una ricchissima serie di modelli in legno, di macchine e strumenti ricostruiti sulla base dei suoi ....

Peggy Guggenheim COLLECTION, VENEZIA

3 Importante museo d'................................. allestito dalla...........................americana Peggy Guggenheim alla fine degli anni '40. Sono esposte .... delle più importanti correnti artistiche del '900: il cubismo, l'astrattismo, il futurismo, il dadaismo, il ...., l'espressionismo astratto e il costruttivismo. Una sala è dedicata all'arte del dopoguerra. Si allestiscono inoltre .... temporanee.

5 Se aveste questi interessi quale museo, tra quelli presentati nell'esercizio precedente, dovreste visitare? Inserite il numero corrispondente.

☐ Da quando avete visitato Paestum vi interessa molto l'arte greco-romana.

☐ Siete affascinati dal personaggio di Leonardo.

☐ Avete una grande passione per i mosaici e gli affreschi.

☐ Vi affascina la pittura del Novecento, in particolare quella del dopoguerra.

☐ Passate alcuni giorni a Venezia e vorreste vedere una mostra.

6 Indicate una o più risposte in base al contesto.

1. La ringrazio d'avermi invitata.
   ☐ Certo.
   ☐ Grazie, altrettanto.
   ☐ È stato un piacere averLa con noi.

2. Lei ha già qualche impegno?
   ☐ Di niente.
   ☐ Sì, stasera vado a teatro.
   ☐ Mah, niente di preciso.

4. Conosce il Museo Correr?
   ☐ Ne ho sentito parlare.
   ☐ Proprio così.
   ☐ No, non ci sono mai stato.

3. Volevo proporLe di andare alla Scala.
   ☐ La ringrazio, ma domani riparto.
   ☐ Grazie, ci vengo volentieri.
   ☐ Si immagini.

5. Potrebbe venire un po' prima domani?
   ☐ Ma si figuri.
   ☐ Sì, Le andrebbe bene alle otto?
   ☐ Sì, vengo volentieri.

7 Riformulate le frasi, come nell'esempio, usando *nonostante*, *sebbene*, *malgrado* o *benché*.

Come ti invidio! Non fai sport, però sei sempre in gran forma.
Nonostante tu non faccia sport, sei sempre in gran forma.

1. Gabriella non sa parlare bene il francese, eppure lo studia già da quattro anni.
   ....

2. È da tanto tempo che conosciamo Fabrizio, ma non l'abbiamo ancora invitato a casa.
   ....

3. Anche se cerco di essere ordinata nel mio studio c'è sempre il caos.
   ....

4. Ha organizzato il viaggio nei minimi particolari, ma alla fine ha dimenticato la cartina!
   ....

5. Luca e Simona sono arrivati in ritardo anche se sono partiti con un certo anticipo.
   ....

8 Formulate delle frasi come nell'esempio.

Prima che Prima di Dopo	ritorni Alfredo partire per le vacanze accettare l'invito di Anna essere stata qui rimettermi a lavorare aver fatto jogging si metta a piovere	mi viene una fame da lupo. devo chiamare mia madre. voglio preparare la cena. guardiamo nell'agenda. mi rilasso un po'. porta fuori il cane. Anna è tornata a casa.

→ *Prima che ritorni Alfredo voglio preparare la cena.*

9 Martina propone a Marcello di trascorrere una serata insieme. Completa il dialogo, seguendo le indicazioni, con le battute mancanti.

○ Pronto, Marcello?

Marcello saluta Martina.
● ....

○ Bene, grazie. Senti, volevo chiederti ... per domani sera hai già qualche impegno?

Marcello non ha previsto niente di preciso. Pensava forse di andare a trovare sua sorella, la quale anche se abita vicino la vede di rado.
● ....
....
....
....
....

○ Ah, perché io volevo proporti di andare insieme al cinema a vedere *Il pranzo della domenica*. O lo hai già visto?

Marcello non ha ancora visto il film, ma ne ha sentito parlare. Chiede a Martina se si tratta del film con le tre sorelle che insieme ai loro mariti e ai loro figli vanno a pranzo dalla mamma.
● ....
....
....
....
....

○ Proprio così. Poi durante il pranzo nascono delle discussioni, l'armonia della famiglia viene disturbata ...

Marcello dice che ci andrà volentieri.
● ....

○ Bene, mi fa piacere! Magari potremmo andare a mangiare una pizza prima di andare al cinema o, se preferisci, potremmo andarci dopo aver visto il film.

Marcello risponde che, se per Martina è uguale, lui preferirebbe andarci dopo il film.
● ....
....

○ Perfetto, allora domani sera passo a prenderti ... alle sette e mezza ti andrebbe bene?

Marcello dice che va benissimo e saluta.
● ....
....

10 Matteo è da solo in casa e si annoia tantissimo. Abbinate le frasi.

1.	Se Lino fosse a casa	a)	avessi del lavoro da sbrigare.
2.	Se il bar sotto casa fosse aperto	b)	sarebbe tutta un'altra cosa.
3.	Se Giulia fosse qui con me	c)	andrei da lui a vedere la partita.
4.	Mi annoierei già di meno	d)	scenderei a bere un caffè.
5.	Sarei addirittura contento se	e)	se avessi un bel DVD da guardare.

11 Inserite le parole date nel riquadro corrispondente e aggiungete l'articolo determinativo o indeterminativo, se necessario.

canale ◆ canzone ◆ documentario volume ◆ lettore DVD ◆ notiziario quiz televisivo ◆ film ◆ telegiornale televisore ◆ videoregistratore ◆ show trasmissione ◆ radio ◆ programma

ascoltare
....
....
....
....
....
....

guardare
....
....
....
....
....
....
....

spegnere/accendere
....
....

abbassare/alzare
....
....

cambiare
....
....

12 Guido avrebbe voluto passare la domenica davanti alla TV. Laura però ha già organizzato tutto per trascorrere la domenica diversamente. Scrivete, sul vostro quaderno in base all'esempio, che cosa avrebbe voluto guardare Guido.

«Senti, Guido, alle dodici abbiamo appuntamento con Roberto e Giulia al Caffè Nuovo per il brunch. Sarebbe bello se tu prima potessi portare fuori il cane. Io intanto faccio un salto dalla mamma che avrebbe voluto averci lì per il pranzo. Poi per le quattro ho prenotato il campo da tennis. Te l'avevo già detto, no? E stasera siamo invitati a cena da Carlo e Rosanna. Hanno appena telefonato. Non potevo mica dire di no ...»

◆ *Se non avessimo appuntamento con Roberto e Giulia mi piacerebbe guardare ...*

RAI UNO

6.00 Euronews
6.45 Unomattina Sabato & Domenica Attualità
10.00 Linea Verde Orizzonti
10.30 A sua Immagine

ORE 10.55 SANTA MESSA in rito bizantino-greco dalla Cattedrale di Piana degli Albanesi. Regia di Attilio Monge

12.00 Recita dell'Angelus
12.20 Linea Verde - In diretta dalla natura Attualità

13.30 Tg1 Notiziario

14.00 DOMENICA IN.
Conduce Mara Venier.

Tradizionale salotto domenicale, da frequentare in compagnia della bionda padrona di casa, Paolo Villaggio, Stefano Masciarelli e Gabriella Germani.

20.00 Telegiornale Notiziario
20.35 Rai Sport Notizie

PRIMA SERATA

20.45 **Sospetti 2** Film-tv con S. Somma, I. Ferri, R. Mondello. Regia di G. Lepre

ITALIA UNO

7.00 Superpartes
7.30 Cartoni animati

9.50 I FLINTSTONES. "FRED CINEAMATORE". Fred riprende con la videocamera ogni attimo della vita di sua figlia Ciottolina. Mostra poi i suoi filmati a Barney e Betty arrivando al punto di ossessionarli. Così alla fine...

12.00 **Young Hercules** Telefilm "Hercules e Pitagora"
12.25 **Studio Aperto** - Meteo

13.00 **Guida al Campionato**
13.40 **Le ultime dai campi**
13.50 **Lupin, l'incorreggibile** Lupin Cartoni animati
14.50 **Due gemelle a Parigi** Film (comm., 1999) con M. K. Olsen, A. Olsen ●●●★★ All'interno **Meteo**
16.40 **Due gemelle a Londra** Film (comm., 2001) con M. K. Olsen ●●●★★ All'interno **Meteo**
18.30 **Studio Aperto** - Meteo
19.00 **Squadra emergenza** Telefilm "Impossibile dimenticare"
20.00 **Rtv - Clip** Attualità

PRIMA SERATA

20.30 **Il protagonista** Varietà con M. Liorni. Regia di C. Sanchez

13 Abbinate ciascuna spiegazione all'aggettivo corrispondente.

1.	Chi giudica in modo obiettivo è	a)	imparziale.
2.	Chi soffre di cambiamenti di umore, di malinconia è	b)	timido.
3.	Chi dice sempre la verità e agisce con giustizia è	c)	depresso.
4.	Chi si arrabbia facilmente anche per motivi di poca importanza è	d)	irascibile.
5.	Chi teme situazioni e persone nuove è	e)	onesto.

14 Indicate il settore d'informazione a cui si riferiscono i seguenti stralci di giornale.

cultura ◆ cronaca ◆ politica interna ◆ economia e finanza ◆ sport ◆ politica estera

1
Istat conferma le stime: inflazione ferma al 2,3 %
Generale tendenza disinflazionistica, in calo secondo l'istituto anche gli alimentari: ribassi per carne, frutta e ortaggi.

2
BUDAPEST
Tre persone sospettate di preparare un attentato contro il presidente israeliano, in visita ufficiale in Ungheria.

3
A Milano dal 29 aprile e poi a Roma
Cirque du Soleil: «Noi, costruttori di sogni»
Arriva lo show diventato un fenomeno mondiale. Ispirazione felliniana, tra poesia e tecnologia.

4
Un dossier analizza le recenti elezioni amministrative
Le paure principali: il calo del tenore di vita e la sanità.

5
L'urlo degli ultras uniti
"NO AL CALCIO BUSINESS"
Migliaia di tifosi delle curve italiane si sono riuniti a Bologna. Un lungo corteo ha attraversato la città senza incidenti.

6
DANNO FUOCO A UN'AUTO E TRE MOTORINI
Roma – Hanno dato fuoco a un'auto e tre motorini in via Bixio, e poi sono scappati.

1. .... 　 2. .... 　 3. ....

4. .... 　 5. .... 　 6. ....

15 Vi intendete di calcio? Completate il testo inserendo i numeri delle parole date nelle caselle.

1. stadio
2. area di rigore
3. tifosi
4. portiere
5. arbitro
6. attaccanti
7. giocatori
8. angoli
9. reti
10. panchina
11. guardalinee
12. difensori

Il gioco del calcio richiede la partecipazione di due squadre con undici ☐ per squadra. Vince chi, al termine dei due tempi regolamentari, ha realizzato il maggior numero di ☐ o, per dirla all'inglese, gol. Il campo da gioco è spesso all'interno di uno ☐ che lascia spazio a migliaia di ☐. Nel campo ci sono due porte. L'area davanti alle porte è chiamata ☐ e agli ☐ del campo sono sistemate quattro bandierine che delimitano il campo da gioco.

I giocatori di una squadra hanno compiti differenti: la porta viene difesa dal ☐, gli ☐ spingono il pallone verso la porta avversaria per fare i gol e i ☐ difendono la zona davanti alla propria porta. I giocatori di riserva seguono la partita dalla ☐ accanto all'allenatore. L'☐ e due ☐ controllano che si giochi rispettando il regolamento.

1 **Cercate nel diagramma le seguenti parole.**

B	A	T	T	E	S	I	M	O	E	M
F	I	G	L	I	N	L	O	G	D	O
N	P	E	F	A	M	I	G	L	I	A
A	A	S	E	S	A	O	L	E	V	M
S	M	P	O	R	R	M	I	N	O	I
C	C	O	P	P	I	A	E	I	R	C
I	O	S	L	I	T	A	F	D	Z	I
T	C	A	M	N	O	R	R	A	I	Z
A	E	T	A	M	O	R	E	C	A	I
D	R	O	Z	A	C	O	I	N	T	A
M	A	T	R	I	M	O	N	I	O	O

1. Coppia
2. Famiglia
3. Sposato
4. Marito
5. Nascita
6. Divorziato
7. Matrimonio
8. Moglie
9. Amore
10. Battesimo
11. Amicizia
12. Figli

2 **Completate prima le seguenti frasi con le parole date e poi abbinatele, in base al contesto, alla vita di coppia o da single.**

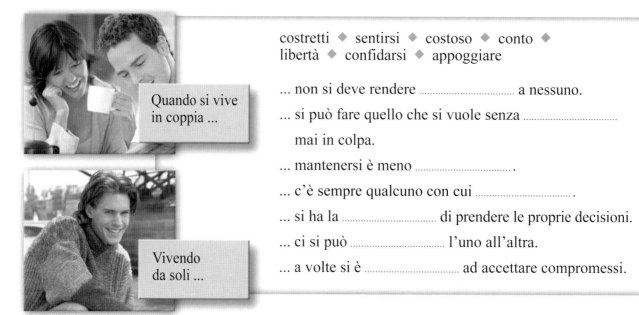

Quando si vive in coppia ...

Vivendo da soli ...

costretti ◆ sentirsi ◆ costoso ◆ conto ◆
libertà ◆ confidarsi ◆ appoggiare

... non si deve rendere .... a nessuno.

... si può fare quello che si vuole senza .... mai in colpa.

... mantenersi è meno ....

... c'è sempre qualcuno con cui ....

... si ha la .... di prendere le proprie decisioni.

... ci si può .... l'uno all'altra.

... a volte si è .... ad accettare compromessi.

3 Cercate, come nell'esempio, le espressioni che si nascondono in queste righe ondulate e sottolineate quelle che esprimono uno stato d'animo o delle esperienze piacevoli.

sentirsi / in / colpa // dedicarsiall'hobbypreferitoaverel'umoreallestelle

avereunpo'dimalinconialitigareperdellestupidagginigodersilapropriaLibertà

stareincompagniaavereunadelusioned'amoresposarsiperamoreromperelescatole

4 Indicate la corretta spiegazione delle seguenti frasi.

1. La manodopera arriva dall'estero.
   a) I prodotti fatti a mano arrivano dall'estero.
   b) I lavoratori arrivano dall'estero.

2. La famiglia ricostituita è una famiglia in cui ...
   a) ... i coniugi non sono al primo matrimonio.
   b) ... i figli adulti sono tornati a vivere con i genitori.

3. In Europa l'Italia è il paese con la popolazione più anziana.
   a) L'Italia è il paese europeo con le origini più antiche.
   b) In Italia l'età media degli abitanti è più alta che negli altri paesi europei.

4. Le cicogne fanno sciopero.
   a) Non nascono più bambini.
   b) Le cicogne non emigrano più nei paesi caldi.

5. Per convivenza si intende l'unione di ...
   a) ... una coppia non sposata che vive insieme.
   b) ... una coppia che sta per separarsi ma vive ancora nella stessa casa.

6. Il matrimonio era considerato l'unione per la vita.
   a) Chi si sposava restava insieme per sempre.
   b) Chi si sposava, lo faceva per poter vivere.

5 In Italia, quali dei fenomeni sociali esposti sono in aumento e quali in diminuzione? Indicatelo con la freccina corrispondente.

in aumento↑ ◆ in diminuzione↓

☐ nascite
☐ convivenze
☐ separazioni
☐ divorzi

☐ matrimoni civili
☐ matrimoni in genere
☐ migrazioni interne
☐ matrimoni religiosi

☐ migrazioni da paesi stranieri
☐ età media degli italiani
☐ frequenza in chiesa
☐ donne lavoratrici

6 Scrivete il contrario dei seguenti nomi, aggettivi, verbi, espressioni.

immigrante ↔ ....

minore ↔ ....

inferiore ↔ ....

giovinezza ↔ ....

in diminuzione ↔ ....

l'anno seguente ↔ ....

altissimo ↔ ....

invecchiare ↔ ....

7 Formate delle frasi con gli elementi dati, come nell'esempio.

la ◆ ultimi ◆ molto ◆ società ◆ Negli ◆ anni ◆ cambiata ◆ italiana ◆ è

Negli ultimi anni la società italiana è cambiata molto.

1. ottanta ◆ le ◆ anni ◆ sono ◆ Dagli ◆ famiglie ◆ aumentate ◆ ricostituite

....

2. scomparsa ◆ famiglia ◆ La ◆ ormai ◆ quasi ◆ patriarcale ◆ è

....

3. preferisce ◆ Circa ◆ sposarsi ◆ un ◆ popolazione ◆ della ◆ in ◆ quarto ◆ comune

....

4. aumento ◆ in ◆ L'immigrazione ◆ fenomeno ◆ è ◆ continuo ◆ un

....

5. migrazione ◆ Oggi ◆ è ◆ la ◆ verso ◆ interna ◆ Nord-Est ◆ indirizzata ◆ il

....

8 Completate le frasi.

inferiore

superiore

maggiore

minore

1. Un tempo la famiglia aveva un'importanza ....
2. Il costo della vita oggi è .... a quello di un tempo.
3. Il problema .... per molti giovani è trovare un lavoro.
4. Il numero dei matrimoni civili è .... a quello dei matrimoni religiosi.
5. Il numero delle persone che vanno in chiesa è .... di quello di un tempo.
6. Spesso gli immigrati che hanno un'istruzione .... lavorano come operai.
7. Le donne hanno un'aspettativa di vita .... a quella degli uomini.
8. La percentuale delle nascite in Italia è .... rispetto a quella di altri paesi europei.

9 Completate le frasi con *si* + *passato prossimo* dei verbi dati accanto.

Oggi al lavoro ero un po' distratta, ma per fortuna non *si è notato* .   *notare*

1. Abbiamo aspettato fino alle dieci, ma Lucia non ....   *vedere*

2. Ieri alla radio .... di un libro di racconti che vorrei leggere,   *parlare*
ma non mi ricordo più chi è l'autore.

3. Questi stivali .... molto l'anno scorso, quest'anno non   *portare*
vanno più di moda.

4. Di nuovo questa canzone!? .... tutta l'estate, adesso basta!   *sentire*

5. Secondo me questa riunione non era necessaria: .... solo   *perdere*
del tempo.

6. .... per arrivare ad un compromesso.   *fare di tutto*

10 Scrivete quale documento o certificato viene richiesto nelle seguenti occasioni.

Che documenti o certificati sono necessari per ...

... guidare la macchina? ....

... soggiornare in un paese straniero? ....

... fornire dati sulla propria persona? ....

... viaggiare nei paesi in cui è richiesto il visto? ....

... dimostrare di abitare in un paese? ....

11 In Questura vi informate su cosa fare per avere il permesso di soggiorno. Riordinate il dialogo.

☐ ● Le serve per studio o per lavoro?

☐1 ● Questura, ufficio stranieri, mi dica.

☐ ● Eh no, deve venire qui, in questura.

☐ ● Allora, guardi, innanzitutto deve compilare un modulo per fare la richiesta. Poi deve allegare quattro fotografie, una marca da bollo da 10 euro e 33, il passaporto valido con le relative fotocopie e l'attestato di frequenza del corso che segue.

☐ ○ Per studio.

☐ ○ Buongiorno, volevo un'informazione. Dovrei richiedere il permesso di soggiorno. Che documentazione serve?

☐ ○ Va bene, La ringrazio. Arrivederci.

☐ ○ Senta, e il modulo devo ritirarlo personalmente oppure posso richiederlo per telefono?

12 Siete in compagnia di amici al *Ristorante Pescatore*. Dato che Luca non è ancora arrivato, cominciate a fare delle supposizioni sul suo ritardo. Completate la conversazione con i verbi al *futuro anteriore*.

spegnere ◆ ricevere ◆ lasciare ◆
rimanere ◆ riuscire ◆ dimenticarsi

● Ma come mai Luca non arriva?

○ .... bloccato dal traffico.

■ A quest'ora? Non credo. .... una telefonata in ufficio all'ultimo momento e non .... a venir via in tempo.

● Beh, può darsi, in questo periodo in effetti ha molto da fare. Però è strano che non avvisi. Qualcuno ha provato a chiamarlo sul cellulare?

△ Io, ma non risponde. L'.. per qualche motivo oppure come al solito l'.. in ufficio. Lo sapete, no, come è sbadato Luca.

○ Scusate, ma se è così sbadato, non .... semplicemente .... di venire?

■ Ma che dite? Eccolo che arriva.

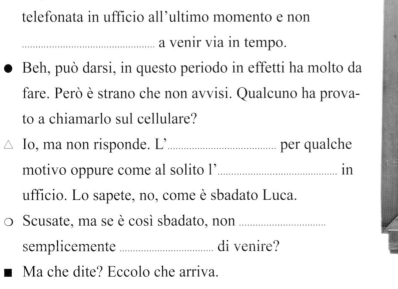

13 Anna sta facendo dei progetti per il futuro. Formulate delle frasi, con gli elementi dati, come nell'esempio.

finire gli studi mettere da parte un po' di soldi lavorare qualche anno	cercare un posto in una grande ditta fare un bel viaggio in Tailandia comprarsi una bella Vespa / una macchina usata cercarsi un piccolo appartamento

→ *Quando avrò finito gli studi cercherò un posto in una grande ditta.*

14 Cercate, in questa lettera della signora Simona e nella risposta della giornalista, le parole che in base al contesto possono essere sostituite dalle espressioni date accanto.

le donne parlano
di Miriam Mafai

Chiamatela Maria!
Ho due nipotine e mi capita spesso di andarle a prendere a scuola. Rimango ogni volta sbalordita dai nomi assurdi che sento in giro: passato il periodo delle Samanthe e delle Jessiche, adesso siamo pieni di Kevin, Verde, Violante eccetera. Mi chiedo sempre perché nessuno chiami più i figli Mario o Maria ... *Simona*

Cara Simona, proprio ieri ho incontrato un giovane amico cui da poco è nato un figlio che ha chiamato, appunto, Mario. E ho letto da qualche parte il grande ritorno del nome Rocco. Le mode per i nomi ci sono sempre state: quando io ho chiamato mia figlia Sara venni ritenuta un'eccentrica, oggi in ogni classe elementare ce ne sono almeno un paio ... Tornerà anche Maria.

da: Grazia

1. mi succede ....

2. impressionata, molto stupita ....

3. incredibili ....

4. mi domando ....

5. poco tempo fa ....

6. considerata ....

7. una (donna) stravagante ....

15 Come è andato il battesimo del figlio di Peppone? Mettete le frasi nell'ordine giusto.

☐ Don Camillo non è d'accordo sui nomi che i genitori hanno scelto per il bambino.

☐ Entrano in chiesa tre persone con un bambino piccolo.

☐ Il gruppo esce dalla chiesa.

☐ Peppone insiste sui nomi che hanno scelto.

☐ Cristo discute con Don Camillo e gli dice di battezzare il bambino.

☐ Don Camillo si mette i paramenti.

☐ Peppone torna da solo con il bambino.

☐ Don Camillo sta pulendo una statua nella chiesa.

16 Alcuni anni fa Filippo ha rifiutato una promozione perché non voleva trasferirsi in un'altra città. Oggi rimpiange questa decisione. Completate il testo con i verbi dati.

Se (io) *avessi accettato* il trasferimento *avrei migliorato* le mie

possibilità di carriera e .... di più. Però se

(noi) .... a Milano mia moglie Paola

.... lasciare il suo posto di lavoro. Nostro

figlio Carlo .... se .... cam-

biare scuola e amici. D'altro canto se mia moglie ....

.... lavoro lì .... sicuramente

.... qualcosa di interessante. E invece adesso,

ironia della sorte, Carlo vorrebbe fare l'università a Milano e Paola

nel frattempo è stata licenziata. Se (noi) .... a

Milano cinque anni fa adesso non .... in una

situazione così difficile.

accettare ◆ *migliorare*
guadagnare
trasferirsi
dovere
soffrire ◆ *dovere*
cercare
trovare
andare
trovarsi

17 Abbinate i termini ai corrispondenti significati.

1.	il ricercatore	a)	sottoscrivere
2.	il concorso	b)	complesso delle pubblicazioni giornalistiche
3.	la stampa	c)	forma di selezione per assegnare un posto di lavoro
4.	il contratto	d)	condizione di lavoratore con posto di lavoro a tempo determinato
5.	firmare	e)	accordo, spesso per iscritto, tra due parti, per esempio sul lavoro
6.	il precariato	f)	persona che si dedica a una ricerca scientifica

18 Leggete ancora una volta il testo a pagina 59 e indicate se le affermazioni sono vere o false.

	vero	falso
1. La metà dei giovani ricercatori disoccupati è pronta ad emigrare.	☐	☐
2. Neanche il ministro sa come risolvere la situazione.	☐	☐
3. I giovani ricercatori possono avere uno stipendio più alto all'estero.	☐	☐
4. Dopo aver vinto un concorso si può cominciare immediatamente a lavorare.	☐	☐
5. Dopo la laurea spesso inizia un periodo di precariato.	☐	☐

19 Riportate ciascun termine alla categoria di appartenenza:

certificati/autorizzazioni: ....

lavoro: ....

società: *single* ....

single ◆ matrimonio ◆ autocertificazione ◆ separazione ◆ precariato ◆ flessibilità ◆
convivenza ◆ coniugi ◆ documento d'identità ◆ sciopero ◆ disoccupazione ◆
permesso di soggiorno ◆ certificato di residenza ◆ coppia di fatto ◆ carriera ◆
stato di famiglia ◆ divorzio ◆ contratto ◆ permesso di lavoro ◆ manodopera

7 *Benvenuti in Sardegna!*

1 **Completate i seguenti termini con le vocali mancanti e, in base al loro significato, abbinateli alle tre categorie, come nell'esempio.**

m█n█rch██   c█r█m█ch██   r█f█r█nd█m   s█rd█
p█c█r█n█   c█t█l█n█   f█rr█b█tt█t█   c█r█ll█
g█n█v█s█   t█pp█t█   r█p█bbl█c█   l█t█n█

politica e storia: ...*monarchia*...

artigianato e prodotti tipici: ....

lingua: ....

2 **Completa con i verbi o i sostantivi mancanti.**

1. la garanzia – ....

2. .... – isolare

3. la ricezione – ....

4. la suddivisione – ....

5. .... – usare

6. la partecipazione – ....

3 **Giulia, dalla Sardegna dove è andata in vacanza, scrive una cartolina alla sua amica Marie Claire. Indicate l'esatta corrispondenza tra i pronomi relativi dati e quelli evidenziati nel testo.**

a) delle quali   b) sul quale   c) con la quale   d) della quale   e) nel quale

Cara Marie Claire,

☐ *sono arrivata a Porto Torres una settimana fa.*
☐ *Il traghetto su cui ho viaggiato era strapieno*
☐ *di gente. Sonia, l'amica di cui ti ho parlato*
e con cui ho girato una bella parte dell'isola,
è una mia ex-compagna d'università. Ti piace
☐ *questa cartolina di sughero? Il negozio in cui*
l'ho comprata era all'interno di una grotta,
originale, no? Nell'illustrazione ci sono i nura-
☐ *ghi, le antiche costruzioni sarde, di cui ti*
avevo parlato.

A presto, Giulia

Marie Claire Leclerc

63, rue Etienne Richerand

69003 Lyon

4 Indicate l'affermazione corretta.

1. Nel 1946 l'Italia diventa
   a) una monarchia.
   b) una repubblica.
   c) uno stato federale.

2. L'Italia è suddivisa in
   a) 15 regioni.
   b) 20 regioni.
   c) 23 regioni.

3. Cinque regioni italiane hanno
   a) lo statuto speciale.
   b) l'autonomia totale.
   c) delle minoranze linguistiche.

4. Una produzione tipica sarda è quella
   a) degli oggetti in vetro.
   b) degli oggetti di sughero.
   c) dei cappelli di feltro.

5 Completate il testo con il pronome relativo *il/la quale* preceduto dalla preposizione corretta.

Grazia Deledda nacque nel 1871 a Nuoro da una famiglia benestante.

Poiché l'ambiente .... viveva non poteva offrirle la possibilità di studi regolari, la Deledda studiò da autodidatta ed esordì a 17 anni con alcuni racconti per una rivista di moda. Nel 1892 pubblicò il suo primo romanzo, *Fior di Sardegna. Le vie del male* è invece lo scritto .... si precisano il suo stile, i suoi limiti regionali ed i suoi interessi morali. Nel 1899 sposò Palmiro Madesani .... si trasferì a Roma. La distanza dalla Sardegna fu positiva per l'autrice .... migliorò lo stile delle sue opere riducendone il regionalismo. Nel 1926 ricevette il premio Nobel per la letteratura, l'ambito riconoscimento .... venne premiata un'opera che vedeva il passaggio dall'interesse per la cultura tradizionale sarda ad una vera e propria analisi psicologica dei personaggi. Grazia Deledda morì a Roma nel 1936.

6 Inserite i pronomi relativi dati in questo testo pubblicitario.

la cui   i cui

le cui

il cui

La Sicilia

.... costa misura più di 1000 km
.... città sono spesso di origine greca
.... teatri greci sono tuttora accessibili
.... dolci ricordano il passato arabo
.... vulcano è tutt'ora attivo
.... mandorli e aranci inebriano l'aria col loro profumo
.... storia affascina come una favola
... è un'isola piena di magia. Vieni a scoprirla!

7 Sull'esempio dell'esercizio precedente scrivete un breve testo pubblicitario sulla vostra terra.

....
....
....
....
....

8 Osservate i disegni e completate il cruciverba. Leggendo le lettere evidenziate scoprirete di cosa si ha bisogno per viaggiare sia in treno che in aereo.

Soluzione: _ _ _ _ _ _ _ _ _ _

9 Paola è contenta di andare in vacanza e spera che andrà tutto bene. Formate delle frasi come nell'esempio e scrivetele sul vostro quaderno.

(Non) vorrei che ...

Sarebbe bello se ...

Sarei contenta se ...

1. in albergo / esserci / persone simpatiche
2. l'albergo / essere / troppo affollato
3. i bambini / fare amicizia / con altri bambini
4. riuscire / veramente rilassarsi
5. potere / noleggiare una macchina
6. fare / caldo
7. la camera / avere / un bel balconcino sul mare
8. noi / potere / fare un corso di sub

→ *Sarebbe bello se in albergo ci fossero delle persone simpatiche.*

10 **Accompagnate un'amica alla stazione. Completate il dialogo.**

> Calmati ◆ Su, vedrai ◆ Maledizione ◆ adesso cosa faccio ◆ Intanto
> ◆ inutile preoccuparsi

● Ecco, guarda, il treno dovrebbe essere in partenza e invece non è ancora sul binario.

....! Perderò la coincidenza a Bologna.

○ .... che adesso arriva.

● Se perdo la coincidenza non riesco ad arrivare in tempo per la riunione.

E ....?

○ ...., Anna. Quanto tempo hai a Bologna per cambiare?

● Solo un quarto d'ora!

○ Dai, è .... Ce la puoi fare. .... chiediamo

a quel ferroviere se sa qualcosa.

11 **Completate il testo con (*non*) *appena* e *finché non*.**

«Ieri ero .... rientrato dal lavoro quando mi sono accorto di aver dimen-

ticato il portafogli in ufficio. Allora ho detto a mio figlio di non uscire ....

sarei tornato. Per farlo star tranquillo gli ho permesso di guardare la televisione e gli ho

detto che .... sarei tornato a casa saremmo andati insieme in pizzeria. Poi

sono andato di corsa in ufficio. Ho fatto .... in tempo, perché la donna

delle pulizie stava già chiudendo, però il portafogli l'ho ritrovato!»

12 **Di cosa si lamentano gli ospiti con il portiere? Formulate delle frasi in base all'esempio e scrivetele sul vostro quaderno.**

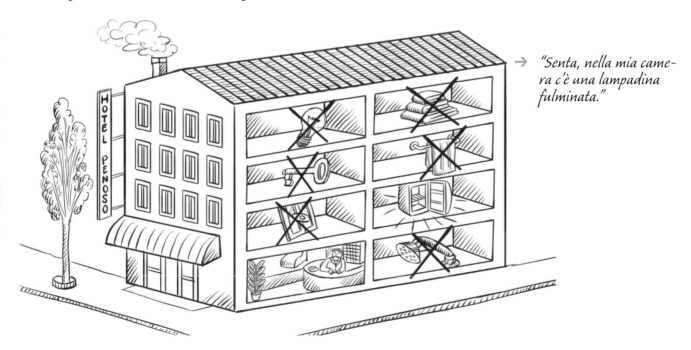

→ *"Senta, nella mia camera c'è una lampadina
fulminata."*

13 Completate il testo con le parole date nel riquadro.

punti di ristoro ◆ rocce ◆ sorgente ◆ quota ◆ scalatori ◆ sentieri ◆ torrente ◆ bosco

LE CASE IDEALI PER UNA VACANZA SPORTIVA E NATURALE.

➤ Villetta con tre appartamenti composti da bagno, cucina, piccolo soggiorno e due camere da letto. La casa, che gode di un magnifico panorama sul monte Limbara, è situata vicino ad un .... di querce raggiungibile attraverso una strada ghiaiosa e dispone di un parcheggio naturale tra due .... di granito. Ottimo punto di partenza per fare passeggiate nel verde o escursioni in montagna, offre un soggiorno ideale per gli .... I .... che attraversano il bosco sono ben segnalati e spesso portano a dei .... dotati di tavoli e panchine. Seguendo il .... che scorre dietro la casa, dopo mezz'ora di cammino è possibile raggiungere una .... d'acqua da cui si può proseguire verso il Monte Limbara che raggiunge una .... di 1.180 m.

14 Anche se non bevete vino cercate ugualmente di fare questo abbinamento.

1. Il Chianti	a) è ottimo con i frutti di mare e i crostacei.
2. Il Pinot grigio	b) si accompagna soprattutto alle carni rosse.
	c) si beve ad una temperatura di 16/18 gradi.
	d) è ottimo con la carne bianca.
	e) si accompagna benissimo ai formaggi.

15 Osservate i disegni e scrivete delle frasi come nell'esempio.

Questa maglia va lavata a mano ....

30°C

Cottura 10 Min.

60°

16 Due amici si preparano per una breve vacanza in campeggio. Completate il dialogo inserendo il corretto termine di quantità in base al prodotto.

- Dobbiamo ancora comprare la pasta?
- No, ne ho presi quattro pacchi, dovrebbero bastare.
- Hai comprato anche i pelati?
- Sì, ...
- E l'olio?
- C'è anche quello, ...
- Perfetto! E il pesto l'hai preso?
- Sì, ...
- Va bene. Allora, dobbiamo comprare solo del formaggio ...
- No, ieri al mercato ....
- ... e delle mele.
- No, no, ho preso anche quelle, ...

2 Kg.

17 Una vostra amica vuole festeggiare l'inaugurazione della sua nuova agenzia di viaggi. Completate il dialogo con le battute mancanti ricavandole dalle parole chiave date.

	● Oggi sono anche arrivati i computer. Ora è tutto pronto. Non vedo l'ora di aprire!
Servizio di catering	○ ....
	● Sì, conosci l'*Orgafesta*?
Mai sentito	○ ....
	● Però ti ricordi della festa di compleanno di Alice?
Bellissimo ricordo, bellissima festa	○ ....
	● Eh, l'aveva organizzata proprio l'*Orgafesta*. Perciò ho deciso di chiamare loro anche per l'inaugurazione dell'agenzia.
Il menu	○ ....
	● Beh, loro mi faranno delle proposte e poi decido io. Però i vini li faccio scegliere a loro, perché, come sai, io di vini non me ne intendo.
Gli inviti	○ ....
	● Sì, ci pensano loro. Io devo dare solo i nomi e gli indirizzi.

edizioni Edilingua ● Allegro 3

Benvenuti in Sardegna!

7

centoquarantanove **149**

1 Angelo ha trascorso veramente una brutta giornata ... Completate il testo con le parole date nel riquadro.

scusa ◆ giornataccia ◆ urlare ◆ ciminiera ◆ sveglia ◆ riunione ◆
strada ◆ insulti ◆ accompagnare

«Oggi è stata proprio una .... È cominciata subito male, infatti mi sono
svegliato solo alle otto perché la .... non è suonata. Carla si è arrabbiata con
me, perché non la potevo .... al lavoro, ma avevo una .... e
dovevo veramente sbrigarmi. Poi, al semaforo di Via Verdi, un tipo mi ha tagliato la ....
.... e quando io ho protestato, si è messo ad .... una ridda di ....
dal finestrino! Sono arrivato in ufficio e il dottor Bianchi mi aveva lasciato sulla scrivania
un lavoro da fare entro domani. In riunione, c'era anche l'avvocato Motti e come al solito
fumava come una .... Alle quattro, con una ...., sono proprio
scappato perché avevo un forte mal di testa. Per fortuna dopodomani vado in ferie!»

2 Scrivete il termine contrario.

intelligente ↔ ....   parlare ↔ ....
complimento ↔ ....   piacevole ↔ ....
scortese ↔ ....   fretta ↔ ....
tollerabile ↔ ....   meglio ↔ ....

3 Abbinate le espressioni di uguale significato.

1. farsi i fatti propri	a) da un momento all'altro
2. mettere il naso negli affari degli altri	b) occuparsi degli affari propri
3. fra capo e collo	c) sopportare i contrattempi fastidiosi
4. parlare alle spalle	d) intromettersi nelle faccende di altre persone
5. sopravvivere alle grane	e) non volerne più sapere di qualcuno
6. mandare al diavolo	f) dire male di una persona quando non è presente

4 Leggete gli esempi e scrivete delle frasi sul vostro quaderno in base agli elementi dati.

scusarsi		gentile	comprare un CD
fare yoga		stressante	giustificarsi
leggere un giallo		rilassante	fare una vacanza
viaggiare in treno	più	pericoloso	alzarsi alle 6 del mattino
cucinare a casa	meno	divertente	guardare una commedia alla TV
rimanere a casa		costoso	andare con i pattini in linea
andare a un concerto		economico	andare in macchina
dormire fino a tardi		noioso	mangiare al ristorante

→ *Fare yoga è più rilassante che andare con i pattini in linea.*
→ *Fare yoga è meno pericoloso che andare con i pattini in linea.*

5 Luca dopo tante ore di guida è un po' stanco e non rispetta più tutti i segnali stradali. Osservate i segnali in basso e ditegli voi cosa deve fare.

....

....

....

....

....

....

....

....

6 Inserite il verbo corretto.

rispettare

prendere

....	un'infrazione
....	con il rosso
....	una multa
....	il passaggio
....	un divieto
....	in seconda fila
....	la macchina

passare   sorpassare   mantenere

commettere   rinunciare

rimuovere   intralciare

parcheggiare   tagliare

7 Come reagireste in modo gentile in queste circostanze? Indicate la risposta corretta.

1. Potresti abbassare il volume della TV?
   a) Certo, aspetta ... va bene così?
   b) Sta' zitto, sto ascoltando il telegiornale.
   c) Ma se abbasso ancora non sento più niente.

2. Per cortesia, potrebbe smettere di fumare? Non vede che ci sono dei bambini?
   a) Ma non esageriamo! Siamo all'aperto.
   b) Oh, mi scusi. La spengo subito ...
   c) Ma perché? Qui non è mica vietato fumare!

3. Le dispiace spostare la macchina? Intralcia il passaggio.
   a) Non può aspettare un attimo? Devo solo imbucare una lettera.
   b) Che fastidio Le dà? Tanto Lei non abita qui.
   c) Mi scusi, ha ragione. La sposto subito.

8 Un vigile urbano vi fa la multa per divieto di sosta. Completate le frasi con i verbi dati.

1. Mi scusi, ma che infrazione .... (commettere)?

2. .... (Pensare) che fosse permesso parcheggiare qui?

3. Credevo che .... (chiudere) un occhio, considerando che sono stato

   via solo un attimo.

9 Claudio arriva nuovamente in ritardo all'appuntamento con Maria. Completate il dialogo con le battute mancanti ricavate dalle parole date.

	● Eccolo, guarda chi arriva! Sto aspettando da mezz'ora! Me ne stavo per andare!
Credere / arrivare / puntuale	○ ....
	● Ma con te è sempre la solita storia! Non sei mai puntuale!
Scusarsi. *Dare / colpa / traffico*	○ ....
	● Ma non potevi darmi un colpo di telefono?
Dare ragione. *Non credere / Maria / arrabbiarsi tanto.*	○ ....
	● Allora adesso devi almeno offrirmi un caffè. E la prossima volta cerca di essere puntuale, mi raccomando!

10 **Completate le frasi.**

1. ● Domani ci sarà lo sciopero dei mezzi pubblici.

   ○ Ma sei sicuro? Credevo che .... la settimana prossima!

2. ● In piazza Cavour non è possibile parcheggiare.

   ○ Ma come? Pensavo che ci .... addirittura un piccolo parcheggio custodito.

3. ● L'autobus si ferma direttamente davanti al municipio.

   ○ Ah, davvero? Ero convinta che .... in Via Verdi.

4. ● Perché non passi? Non vedi che il semaforo è verde?

   ○ Hai ragione, ma con questo sole mi sembrava che .... rosso.

5. ● Ti è andata bene: il vigile di qui non è passato.

   ○ Che fortuna, davvero! Temevo che .... la multa.

6. ● Ieri sono andato al lavoro in bicicletta.

   ○ Davvero? Non pensavo che .... così sportivo.

11 **Sottolineate nel testo tutte le espressioni impersonali (*si, uno*), riformulate le frasi e scrivetele sul vostro quaderno.**

Ci sono giornate in cui tutto va storto. Comincia già la mattina, quando ci si alza in ritardo e si è costretti a fare tutto di corsa. Se poi uno ha qualche appuntamento importante e prima deve fare delle commissioni, la giornata continua male. Naturalmente in queste giornate anche il traffico è particolarmente intenso ed è un miracolo se non si commettono infrazioni e si riesce a trovare un posto dove parcheggiare la macchina regolarmente. È chiaro che, dopo una giornata così, la sera uno torna a casa di malumore e rischia anche di litigare con il partner che magari ha qualcosa di cui lamentarsi. Insomma, come fa uno a mantenere la calma? La cosa più saggia è andare a letto presto e sperare che il giorno seguente sia migliore.

→ *Comincia già la mattina, quando uno si alza ...*

12 **Leggete ancora una volta il testo a pagina 80 e mettete in ordine le seguenti frasi.**

- ☐ Il tassista passa nonostante il semaforo sia rosso.
- ☐ Un vigile ferma il taxi.
- ☐ Il cliente dice al tassista di andare agli aliscafi.
- ☐ Il vigile vuole vedere i documenti.
- ☐ Il tassista si giustifica con il vigile per l'infrazione.
- ☐ Il cliente annuncia di scendere dal taxi per proseguire da solo.
- ☐ Il passeggero chiede al tassista quanto gli deve.
- ☐ Il tassista spiega al passeggero che forse dovrà pagare la multa.

13 Completate con i verbi dati il racconto di Margherita che lavora come maestra alla scuola elementare.

> è caduto ◆ aveva dei forti dolori ◆ è scivolato ◆ si è tagliata ◆ si è ferito

Santo cielo! Oggi mi è sembrato di lavorare in un pronto soccorso e non in una scuola elementare. Alla prima ora un bambino si è sentito male: ....
...... allo stomaco e ho dovuto chiamare la madre al lavoro. Durante la pausa un bambino della quarta C .... in cortile e .... ad un ginocchio. Il bidello non c'era, e così ho dovuto medicarlo io. Durante la lezione di disegno poi una bambina
.... con le forbici e per finire, mentre stavamo uscendo per andare a casa, proprio davanti a me, un bambino .... scendendo dalle scale.

14 Quale medico specialista dovrebbe visitare queste persone? Osservate i disegni e scrivetelo negli spazi corrispondenti.

....

15 Spesso succede che facciamo due cose per volta. Formulate delle frasi come nell'esempio in base agli elementi dati. Fate attenzione all'uso differente di *mentre* e *durante*.

pranzo / pranzare ◆ ascoltare musica
Durante il pranzo spesso ascolto un po' di musica.
Mentre pranzo spesso ascolto un po' di musica.

1. viaggio in treno / viaggiare ◆ guardare spesso il paesaggio

....

....

2. notte / dormire ◆ lasciare aperta la finestra

....

....

3. lavoro / lavorare ◆ ricevere molte telefonate

....

....

16 Sottolineate la forma verbale corretta.

Ciao Ilaria,

come stai oggi? È passata la febbre?

La cena ieri è stata divertente. Ho conosciuto / Conoscevo anche Liliana, quella nuova del reparto acquisti. Eravamo sedute accanto, così abbiamo chiacchierato tutta la serata. Liliana è brasiliana, tu lo hai saputo / sapevi ? Mi ha raccontato che quando è arrivata in Italia, due anni fa, aveva un po' di difficoltà perché non ha conosciuto / conosceva quasi nessuno e ha saputo / sapeva solo qualche parola d'italiano. Poi con il tempo ha conosciuto / conosceva diverse persone che l'hanno aiutata ad inserirsi nel nuovo ambiente. Mi ha anche raccontato che durante le ferie tornerà a Recife perché sua sorella ha avuto / aveva un bambino e lei gli farà da madrina. E tu? Pensi di poter rientrare già la settimana prossima (qui c'è così tanto lavoro che ti aspetta!! ☺)

Rimettiti presto!

Ciao
Sonia

17 Completate i brevi dialoghi in base alle indicazioni date.

1. ● Ieri ho passato tutta la giornata a montare uno di questi mobili "fai da te".

   ○ ....

   (Chiedete se ci è riuscito)

2. ● Annamaria si è fatta fare l'oroscopo ed ora è tutta contenta, sono venuti fuori molti aspetti positivi.

   ○ ....

   (Esprimete sorpresa e dite che non ci credete)

3. ● Sono preoccupata, domani Fabio ha gli esami. Chissà come andranno.

   ○ ....

   (Dite di non pensarci più e che l'esame andrà bene)

4. ● Guarda, facendo questa dieta Alessia è dimagrita 5 chili.

   ○ ....

   (Rimanete stupiti e dite che volete provarci anche voi)

5. ● Senta, potrebbe finire questo lavoro prima di andare a casa?

   ○ ....

   (Dite che è tardi e che non sapete se ce la fate)

6. ● Ho saputo che tuo fratello si è sposato. E tu, quando ti sposi?

   ○ ....

   (Rispondete che ancora non ci pensate)

1 Cercate, come nell'esempio, le espressioni intorno al tema dell'amicizia che si nascondono in queste righe ondulate.

stare / in / compagnia // crescereinsiemeaverebisognodiunconsigliofareamicizia
rivolgersiadunamicoesseremoltolegatoadunapersonaconoscersidaitempidellascuola
esseremoltoamiciconfidarsiconun'amica

2 Completate l'annuncio della rubrica *Cercasi amici* con le seguenti espressioni.

a mio agio ◆ dà fastidio ◆ in compagnia ◆ mi rivolgo a ◆ stare sola

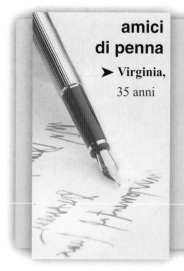

amici di penna

➤ Virginia, 35 anni

Ciao sono Virginia, ho 35 anni e sono nubile.

Sono una persona tendenzialmente tranquilla, ma non mi piace

.... Preferisco stare ....

di tanti amici così, quando ho bisogno di un consiglio

.... loro. Mi sento .... soprattut-

to con gente allegra e semplice. Mi .... invece

l'arroganza e la superbia. Sei tu l'amico o l'amica che sto cer-

cando? Allora scrivimi! *Virginia35@gmx.it*

3 Chi sono i parenti di Franca? Inserite i numeri nelle caselle.

«Questa è Marta ☐, la mia sorella minore.
È magra, sulla foto porta gli occhiali da sole e
il completo chiaro e ascolta quello che le dice
Angelina ☐, la moglie di Francesco ☐ alla
quale è molto legata. Angelina è bionda, alta,
suo marito è quello con gli occhiali, il più
alto di tutti. La ragazza che si china verso la
bambina, con il vestito a fiori e una stola intorno alle spalle è Adriana ☐
l'amica con cui sono cresciuta. Mia cugina Matilde ☐ invece è più grande di noi, è quella vicina a Francesco, con i capelli corti, e la giacca bianca che guarda verso la macchina
fotografica.»

4 **Sottolineate il termine corretto.**

1. Conosco il mio amico Rino dai anni/tempi della scuola.

2. Mio cugino ed io siamo cresciuti/aumentati insieme.

3. Mia sorella ed io siamo molto collegati/legati a mia nonna.

4. Valeria è la mia cugina preferita/piaciuta .

5. Non sono mai andato molto compreso/d'accordo con mio fratello.

6. Se ho bisogno di aiuto, posso sempre rivolgermi/girarmi a mia zia.

7. Non mi sento a mio adagio/agio con le persone che parlano in continuazione.

8. Mio padre è molto affezionato/affetto ai suoi nipotini.

5 **Completate il testo con i possessivi dati.**

la sua ◆ le sue ◆ mio ◆ i loro ◆ i miei ◆ i miei ◆ i miei ◆ mia ◆ mia ◆
il mio ◆ il mio ◆ la mia ◆ la mia ◆ sua

La mia famiglia è molto numerosa e la settimana scorsa, quando abbiamo festeggiato il primo compleanno di Enrica, ... nipote più piccola, eravamo più di venticinque persone. Sono venuti .... nonni che entrambi hanno già più di 85 anni, ... sorella Federica con Andrea, il suo ragazzo, poi .... fratello maggiore Raffaele con Laura, ... seconda moglie, e .... figlie. C'era anche .... zio preferito, Amedeo, con .... moglie, la zia Chiara. Poi naturalmente c'erano .... fratello Sandro e .... cognata Tina, i genitori della piccola Enrica, e tutta la famiglia di Tina. Beppe e Pina, ... zii che hanno l'edicola in via Verdi sono venuti con Annalisa, ... cugina sognatrice che vuole diventare pilota. Ovviamente non potevano mancare .... genitori, contentissimi di stare con tutti .... figli e nipotini. È stata proprio una bella festa!

6 **Completate le frasi.**

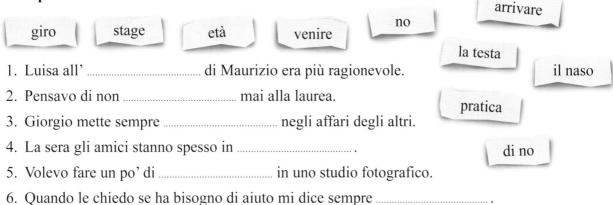

giro ◆ stage ◆ età ◆ venire ◆ no ◆ arrivare ◆ la testa ◆ il naso ◆ pratica ◆ di no

1. Luisa all' .... di Maurizio era più ragionevole.

2. Pensavo di non .... mai alla laurea.

3. Giorgio mette sempre .... negli affari degli altri.

4. La sera gli amici stanno spesso in ....

5. Volevo fare un po' di .... in uno studio fotografico.

6. Quando le chiedo se ha bisogno di aiuto mi dice sempre ....

7 Scegliete la frase corretta nella trasformazione al discorso indiretto.

1. "Giorgio non verrà."

Disse che
a) Giorgio non verrebbe.
b) Giorgio non verrà.
c) Giorgio non sarebbe venuto.

2. "Martina è una bambina tranquilla."

Disse che
a) Martina è una bambina tranquilla.
b) Martina era una bambina tranquilla.
c) Martina è stata una bambina tranquilla.

3. "Da bambino avevo pochi amici."

Disse che
a) da bambino aveva pochi amici.
b) da bambino ha avuto pochi amici.
c) da bambino aveva avuto pochi amici.

4. "Fate in fretta, è già molto tardi."

Disse
a) di fare in fretta, che era già molto tardi.
b) che facevamo in fretta, che era già molto tardi.
c) che fare in fretta, che era già molto tardi.

5. "Ho parcheggiato in sosta vietata."

Disse
a) che parcheggiava in sosta vietata.
b) di parcheggiare in sosta vietata.
c) che aveva parcheggiato in sosta vietata.

6. "Chiamami quando hai tempo."

Mi disse
a) che l'avrei chiamata quando ho tempo.
b) di chiamarla quando avevo tempo.
c) che la chiamavo quando avevo tempo.

8 Maria racconta ad un'amica quanto le disse una chiromante anni prima. Scrivete, in base all'esempio e alle indicazioni, delle frasi sul vostro quaderno.

1 Il tuo ragazzo ti ha lasciata perché aveva conosciuto un'altra.

2 Non abbatterti, tanto non era l'uomo giusto per te.

3 La separazione ti ha provocato qualche problema di salute, ma migliorerai rapidamente.

5 Anche per il lavoro non ti preoccupare. Troverai presto qualcosa che ti darà soddisfazione.

4 Devi essere forte. Affronta i problemi con coraggio.

→ *Mi aveva detto che il mio ragazzo ...*

9 Il signor Romagnoni, il quale vive da solo, è sparito da alcune settimane. La sua vicina di casa, la signora Feretti, racconta alla polizia del loro ultimo incontro. Ricostruite la conversazione e scrivetela sul vostro quaderno.

«L'ultima volta l'ho incontrato in ascensore circa due mesi fa. Gli avevo chiesto come stava e mi aveva raccontato che alla fine del mese sarebbe andato in pensione e che era molto felice. Gli avevo chiesto se aveva già dei progetti e lui aveva aggiunto che voleva andare a trovare i suoi parenti sparsi per l'Italia e che poi avrebbe fatto una crociera nel Mediterraneo. Gli ho detto che mi sembrava proprio una buona idea e che sarebbe piaciuto anche a me fare un bel viaggio. Poi mi aveva chiesto da quanto tempo ero in pensione io e se mi annoiavo a stare a casa. Gli avevo risposto che occupandomi dei bambini di mio figlio non potevo annoiarmi. Così prima di andarsene mi disse di non occuparmi sempre degli altri, ma di pensare anche a me stessa.»

→ ● *Buonasera, signor Romagnoni, come sta?*
○ *Bene, grazie. Alla fine del mese ...*

10 Abbinate le frasi.

1.	Nella vita è importante		a)	può cambiare qualcosa.
2.	Se si è insieme		b)	se ne fregano lo stesso.
3.	Tu accetti tutto, sei		c)	essere anche idealisti.
4.	I politici		d)	troppo passivo.
5.	Secondo me in tanti si riesce		e)	si è forti.
6.	Per me l'opinione pubblica conta e		g)	non serve a niente.
7.	Gridare slogan in piazza		h)	a muovere qualcosa.

11 Completate questo articolo di giornale con le parole date nel riquadro.

giovani ◆ pacifista ◆ marcia ◆ strada ◆ corteo ◆ manifestazione

UNA .... *CONTRO I «VELENI»*

Una grande .... ambientalista e .... per i parchi dell'Alta Murgia

e delle Gravine. Un .... di 15mila persone da Gravina fino ad Altamura. A per-

correre i 14 chilometri e mezzo che separano Gravina da Altamura c'erano soprattutto

.... Una marea verde rumorosa e multicolore, un cocktail di entusiasmo ed

energia. «La responsabilità di cambiare – hanno detto – non è delegata a nessuno: è nelle nostre

mani». Con loro, per .... hanno voluto esserci tutti: pensionati, politici, disabili,

imprenditori e gente semplice.

12 *Per/in difesa di* oppure *contro*? Annotate brevemente, come nell'esempio, per quale motivo si manifesta in questi casi.

per

contro

in difesa di

Multiculturale è bello! *manifestazione contro la xenofobia*

1. Lo studio è un diritto. ....

2. Globalizzare la cultura invece dei commerci! ....

3. La terra è anche tua. Difendila! ....

4. Giù le mani dalle pensioni! ....

5. La pace non si fa con la guerra. ....

6. Fermiamo i licenziamenti! ....

13 Completate le seguenti frasi con le parole date.

soli   passivi   stanchi   nervosi   felici   amici

idealisti   pieni

giovani

Dopo una giornata di lavoro spesso si è *stanchi* .

1. Se si è .... è più facile credere nel futuro.

2. Quando si è .... davvero ci si aiuta nei momenti di bisogno.

3. Spesso si è .... per delle sciocchezze.

4. A volte si può essere .... anche quando si è ....

5. Per cambiare le cose non si deve essere troppo ....

6. Quando si è .... si è .... di sogni ed ideali.

14 Formulate delle frasi come nell'esempio.

Quando uno è stressato, si ammala facilmente.
Quando si è stressati, ci si ammala facilmente.

1. Se uno non è mai disposto ad aiutare gli altri, non avrà più amici.

   ....

2. Quando uno è stanco è più distratto.

   ....

3. Quando uno è gentile anche gli altri ricambiano la gentilezza.

   ....

4. Se uno è arrabbiato, non fa attenzione a quello che dice.

   ....

5. Se uno è troppo altruista, si dimentica di se stesso.

   ....

6. Quando uno riesce a realizzare qualcosa, è contento.

   ....

15 Gianna chiede alla sua amica di badare per alcune ore al bambino. Sottolineate il termine (preposizione/verbo) corretto e riordinate la conversazione.

- Verrò per/a riprenderlo verso le sei, va bene?
- Senti, Valeria, vorrei chiederti un favore. Domani vorrei andare a/di trovare mia sorella dall'/all' ospedale. Potresti occuparti tu/tenermi tu Daniele per qualche oretta?
- No no, i bambini mangiano insieme all'asilo. Magari, se hai voglia di/per andare un po' al parco con lui ...
- Mah, non so, ti andrebbe bene fra/verso le due?

- Ma certo, non ti preoccupare! Passeremo un bel pomeriggio insieme, sta' sicura!
- Sì, volentieri, lo faccio per/con piacere. A che ora pensavi di/a portarmelo?
- Certo che va bene, a domani allora!
- Va benissimo. Senti, devo dargli a/da mangiare?

16 Riformulate le seguenti frasi come nell'esempio.

Ecco le foto che ho fatto in montagna.

Ecco le foto fatte in montagna.

1. Abbiamo visitato un teatro romano che hanno riscoperto una ventina d'anni fa.

....

2. Caterina ha perso la collana che le è stata regalata da sua nonna.

....

3. Questi sulla foto sono gli amici che ho conosciuto in Turchia.

....

4. È il bestseller che hanno letto migliaia di piccoli lettori.

....

5. Ecco le lettere che ho trovato in solaio.

....

17 Per conoscere dei noti proverbi italiani o delle espressioni metaforiche, abbinate le due colonne.

1.	A caval donato	a)	i topi ballano.	
2.	Avere una fame	b)	di bosco.	
3.	Mangiare come	c)	da lupo.	
4.	Quando il gatto non c'è	d)	per le corna.	
5.	Prendere il toro	e)	non si guarda in bocca.	
6.	Essere uccel	f)	nel sacco.	
7.	Can che abbaia	g)	un uccellino.	
8.	Comprare la gatta	h)	non morde.	

Quale Italia?

---

1 **Completate la ricetta con i verbi dati.**

condirli ◆ mettere ◆ mescolare ◆ guarnire

Alivi cunzati

DOSI PER 6 PERSONE:

250 GR. DI OLIVE
VERDI
1 PEPERONE
1 CIPOLLA
1 SEDANO
6 RAVANELLI
UNA LATTUGA
AGLIO
ORIGANO
ACETO
OLIO D'OLIVA
PEPERONCINO
ROSSO INTERO

TEMPO: 30 MINUTI, COSTO: POCO COSTOSA, DIFFICOLTÀ: FACILE

.... in una insalatiera le olive snocciolate, il peperone crudo tagliato a pezzetti, e senza i semi, la cipolla e il cuore di sedano affettati finemente e .... con abbondante olio, un po' d'aceto, origano, uno spicchio d'aglio schiacciato e un pizzico di peperoncino rosso. .... e .... con foglie di lattuga e ravanelli.

---

2 **Leggete nuovamente il fumetto di pagina 97 e inserite nei riquadri i termini corrispondenti.**

malattie	professioni	settori dell'economia
....	....	....
....	....	....
....	....	....
....		

---

3 **Scegliete tra gli aggettivi dati i cinque corretti.**

la rete ....

le condizioni ....

la situazione ....

l'istruzione ....

il servizio ....

sanitarie   pubblica   ferroviaria

sconosciuta   arretrata

militare   finanziaria

disperato   economico

---

4 Immediatamente dopo la formazione del Regno d'Italia nel 1861 c'erano ancora tanti problemi. Abbinate le due colonne per ricordarne alcuni.

1.	C'erano enormi differenze	a)	arretrata in tutto il paese.
2.	L'agricoltura era	b)	con il sud erano impossibili.
3.	Al centro e al sud le comunicazioni	c)	tra nord e sud.
4.	I collegamenti ferroviari	d)	di moneta diversi.
5.	La situazione	e)	erano difficili.
6.	Circolavano otto tipi	f)	malattie come la pellagra, il colera e il tifo.
7.	Si moriva ancora per	g)	finanziaria era disperata.
8.	Su cento italiani	h)	parlavano solo il proprio dialetto.
9.	Quasi tutti gli italiani	i)	ottanta erano analfabeti.

5 La Scuola Elementare "Giuseppe Mazzini" sta preparando una grande festa per il decimo anniversario, ma ci sono ancora tante cose da sbrigare. In base agli elementi dati, scrivete delle frasi sul vostro quaderno come nell'esempio.

1. scrivere gli inviti alle autorità comunali / spedirli
2. chiamare la redazione del giornale locale / comunicare data festeggiamenti
3. mandare una circolare agli insegnanti / organizzare recita con alunni
4. parlare con il direttore della scuola di musica / decidere programma concerto
5. parlare col servizio catering / decidere per il buffet
6. scrivere discorso di apertura / controllarlo con il vicedirettore
7. mandare lettera ai genitori / chiedere collaborazione

Ci sono da
Si devono
Si deve
C'è da
Va / Vanno
Bisogna

→ *Bisogna scrivere gli inviti alle autorità e spedirli.*

6 Riformulate le seguenti frasi come nell'esempio.

Dopo aver salutato sua madre, la signora andò via.

Salutata sua madre, la signora andò via.

1. Quando ha capito la gravità della situazione, ha cercato di trovare un rimedio.

....

2. Dopo essere arrivato a casa si sentì molto stanco.

....

3. Ha finito il lavoro ed è uscito dall'ufficio.

....

4. Quando ha avuto la notizia del trasferimento si è sentito male.

....

5. Dopo essere andato in pensione ha avuto finalmente il tempo per dedicarsi ai suoi hobby.

....

6. Dopo aver riconosciuto l'errore, si è scusato con i colleghi.

....

7 Unite le sillabe del riquadro, date in ordine sparso, in modo da formare i nomi della lingua di alcune minoranze linguistiche in Italia.

al ♦ ba ♦ ca ♦ co ♦ co ♦ croa ♦ des ♦ di ♦ do ♦ friu ♦ gre ♦ la ♦ la ♦
la ♦ ne ♦ no ♦ no ♦ no ♦ no ♦ sar ♦ se ♦ slo ♦ ta ♦ te ♦ to ♦ ve

....

....

....

8 Molti italiani parlano il dialetto o l'italiano con un accento che rivela la loro regione di provenienza. Quali città si nascondono dietro questi aggettivi?

veneziano .... senese .... forlivese ....

torinese .... barese .... potentino ....

romanesco .... triestino .... palermitano........................

9 Avete deciso di trascorrere un mese in Italia e avete preso in affitto una casa. Non conoscendo le regole o le abitudini del luogo, rivolgete a un vicino almeno tre domande per avere delle informazioni su come, dove e quando gettare i rifiuti, sulla raccolta differenziata e così via.

1. ....

2. ....

3. ....

10 Maurizio rispetta l'ambiente, per Tommaso è troppo impegnativo. In base alle espressioni date, descrivete come si comportano nella loro vita quotidiana.

ridurre i consumi ♦ usare mezzi pubblici ♦ avere una cisterna per l'acqua piovana ♦ fare la raccolta differenziata ♦ lasciare la TV e lo stereo in stand-by ♦ prendere la macchina ♦ comprare prodotti biologici ♦ preferire energia rinnovabile ♦ installare i pannelli solari ♦ tenere il riscaldamento acceso con le finestre aperte ♦ dimenticare la luce accesa ♦

Maurizio va spesso in bicicletta. Per distanze più lunghe usa mezzi pubblici ...

Tommaso prende la macchina per andare dovunque perché gli fa comodo ...

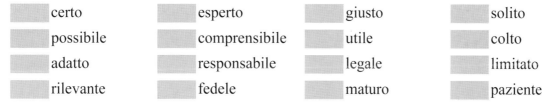
11 *In-, im-, ir-* o *il-*? Formate il contrario dei seguenti aggettivi inserendo il prefisso corretto.

certo	esperto	giusto	solito
possibile	comprensibile	utile	colto
adatto	responsabile	legale	limitato
rilevante	fedele	maturo	paziente

12 Sottolineate i sei aggettivi che hanno il prefisso con significato negativo.

interessante ◆ inesatto ◆ innamorato ◆ inefficiente ◆ illustrato ◆ illuso ◆ impaziente ◆ irregolare ◆ importante ◆ indicativo ◆ illeggibile ◆ individuale ◆ indimenticabile

13 Formulate delle frasi usando gli aggettivi dati.

illeggibile ◆ imbevibile ◆ intollerabile ◆ invivibile ◆ incomprensibile ◆ insopportabile

1. Quei ragazzi hanno commesso un atto che non si può assolutamente tollerare.

....

2. In questa città c'è molta criminalità. Ormai non ci si può più vivere.

....

3. Ma dove l'hai comprato questo vino? Non si può proprio bere!

....

4. La grafia di Federico non si riesce a leggere.

....

5. Mamma mia, oggi fa un caldo che non si riesce davvero a sopportare!

....

6. Andrea è andato via senza salutare per un motivo che nessuno è riuscito a capire.

....

14 Abbinate le frasi.

1.	Se me lo dicevi	a)	rimango a casa.
2.	Se fossi venuto prima	b)	andrei più spesso a trovare Grazia.
3.	Se domani piove	c)	ti davo una mano io.
4.	Se non fossero così occupati	d)	rischiavo di restare disoccupato.
5.	Se non mi trasferivo a Roma	e)	avresti potuto mangiare con noi.
6.	Se Palermo non fosse così lontana	f)	andavamo a trovarla.
7.	Se anche domani arrivi in ritardo	g)	sarebbero venuti con noi.
8.	Se sapevamo che Marta era a casa	h)	con te non esco mai più, capito?

15 Nella lingua parlata, nel periodo ipotetico, usiamo spesso l'imperfetto. Ma in un testo scritto come dovremmo scriverlo? Riformulate sul vostro quaderno, come nell'esempio, le frasi date.

1 Se cominciavi a studiare prima, non ti stressavi così tanto.

Se rispondevi ti davano un premio.

2 Se sapevo che non stavi bene non ti chiedevo aiuto.

3 Se non andava subito dal medico rischiava di finire all'ospedale.

4 Se ci telefonavate vi venivamo a prendere.

→ *Se tu avessi risposto ti avrebbero dato un premio.*

16 Inserite la congiunzione giusta.

sebbene	a condizione che	affinché	nonostante	a patto che

1. Ci siamo trasferiti in città .... mio marito non debba fare tanti chilometri per raggiungere l'ufficio.
2. Mio nonno preferisce parlare il dialetto .... sappia perfettamente l'italiano.
3. Il professore cerca di parlare lentamente .... venga capito da tutti.
4. Mi sento stanco .... abbia dormito bene.
5. Puoi prendere la macchina .... tu torni per le sette.
6. Posso andare via prima .... finisca questo lavoro.

17 Formulate delle proposte spontanee come nell'esempio.

Veramente domani finisco di lavorare verso le sei. (vedersi alle 7)
E se ci vedessimo allora alle sette? ....

1. Ci sembra che nostro figlio a scuola renda un po' di meno ... (parlare con l'insegnante)

....

2. È da un po' che ho sempre questi mal di testa, ma il mio medico mi dice di non preoccuparmi. (andare da uno specialista)

....

3. Ho proprio paura di aver preso l'influenza, mi sento stanchissimo. (farsi una bella dormita)

....

4. Ho l'impressione che mamma e papà stiano diventando un po' pigri, escono sempre di meno. (per Natale regalare un abbonamento al teatro)

....

5. Sa, queste pareti bianche nel soggiorno mi hanno un po' stancato.
(dipingerle in un colore vivace)

....

6. Ah, guarda, in questo palazzo c'è lo studio di Giovanni. (passare un attimo a salutarlo)

....

18 **Completate i brevi testi inserendo nelle caselle i numeri corrispondenti ai termini dati.**

| 1. testimoni ◆ 2. felicità ◆ 3. anno ◆ 4. tradizione ◆ 5. porcellana ◆ 6. sposa ◆ 7. viaggio ◆ 8. fertilità ◆ 9. chiesa ◆ 10. matrimonio ◆ 11. fiori ◆ 12. coppia |

Le fedi

L'usanza di portare la fede all'anulare sinistro risale addirittura all'epoca degli anti-chi Egizi. In alcune regioni d'Italia la fede è anche chiamata «vera», termine vene-to-slavo, che significa fedeltà. All'interno della fede generalmente si fa incidere la data del matrimonio, il nome della ☐ in quella di lui ed il nome dello sposo in quella di lei. La ☐ vuole che sia lo sposo a pagarle ed a conservarle fino al momen-to dello scambio, ma spesso sono i testimoni a regalarle.

I confetti

Per il giorno del ☐ , devono essere rigorosamente di colore bianco e sempre in nu-mero dispari di solito cinque, per rappresentare ciò che non deve mancare nella vita degli sposi: salute, fertilità, lunga vita, ☐ , ricchezza.

Le bomboniere

La tradizione le vuole classiche in cristallo, argento, ☐ e soprattutto uguali per tutti, non esistono parenti e amici meno importanti di altri. Solo ai ☐ , soprattutto se re-galano le fedi, si regala una bomboniera diversa.

Il riso

Il riso ai tempi dei pagani veniva gettato sugli sposi per simboleggiare una pioggia di ☐ . Ancora oggi è tradizione gettarlo dopo la cerimonia, all'uscita della ☐ o del municipio.

Il bouquet

In alcuni paesi è addirittura la suocera a regalare il mazzetto di ☐ alla sposa. Alla fine del ricevimento il bouquet viene tradizionalmente lanciato a caso tra tutte le ragazze nubili: chi riuscirà ad afferrarlo dovrebbe sposarsi entro l' ☐ .

La luna di miele

Gli sposini dell'antica Roma erano soliti mangiare del miele per tutta la durata di «una luna» dopo il matrimonio. Da qui l'origine del detto «luna di miele» ad indi-care i primi, dolci momenti della vita di ☐ . Oggi con «luna di miele» si indica anche il ☐ di nozze che gli sposi intraprendono dopo la festa di matrimonio.

Approfondimento grammaticale

Indice

L'articolo e l'aggettivo

→1 L'articolo

In italiano usiamo l'articolo determinativo quando abbiamo:

Il mio fratell**ino** si chiama Stefano.	■ un aggettivo possessivo seguito da un nome di parentela alterato;
Aldo è **il** mio cugino **preferito**. **La** sua sorella **minore** vive a Torino. *Ma:* Aldo è mio cugino. Sua sorella vive a Torino.	■ un aggettivo possessivo seguito da un nome di parentela accompagnato da un aggettivo (vedere anche *il/la loro*: *Allegro 1*, *Punto 10* a p. 157);
Il 52% degli italiani si sveglia prima delle nove.	■ una percentuale (*Attenzione:* in questo caso il verbo è sempre al singolare);
Nel tuo palazzo c'è **l'**ascensore? Mi piace ascoltare **la** musica.	■ quando parliamo di cose che, in generale, non si posseggono in grande quantità, o quando definiamo un genere;
La Sampdoria ha vinto.	■ il nome di una squadra;
Ha **la** febbre.	■ una malattia.

Sull'uso dell'articolo determinativo vedere anche *Allegro 1*, *Punto 5* e *6* a pp. 155-156.

→2 Comparativi e superlativi irregolari

Gli aggettivi *buono*, *cattivo*, *grande*, *piccolo*, *alto* e *basso* oltre ad avere una forma regolare (*più buono*, *il più buono*, *buonissimo*), hanno anche una forma irregolare di comparativo e superlativo.

	Comparativo	*Superlativo relativo*	*Superlativo assoluto*
buono	migliore	il migliore	ottimo
cattivo	peggiore	il peggiore	pessimo
grande	maggiore	il maggiore	massimo
piccolo	minore	il minore	minimo
alto	superiore	il superiore	supremo / sommo
basso	inferiore	l'inferiore	infimo

Come vediamo dalla tabella, formiamo il superlativo relativo con l'articolo determinativo + il comparativo.

Fate attenzione:

■ Usiamo la forma regolare degli aggettivi *buono* e *cattivo* se vogliamo esprimere il significato di *avere buon cuore* o *essere malvagio*:
   Enzo è lo scolaro più buono/più cattivo.
   Enzo è lo scolaro migliore/peggiore.

■ Usiamo la forma irregolare degli aggettivi *grande* e *piccolo* soprattutto in senso figurato:
   Il costo fu maggiore del previsto.
   La nuova casa è più grande della vecchia.

■ *Superiore* e *inferiore* si uniscono alla preposizione *a*:
   La quota è superiore/inferiore a quella dell'anno scorso.

Anche il comparativo degli avverbi *bene* e *male* è irregolare:
Come stai? - Sto meglio/peggio.

→3 Il comparativo con *di* e *che*

Claudio è più estroverso **di** suo fratello.

La macchina di Alfredo è migliore **della** nostra.

È meglio insultare **che** picchiarsi.

Tacere a volte è peggio **che** parlare.

Usiamo
- *di* (+ articolo), quando si paragonano due persone o due cose in base a una caratteristica (vedere *Allegro 2, Punto 2* a p.153);

- *che*, quando si paragonano due azioni o eventi, espresse/i da due verbi all'infinito.

Il pronome

→4 Pronomi combinati

I pronomi diretti e indiretti atoni, il pronome riflessivo *si*, ma anche *ci* e *ne* possono essere combinati fra di loro:

	lo	la	li	le	ne
mi	me lo	me la	me li	me le	me ne
ti	te lo	te la	te li	te le	te ne
gli, le, Le	glielo	gliela	glieli	gliele	gliene
ci	ce lo	ce la	ce li	ce le	ce ne
vi	ve lo	ve la	ve li	ve le	ve ne
gli	glielo	gliela	glieli	gliele	gliene
si	se lo	se la	se li	se le	se ne
ci	ce lo	ce la	ce li	ce le	ce ne

- Il pronome indiretto (*mi*, *ti*, *gli*, *le*, *Le*, *ci*, *vi*, *gli*) precede sempre il pronome diretto (*lo*, *la*, *li*, *le*) e cambia la vocale finale: *mi+lo* → **me lo**.
  Alla 3ª persona singolare e plurale inseriamo una **-e** subito dopo il pronome indiretto: *gli/le+lo* → **glielo**.
- I pronomi combinati si scrivono separati tra loro se precedono il verbo, tranne i pronomi combinati alla 3ª persona singolare e plurale (*glielo*, *gliela* ...); si scrivono insieme, formando una sola parola, quando seguono il verbo: **Me lo** *devi dire*. → *Devi dir***melo**.
- I pronomi *lo* e *la* possono prendere l'apostrofo davanti a vocale, *li* e *le* invece no:
  Te l'*insegno io*. → **Te li/le** *insegno io*.
- Il participio passato, di un passato prossimo con ausiliare *avere*, concorda in genere e numero con il pronome diretto. *Lo* e *la* davanti alle forme di *avere* prendono l'apostrofo (vedere *Allegro 2, Punto 5* a p. 155): ***Quando hai prestato la chitarra a Luigi? - Gliel'***ho presta**ta** *un mese fa.*

Per i pronomi combinati valgono le stesse regole della posizione nella frase dei pronomi diretti e indiretti atoni (vedere *Allegro 2*, *Punto 6* a p. 155):

Chi potrebbe prestarmi una chitarra?
- **Te la** presto io.

Bisogna dir**glielo**.
Andando**sene** mi ha abbracciato.
Era un cappotto molto bello. Infilato**selo**,
notò che era anche comodo.
Fam**melo** sapere!
Ma:
Me lo faccia sapere.

Puoi riparar**cela**? / **Ce la** puoi riparare?
Non dir**melo**! / Non **me lo** dire!

Prima
Di solito, vanno davanti al verbo coniugato.

Dopo
Si legano alla fine, formando un'unica parola, quando abbiamo:
- un *infinito* (cade la -**e** finale);
- un *gerundio* (vedere p. 181);
- un *participio passato* (vedere p. 181);
- un *imperativo*, non però alla 3ª persona singolare e plurale.

Prima o dopo
Tutte e due le costruzioni sono possibili quando abbiamo:
- i verbi modali ***dovere***, ***potere*** e ***volere***;
- la forma negativa dell'imperativo alla 2ª persona singolare.

Attenzione:

far**cela**	Non **ce la** faccio.
	Ce l'abbiamo fatta.
prender**sela**	Non **se la** prenda!
	Me la sono presa.
cavar**sela**	**Se la** cava sempre.
	Ce la siamo cavata.
andar**sene**	**Te ne** vai?
	Perché **ve ne** siete andati?
fregar**sene**	Marco **se ne** frega.
	Ce ne siamo fregati.

Con il *passato prossimo* di *far-cela*, *prendersela* e *cavarsela* il *participio passato* termina sempre in -**a**.

Ci e *ne*

→5 *Ci* **al posto di una parte di frase**

Credi **all'oroscopo**? - No, non **ci** credo.
Riuscite **a riparare il computer**? - No, non **ci** riusciamo.

Ci si riferisce a persone o cose menzionate prima oppure ad altri complementi con la preposizione *a*.

- I seguenti verbi richiedono un complemento con *a* che può essere sostituito da *ci*: *credere a*, *pensare a*, *riuscire a* (+verbo), *provare a* (+verbo).

→6 *Ne* **al posto di una parte di frase**

Tuo padre si intende **di vini sardi**? - No, non se **ne** intende.
Chi si occupa **di fare la spesa**? - Me **ne** occupo io.

Ne si riferisce a fatti o cose menzionati prima oppure ad altri complementi con la preposizione *di*.

- I seguenti verbi richiedono un complemento con *di* che può essere sostituito da *ne*: *dimenticarsi di*, *intendersi di*, *occuparsi di*, *parlare di*, *pentirsi di*, *ricordarsi di*, *soffrire di*.

→7 *Ne* con il *passato prossimo*

Ti piace questo vino?
- Sì, **ne** ho bevuto già un **bicchiere**.
- Sì, **ne** ho bevuti già tre **bicchieri**.
Hai comprato il *Mirto*?
- Sì, **ne** ho comprata una **bottiglia**.
- Sì, **ne** ho comprate due **bottiglie**.

Il participio passato, di un passato prossimo con ausiliare *avere*, concorda in genere e numero con il sostantivo a cui *ne* si riferisce.

Per altre funzioni di *ne* e *ci* vedere *Allegro 2*, pp. 155-156.

I pronomi relativi

→8 *Il/La quale* e *che/cui*

Il pronome relativo *il quale* può riferirsi, come i pronomi relativi invariabili *che* e *cui* (vedere *Allegro 2*, *Punto 8* a p. 156), sia a persone che a cose.
Il quale è variabile e concorda in genere e numero con il nome a cui si riferisce.
Al singolare usiamo *il/la quale*, al plurale *i/le quali*.
In genere, *che* e *cui* si usano soprattutto nella lingua parlata, la forma *il quale* si trova per lo più nella lingua scritta.

Alcune regioni hanno uno statuto speciale, **il quale/che** garantisce loro una maggiore autonomia.

Usiamo *il/la quale*:

- in contesti formali;

Ho visto **la sorella** di Vito, **la quale** ora vive a Parigi.   Ho visto la sorella di **Vito**, **il quale** ora vive a Parigi.

- al posto di *che* per eliminare qualsiasi ambiguità in una frase.

Nel 1946 ci fu un referendum **al quale/a cui** parteciparono anche le donne.   Non conosco le persone **delle quali/di cui** stai parlando.   Alcune regioni, **tra le quali/tra cui** la Sardegna, hanno uno statuto speciale.

- Dopo una preposizione usiamo *cui* oppure *il/la quale*. La preposizione si unisce eventualmente all'articolo determinativo, ad esempio: *al quale, delle quali ...*

→9 *Il/La cui*

Aldo, **la cui moglie** aspetta un bambino, non potrà venire.   La costa, **le cui spiagge** sono bellissime, è visitata da molti turisti.

- Il pronome relativo *cui* può essere preceduto dall'articolo determinativo *il/la/i/le*.

Attenzione:
L'articolo concorda in genere e numero con il sostantivo che segue:
Luigi, **la** *cui* **casa** ... *Luigi*, **il** *cui* **giardino** ...

Il verbo

Approfondimento grammaticale

Verbi e costruzioni particolari

→ 10 Il *passato prossimo* di *avere* e *essere*

I verbi *cominciare/iniziare*, *finire/terminare* e *cambiare* possono prendere al *passato prossimo* sia l'ausiliare *avere* sia l'ausiliare *essere*.

Il comune **ha** cominciato/iniziato i lavori.

L'orchestra **ha** finito/terminato di suonare.

Abbiamo cambiato i soldi.

■ Usiamo *avere*, quando nella frase c'è o ci potrebbe essere un complemento oggetto diretto o un verbo all'infinito. Il soggetto è quasi sempre una persona o una cosa (con riferimento sempre a delle persone).

Il concerto **è** cominciato/iniziato alle nove.

La discussione **è** finita/terminata.

I tempi **sono** cambiati.

■ Usiamo *essere* quando nella frase non ci può essere un complemento oggetto diretto.

→ 11 Il *passato prossimo* di *costare* e *bastare*

Il parcheggio non **è costato** tanto, così i soldi **sono bastati**.

Lo spettacolo è durato due ore.

■ I verbi *costare*, *durare* e *bastare* formano il *passato prossimo* con l'ausiliare *essere*. Il *participio passato* concorda in genere e numero con la parola a cui si riferisce.

→ 12 Significati diversi di *avere*, *sapere* e *conoscere* al passato

I verbi *avere*, *sapere* e *conoscere* hanno un diverso significato a seconda che li usiamo al *passato prossimo*, al *passato remoto* o all'*imperfetto*.

	Passato prossimo / Passato remoto	*Imperfetto*
avere	**Abbiamo avuto / Avemmo** paura.	**Avevamo** paura.
sapere	**Ho saputo / Seppi** del tuo incidente.	**Sapevo** già tutto.
conoscere	Sara **ha conosciuto / conobbe** Paolo a Roma.	**Conosceva** la verità.

→13 Particolarità della costruzione con il *si*

La costruzione impersonale del *si* + verbo alla terza persona singolare (vedere anche *Allegro 2*, *Punto 16* a p. 158) presenta le seguenti particolarità.

Si è scritto molto su questo film.	Nella costruzione con il *si*: ■ Il *passato prossimo* richiede sempre l'ausiliare ***essere***. Il *participio passato*, per i verbi che al *passato prossimo* prendono già l'ausiliare ***essere***, termina sempre in **-i**.
Si è partit**i** alle nove.	
Questo vino **si produce** in Sardegna.	*Fate attenzione*: La costruzione con il *si* sostituisce spesso la forma passiva (vedere anche *Punto 26* a p. 182).
La sera **ci si** incontra con gli amici. **Ci si è** divertit**i** molto.	■ Nella costruzione con il *si* impersonale + verbo riflessivo (p.es. ***incontrarsi, divertirsi***) abbiamo: *si* + *si* → *ci si*. Al *passato prossimo* il participio passato termina in **-i**.
Se **si è** unit**i**, **si è** più fort**i**. È importante essere attiv**i**.	■ Aggettivi che si riferiscono al *si impersonale* sono messi al plurale e terminano in **-i**. Questo è valido anche per altre costruzioni impersonali senza il *si*.

Fate attenzione:
In caso di persone di genere femminile, il participio passato o l'aggettivo terminano in **-e**:
Si è partite alle nove.
Se si è unite, si è più forti.

→14 Come esprimere un soggetto indefinito

In italiano, un soggetto indefinito può essere espresso in vari modi:

Quando **inaugurano** il nuovo teatro? **Hanno** portato questo pacchetto.	■ con il verbo alla terza persona plurale;
Quando **uno** è stanco deve andare a letto.	■ con ***uno*** + verbo alla terza persona singolare;
Qui non **si deve** fumare.	■ con *si* + verbo alla terza persona singolare.

→15 Esprimere la necessità di fare qualcosa

In italiano, la necessità di fare qualcosa può essere espressa in vari modi:

Il modulo **va** firmato. I moduli **vanno** firmati.	■ tramite la forma passiva con ***andare*** (vedere anche *Punto 27* a p. 182);
Bisogna finire il lavoro ancora oggi. **Bisogna** finire i lavori ancora oggi.	■ tramite ***bisogna*** + infinito;
C'è da restaurare il museo. **Ci sono da** restaurare i palazzi.	■ tramite *c'è da / ci sono da* + infinito;
Si deve comprare ancora il vino. **Si devono** comprare ancora le bevande.	■ *si deve / si devono* + infinito.

Formazione

Verbi regolari

	-are lavorare	-ere vendere	-ire partire
io	lavor**ai**	vend**ei**/vend**etti**	part**ii**
tu	lavor**asti**	vend**esti**	part**isti**
lui, lei, Lei	lavor**ò**	vend**é**/vend**ette**	part**ì**
noi	lavor**ammo**	vend**emmo**	part**immo**
voi	lavor**aste**	vend**este**	part**iste**
loro	lavor**arono**	vend**erono**/vend**ettero**	part**irono**

■ Soltanto pochi verbi in **-ere** hanno la forma del *passato remoto* regolare. I verbi regolari (p.es. *vendere*, *credere*, *temere*) hanno oltre alle forme corte in **-ei**, **-é** e **-erono** anche le forme lunghe in **-etti**, **-ette** e **-ettero**.
Con i verbi la cui radice finisce in **-t** usiamo soltanto le forme corte, p.es.:
potere → *potei*, *poté*, *poterono*.

Verbi irregolari

La maggior parte dei verbi in **-ere** e alcuni in **-ire** formano il *passato remoto* in modo irregolare (vedere anche p. 195). Ecco alcuni verbi usati frequentemente:

	avere	essere	dire	fare	prendere
io	**ebbi**	**fui**	**dissi**	**feci**	**presi**
tu	av**esti**	**fosti**	dic**esti**	fac**esti**	prend**esti**
lui, lei, Lei	**ebbe**	**fu**	**disse**	**fece**	**prese**
noi	av**emmo**	**fummo**	dic**emmo**	fac**emmo**	prend**emmo**
voi	av**este**	**foste**	dic**este**	fac**este**	prend**este**
loro	**ebbero**	**furono**	**dissero**	**fecero**	**presero**

■ Per poter coniugare un verbo irregolare al *passato remoto* bisogna conoscere la prima persona singolare. In genere, sono la prima e la terza persona singolare e la terza persona plurale a presentare forme irregolari, tutte le altre persone hanno forme regolari (ad eccezione di **essere**).

Uso

Il *passato remoto* è un tempo del passato e lo si trova soprattutto nella lingua scritta, per questo è importante conoscerlo ... per saperlo riconoscere. Il *passato remoto* compare in testi letterari, saggi storici, racconti autobiografici, ma anche articoli di giornale.

Casanova **cominciò** presto a viaggiare. **Visse** a Roma ed anche a Parigi. Dopo molti anni **rivide** la sua amata Venezia ma la sua vita si **concluse** in Boemia. **Morì** nel 1798.

Il *passato remoto* esprime un'azione o un avvenimento conclusi nel passato. Un'azione o un avvenimento, più o meno lontani nel tempo, ma certamente senza alcun riferimento al presente.

Casanova **nacque** a Venezia. I suoi genitori **erano** attori e non **avevano** tanto tempo per il loro figlio. Da bambino **visse** soprattutto con la nonna materna. **Studiò** a Padova e poi a Roma.

Per l'uso del *passato remoto* con *l'imperfetto* valgono le stesse regole del *passato prossimo* con l'*imperfetto* (vedere *Allegro 2, Punto 24* a p. 161).

■ Nell'Italia centrale e meridionale, il *passato remoto* è diffuso anche nella lingua parlata. Lo si usa al posto del *passato prossimo*, soprattutto per avvenimenti lontani dal presente.
Mio zio emigrò *in Belgio e ci* rimase *fino alla sua morte.*

→ **17** **Il futuro anteriore**

Formazione

Il *futuro anteriore* è formato dal futuro dell'ausiliare *avere* o *essere* + il participio passato del verbo:

	Futuro di avere + *particio passato*	*Futuro di* essere + *participio passato*
io	avrò	sarò } andato
tu	avrai	sarai }
lui, lei, Lei	avrà	sarà } andata
noi	avremo } lavorato	saremo } andati
voi	avrete	sarete }
loro	avranno	saranno } andate

Per la scelta del verbo ausiliare e la concordanza del participio passato valgono le stesse regole viste quando si è studiato il *passato prossimo* (vedere *Allegro 1, Punto 24* a p. 163).

Uso

Usiamo il *futuro anteriore* nei seguenti casi:

Quando **avrà compilato** il modulo potrà inviarlo per posta all'indirizzo indicato.

Ti chiamerò non appena **sarò arrivato**.

■ Per esprimere un'azione o un avvenimento che hanno luogo nel futuro prima di un'altra azione futura.

Non è venuto. **Avrà dimenticato** l'appuntamento.

Mauro non risponde al telefono, **sarà** già **andato** via.

■ Per formulare ipotesi o supposizioni che si riferiscono al passato.

→ 18 **Il condizionale passato**

Formazione

Il *condizionale passato* è formato dal condizionale dell'ausiliare *avere* o *essere* + il participio passato del verbo:

	Condizionale di avere + *participio*	*Condizionale di* essere + *participio*	
io	avrei	sarei	andato
tu	avresti	saresti	andata
lui, lei, Lei	avrebbe	sarebbe	
noi	avremmo	lavorato	saremmo	andati
voi	avreste	sareste	andate
loro	avrebbero	sarebbero	

Per la scelta del verbo ausiliare e la concordanza del participio passato valgono le stesse regole che abbiamo visto studiando il *passato prossimo* (vedere *Allegro 1*, *Punto 24* a p. 163).

Uso

Usiamo il *condizionale passato* nei seguenti casi:

Secondo me **sarebbe stato** meglio partire subito.	■ per formulare un'ipotesi;
Tu cosa **avresti fatto** al mio posto?	
Disse che un giorno **avrebbe fatto** il giro del mondo.	■ per descrivere un avvenimento posteriore (il futuro nel passato) nel discorso indiretto (vedere anche p. 188);
Se avessi detto qualcosa, ti **avremmo aiutato**.	■ nel periodo ipotetico e nelle proposizioni condizionali con *se* (vedere anche *Punto 33* a p. 185).

→ 19 **Uso del congiuntivo con verbi o espressioni particolari**

Il *congiuntivo* compare, in genere, in proposizioni subordinate che sono introdotte da *che*. Il *congiuntivo* esprime soprattutto l'opinione soggettiva di chi parla (p.es. il dubbio) su ciò che avviene nella realtà. Per questo il *congiuntivo* è posto dopo verbi o espressioni particolari. Ne fanno parte:

Penso che Claudio abbia ragione.	■ Verbi che esprimono parere o convinzione: *pensare*, *credere*, *trovare*;
Non sopporto che tu mi faccia aspettare. **Temo che** sia troppo tardi. **Ho paura che** il bambino si faccia male.	■ Verbi che esprimono emozioni e stati d'animo: *non sopportare*, *temere*, *avere paura*, *essere contento*;
Vuole che Le porti il libro?	■ Verbi che esprimono desiderio: *preferire*, *volere*.

Non sono sicuro che ce la facciate.
Non so se sia vero quello che dice.

■ Verbi che esprimono dubbio o in-sicurezza: *non essere sicuro*, *non sapere*;

Bisogna che accettino compromessi.

Mi sembra che lui abbia solo voglia di litigare.

Mi dispiace che lui non possa venire.

È meglio che Lei dica la verità.

È necessario che venga anche lui.

È importante che firmiate anche voi.

Non è giusto che tu sia sempre in ritardo.

■ Verbi impersonali ed espressioni particolari, caratterizzate da è + aggettivo, le quali esprimono un'opinione: *basta, bisogna, (mi) sembra/pare, mi dà fastidio, mi piace, mi dispiace*; *è meglio, (non) è necessario, (non) è importante, (non) è possibile, (non) è giusto*.

Usiamo il *congiuntivo* nei seguenti casi:

Preferirei che mi **informaste** subito.

Non **vorrei** che **fosse successo** qualcosa.

■ con le preposizioni desiderative in cui abbiamo un verbo al condizionale nella principale e un verbo al congiuntivo imperfetto o trapassato nella secondaria.

Ti scrivo subito **affinché** tu sappia tutto.

Finisco la lettera **prima che** inizi il film.

Nonostante sia stanco, continuo a lavorare.

■ dopo alcune congiunzioni (vedere anche pp. 183-184): *affinché/perché, prima che, nonostante/malgrado/sebbene/benché, a meno che non, a patto che/a condizione che*.

→ **20** **Il congiuntivo presente**

Formazione

Verbi regolari

	-are	-ere	-ire	
	lavorare	scrivere	partire	finire
che io	lavor**i**	scriv**a**	part**a**	fin**isca**
che tu	lavor**i**	scriv**a**	part**a**	fin**isca**
che lui, lei, Lei	lavor**i**	scriv**a**	part**a**	fin**isca**
che noi	lavor**iamo**	scriv**iamo**	part**iamo**	fin**iamo**
che voi	lavor**iate**	scriv**iate**	part**iate**	fin**iate**
che loro	lavor**ino**	scriv**ano**	part**ano**	fin**iscano**

Come possiamo vedere le forme verbali sono uguali per le tre persone singolari. Per questo spesso è necessario, per evitare equivoci, specificare il pronome personale soggetto: *Voglio che lui parta*.

Verbi irregolari

Quasi tutti i verbi che al presente indicativo sono regolari generalmente lo sono anche al congiuntivo presente (vedere anche p. 195 e sgg.). Ecco alcuni verbi irregolari usati frequentemente:

	avere	essere	andare	venire	fare
che io	abbia	sia	vada	venga	faccia
che tu	abbia	sia	vada	venga	faccia
che lui, lei, Lei	abbia	sia	vada	venga	faccia
che noi	abbiamo	siamo	andiamo	veniamo	facciamo
che voi	abbiate	siate	andiate	veniate	facciate
che loro	abbiano	siano	vadano	vengano	facciano

■ Ad eccezione di *avere*, *essere* e *sapere* la forma irregolare dei verbi al *congiuntivo presente* può essere ricavata dalla prima persona singolare dell'indicativo presente (p.es. *vado* → *vada*).

Uso

Usiamo il *congiuntivo presente* per esprimere un giudizio soggettivo su avvenimenti che accadono al presente e dopo i soliti verbi o espressioni particolari (vedere *Punto 19* a p. 177):
***Non credo che Bruno* abbia *ragione*.**
***È importante che tu mi* dica *la verità*.**

Fate attenzione:
Usiamo *di + infinito* se esiste identità di soggetto, cioè se abbiamo lo stesso soggetto nella proposizione principale e nella proposizione secondaria:
***Penso* di avere *ragione*.**

→ 21 Il congiuntivo passato

Formazione

Il *congiuntivo passato* è formato dal congiuntivo presente dell'ausiliare *avere* o *essere* + il participio passato del verbo:

	Congiuntivo presente di avere + *participio passato*		Congiuntivo presente di essere + *participio passato*	
che io	abbi		sia	
che tu	abbia		sia	andato
che lui, lei, Lei	abbia		sia	andata
che noi	abbiamo	lavorato	siamo	
che voi	abbiate		siate	andati
che loro	abbiano		siano	andate

Per la scelta del verbo ausiliare e la concordanza del participio passato valgono le stesse regole viste quando si è studiato il *passato prossimo* (vedere *Allegro 1, Punto 24* a p. 163).

Uso

Usiamo il *congiuntivo passato* per esprimere un giudizio soggettivo su avvenimenti che accadono nel passato e dopo i soliti verbi o espressioni particolari (vedere *Punto 19* a p. 177):
***Credo che Paolo* sia già tornato.**
***Pare che* abbiamo lavorato *molto*.**

→ 22 Il congiuntivo imperfetto

Formazione

	-are lavorare	-ere scrivere	-ire partire	essere
che io	lavorassi	scrivessi	partissi	fossi
che tu	lavorassi	scrivessi	partissi	fossi
che lui, lei, Lei	lavorasse	scrivesse	partisse	fosse
che noi	lavorassimo	scrivessimo	partissimo	fossimo
che voi	lavoraste	scriveste	partiste	foste
che loro	lavorassero	scrivessero	partissero	fossero

Alcuni verbi hanno delle forme irregolari, p. es. *dare* → *dessi*, *dire* → *dicessi*, *fare* → *facessi*, *stare* → *stessi* (vedere anche p. 195 sgg.).

Uso

Usiamo il *congiuntivo imperfetto* nei seguenti casi:

Temevo che Luca non **superasse** l'esame. Era importante che **dicesse** la verità.	■ Dopo i soliti verbi ed espressioni particolari (vedere *Punto 19* a p. 177). Il tempo della proposizione principale deve essere naturalmente al passato (vedere anche la *Concordanza dei tempi, Punto 34* a p. 187).
Vorrei che tu **comprendessi** il mio punto di vista.	■ Nel caso particolare del *condizionale* per esprimere un desiderio.
Se **avessimo** più soldi, compreremmo una casa.	■ Nel periodo ipotetico (vedere *Punto 33* a p. 185).
Che ne diresti se ci **andassimo** insieme?	■ Per formulare suggerimenti o richieste in modo gentile.

→ 23 Il congiuntivo trapassato

Il *congiuntivo trapassato* è formato dal congiuntivo imperfetto dell'ausiliare *avere* o *essere* + il participio passato del verbo:

Formazione

	Congiuntivo imperfetto di avere+*participio passato*		*Congiuntivo imperfetto di* essere+*participio passato*	
che io	avessi		fossi	andato
che tu	avessi		fossi	andata
che lui, lei, Lei	avesse	lavorato	fosse	
che noi	avessimo		fossimo	andati
che voi	aveste		foste	andate
che loro	avessero		fossero	

Per la scelta del verbo ausiliare e la concordanza del participio passato valgono le stesse regole viste quando si è studiato il *passato prossimo* (vedere *Allegro 1, Punto 24* a p. 163).

Uso

Usiamo il *congiuntivo trapassato* nei seguenti casi:

Credevo che **fossi stato** all'estero. Mi dispiaceva che **avessero litigato**.	■ Dopo i soliti verbi ed espressioni particolari (vedere *Punto 19* a p. 177). La proposizione principale esprime un'azione al passato, mentre la proposizione subordinata esprime un'azione anteriore a quella della proposizione principale (vedere anche la *Concordanza dei tempi, Punto 34* a p. 187).
Se **avessi detto** qualcosa, saremmo venuti.	■ Nel periodo ipotetico (vedere *Punto 33* a p. 185).

→24 Il gerundio

Il *gerundio* può essere usato al posto di una proposizione secondaria se il soggetto è uguale a quello della proposizione principale. La funzione del gerundio si deduce dal contesto e può essere la seguente:

Leggo il giornale **facendo** colazione.	■ di contemporaneità;
Prendendo un taxi ce la facciamo ad arrivare puntuali.	■ al posto della proposizione condizionale/ipotetica (vedere *Punto 33* a p. 185);
Essendo stanca, Chiara restò a casa.	■ di causa;
I sardi, **pur vivendo** su un'isola, non hanno una tradizione marinara.	■ concessiva (usiamo *pur* + *gerundio*).

■ Per esprimere anteriorità (*gerundio passato*) si usa il gerundio dell'ausiliare *avere* o *essere* + il participio passato del verbo:
Avendo studiato *molto non avevo paura dell'esame.*
Essendo stato *molti anni in Italia parla perfettamente l'italiano.*

■ I pronomi diretti e indiretti, di forma atona, come anche *ci* e *ne* si uniscono al *gerundio*:
Vedendolo gli sono andato incontro.

→25 Il participio passato

Il *participio passato*, soprattutto nella lingua scritta, può essere usato per accorciare una proposizione relativa oppure una proposizione temporale secondaria introdotta da **quando** o **dopo**. Il *participio passato* concorda in genere e numero con la parola a cui si riferisce.

Ti mando le foto **fatte** una settimana fa. (= le foto **che ho fatto**) Lia è il nome **datole** da mio figlio. (= il nome **che le è stato dato**)	Se una proposizione viene accorciata, il participio passato va subito dopo il sostantivo cui si riferisce. I pronomi si uniscono con il participio formando un'unica parola.
Finito il lavoro, Carla si riposò. (= **Quando ebbe finito** il lavoro) **Fatta** l'Italia, bisogna fare gli italiani. (= **Dopo aver fatto** l'Italia)	Se si accorcia una proposizione temporale, il participio passato in genere si mette davanti alla parola cui si riferisce.

La forma passiva

Con l'uso della forma passiva, in un certo senso, si enfatizza l'oggetto dell'azione mettendolo in evidenza. Il soggetto dell'azione, spesso impersonale, di conseguenza, passa in secondo piano perdendo importanza.

→ 26 La forma passiva con *essere* e *venire*

Gli emiliani **sono considerati** persone molto aperte.

La prima università **è stata fondata** a Bologna.

La via Emilia **fu costruita** nel II secolo.

La costa **viene frequentata** da molti turisti.

L'abbazia **verrà restaurata** l'anno prossimo.

Un tempo il ladino **veniva parlato** da molte più persone.

- Per la forma passiva usiamo la costruzione con *essere* + *participio passato*. Il participio concorda in genere e numero con il soggetto.

- Usiamo la costruzione della forma passiva con *venire* + *participio passato* per esprimere un'azione nel suo sviluppo. Costruzione che possiamo usare soltanto per i tempi semplici (*presente, futuro, imperfetto, passato remoto*).

- Usiamo la preposizione *da* per introdurre e menzionare l'autore che compie o provoca l'azione:
  La via Emilia fu costruita dai Romani.
- Spesso *essere* + *participio passato* non esprime un'azione ma uno stato:
  La porta è chiusa.
  La porta viene chiusa.
- In italiano, spesso si usa la costruzione con il *si* (vedere *Punto 13* a p. 174):
  Ad Alghero si parla il catalano.

→ 27 La forma passiva con *andare*

Le leggi **vanno rispettate**.

Questo vino **va bevuto** piuttosto freddo.

- La costruzione della forma passiva con *andare* + *participio passato* si usa per esprimere regole, obblighi e in genere assume un significato di dovere, necessità.

Le congiunzioni

Grazie alle congiunzioni, che sono invariabili, possiamo collegare due frasi tra loro o due parti di una stessa frase. In base al tipo di collegamento, distinguiamo le congiunzioni coordinative (p. es. *e, ma*), che creano un collegamento equivalente tra frasi o parti di frase e le congiunzioni subordinative (p. es. *se, nonostante*), che creano un rapporto di dipendenza e introducono una proposizione subordinata.

Congiunzioni coordinative

Le congiunzioni coordinative possono avere le seguenti funzioni:

So parlare il tedesco **e** il francese.	■ di coordinazione: *e, anche*;
Andiamo al cinema **o** a teatro?	■ di alternativa: *o*;
Io preferisco il vino bianco, a mio marito **invece** piace il vino rosso.	■ di opposizione: *ma, però, invece, eppure, tuttavia*;
Sono arrivato presto, **perciò** ho trovato i biglietti.	■ di conclusiva conseguenza: *dunque, quindi, perciò, così/allora*;
Arrivo sabato, **cioè** il dieci.	■ di spiegazione: *cioè, infatti*;
Il Cannonau è un ottimo vino **sia** con piatti di carne **sia/che** con i formaggi.	■ di correlazione, relazioni reciproche: *sia … sia/che, né … né*.

Congiunzioni subordinative

Le congiunzioni subordinative introducono proposizioni dipendenti, subordinate. I tempi dei verbi della proposizione subordinata rispetto al tempo dei verbi della proposizione principale seguono le regole della concordanza dei tempi (vedere *Punto 34* a p. 186).
La congiunzione in grassetto è quella che richiede il modo congiuntivo.

→28 Temporali

quando	**Quando** è arrivato Enzo stavamo guardando il telegiornale. Accendo la TV **quando** c'è il telegiornale.
da quando	**Da quando** abito in centro mi manca la natura.
mentre	**Mentre** guardavo il telegiornale mi sono addormentata.
finché	**Finché** ho vissuto in campagna ho sempre avuto cani grandi.
finche non	Deve aspettare **finché non** avranno controllato i bagagli.
non appena	**Non appena** ho capito che la valigia non c'era ho fatto la denuncia.
prima che	Potremmo mangiare insieme **prima che** inizi il film.
prima di	Potremmo mangiare insieme **prima di** andare al cinema.
dopo	Potremmo mangiare insieme **dopo** aver visitato il museo.

■ La congiunzione *mentre* precede il verbo, la preposizione *durante* precede il sostantivo.
Mentre viaggiamo *ci piace ascoltare la musica*.
Durante il viaggio *ci piace ascoltare la musica*.

- Se si hanno due soggetti identici, al posto di una proposizione subordinata con **mentre** si può usare il *gerundio* (vedere anche il *Punto 24* a p. 181): **Guardando** *il telegionale mi sono addormentata*.
- La congiunzione **prima che** richiede il *congiuntivo*. Usiamo **prima che** quando il soggetto della proposizione principale è diverso da quello della proposizione subordinata. Se abbiamo identità di soggetti, se cioè i soggetti sono uguali usiamo **prima di + infinito**:
  Finisco il lavoro prima che inizi il film.
  Finisco il lavoro prima di andare a teatro.
- **Dopo** è seguito dall'infinito passato : **Dopo aver fatto** *la doccia preparo la colazione*.

→ 29 Causali

perché	Ho lasciato un messaggio, **perché** Anna non è in ufficio.
siccome visto che dato che poiché	**Siccome** Anna non è in ufficio le ho lasciato un messaggio.

Una proposizione subordinata introdotta da **perché**, in genere, segue la proposizione principale. **Siccome**, **visto che**, **dato che** e **poiché**, invece, introducono una proposizione subordinata che precede la proposizione principale.

- Se abbiamo due soggetti identici possiamo usare il *gerundio* (vedere anche il *Punto 24* a p. 181): **Non** avendo trovato *Anna in ufficio le ho lasciato un messaggio*.

→ 30 Finali (fine/scopo)

affinché	A scuola si impara anche il dialetto **affinché** non vada dimenticato.
perché	Mando mio figlio in Inghilterra **perché** migliori il suo inglese.

- *Fate attenzione:*
  Perché con valore consecutivo richiede il modo *congiuntivo*, il **perché** con valore causale, invece, richiede il modo indicativo.

→ 31 Concessive

anche se	Non sono ancora stato a Lecco **anche se** è vicino.
nonostante **sebbene** **malgrado** **benché**	Non sono ancora stato a Lecco **nonostante** sia vicino.

Anche se (+ indicativo) si usa piuttosto nella lingua parlata.

Le congiunzioni **nonostante**, **sebbene**, **malgrado**, **benché** richiedono il congiuntivo.

- Se abbiamo due soggetti identici possiamo usare **pur+gerundio** (vedere anche il *Punto 24* a p. 181): **Pur vivendo** *vicino a Lecco, non ci sono ancora stato.*

→ **32** Condizionali

se	**Se** stasera ho tempo, vado al cinema.
a meno che non	Veniamo a piedi **a meno che non** piova.
a patto che **a condizione che**	Può tornare a casa **a patto che** si metta a riposo.

- *Se* generalmente ha il significato di *nel caso che*; nel significato di *ogni volta che* può essere espresso con *quando*: **Quando** *ho tempo, vado al cinema.*
  Sulle proposizioni condizionali/ipotetiche con il *se*, vedere il *Punto 33*.

La congiunzione *che*

che	Sono sicuro **che** anche Anna viene / verrà alla festa. Temo **che** Mauro non arrivi in tempo.

- La congiunzione *che* può essere seguita da un'indicativo, un congiuntivo e un condizionale. Per le regole al riguardo vedere *La concordanza dei tempi* a p. 186 e *Il discorso indiretto* a p. 187.

→ **33** **Il periodo ipotetico**

Il periodo ipotetico consiste in due frasi: la proposizione subordinata (detta condizionale/ipotetica) introdotta da *se* e che contiene la condizione, e la proposizione principale che esprime la conseguenza. In base alla possibilità di realizzazione (reale, possibile, irreale) della condizione, e della conseguenza, si usano tempi diversi.
Se la condizione e la conseguenza sono molto probabili e la loro realizzazione è considerata possibile, si usa l'*indicativo*:

Se stasera **ho** tempo, **vado** al cinema.	*se + indicativo - indicativo*

Se la condizione e la conseguenza sono possibili, ma la loro realizzazione è considerata poco probabile, si usa *congiuntivo imperfetto* nella proposizione subordinata e il *condizionale* nella proposizione principale:

Se avessimo più soldi, **compreremmo** una casa.	*se + congiuntivo imperfetto - condizionale presente*

- La frase con il *se* con il *congiuntivo imperfetto* (senza la proposizione principale) è usata anche per esprimere proposte o richieste:
  E se ci andassimo insieme?
  E se mi dessi una mano tu?

Se la condizione e la conseguenza sono irreali, anche perché fanno spesso riferimento al passato, e quindi non sono realizzabili, si usa il *congiuntivo trapassato* nella proposizione subordinata e il *condizionale passato* nella proposizione principale:

Se avessi detto qualcosa, ti **avremmo aiutato**. **Se fossi stato** al posto tuo, non l'**avrei fatto**.	*se* + *congiuntivo trapassato* - *condizionale passato*

- Nella lingua parlata si usa, in entrambe le proposizioni, l'imperfetto indicativo:
  Se **dicevi** *qualcosa, ti* **aiutavamo**.

→34 La concordanza dei tempi

La concordanza dei tempi determina la corretta scelta dei tempi dei verbi presenti nelle proposizioni principali e in quelle subordinate. Nella proposizione subordinata la forma verbale dipende:
- dal verbo della proposizione principale, se richiede l'indicativo o il congiuntivo;
- dal tipo di relazione temporale che esiste rispetto alla proposizione principale: anteriorità, contemporaneità, posteriorità;
- dalla forma verbale della proposizione principale, se appartiene cioè al presente o al passato. Le forme verbali appartenenti alla categoria del Presente sono: il *presente*, il *futuro* e l'*imperativo*. Le forme verbali appartenenti alla categoria del Passato sono: l'*imperfetto*, il *passato prossimo*, il *trapassato prossimo* e il *passato remoto*.

La concordanza dei tempi con l'indicativo

Proposizione principale (presente)	Proposizione secondaria	Relazione rispetto alla principale
Sono sicuro che	la mia collega **ha lavorato** molto.	■ anteriorità: *passato prossimo*
	è molto brava.	■ contemporaneità: *presente*
	si **troverà** bene a Viterbo.	■ posteriorità: *futuro*

Proposizione principale (passato)	Proposizione secondaria	Relazione rispetto alla principale
Ero sicuro che	la mia collega **aveva lavorato** molto.	■ anteriorità: *trapassato prossimo*
	era molto brava.	■ contemporaneità: *imperfetto*
	si **sarebbe trovata** bene a Viterbo.	■ posteriorità: *condizionale passato*

- Se abbiamo i soggetti uguali avremo la costruzione ***infinito + di***: ***Sono/Ero sicuro di farcela***.
- La concordanza dei tempi con frasi in cui compare il modo indicativo interessa anche il discorso indiretto (vedere *Punto 35* a p. 187).

La concordanza dei tempi con il congiuntivo

Proposizione principale (presente)	Proposizione secondaria	Relazione rispetto alla principale
Credo che	la mia collega **abbia lavorato** molto.	■ anteriorità: *congiuntivo passato*
	sia molto brava.	■ contemporaneità: *congiuntivo presente*
	si **troverà** bene a Viterbo.	■ posteriorità: *futuro*

Proposizione principale (passato)	Proposizione secondaria	Relazione rispetto alla principale
Credevo che	la mia collega **avesse lavorato** molto.	■ anteriorità: *congiuntivo trapassato*
	fosse molto brava.	■ contemporaneità: *congiuntivo imperfetto*
	si **sarebbe trovata** bene a Viterbo.	■ posteriorità: *condizionale passato*

■ Se abbiamo lo stesso soggetto sia nella proposizione principale sia in quella secondaria, usiamo la costruzione *di + infinito*:
Credo/Credevo di farcela *in poco tempo*.
Riguardo ai verbi ed espressioni particolari che richiedono il congiuntivo, vedere il *Punto 19* a p. 177.

→ 35 Il discorso indiretto

Il discorso indiretto è introdotto, in genere, dai verbi *dire, rispondere, scrivere ...*:
Silvio dice che non **può** *venire*.
È la forma temporale del verbo della reggente che determina quali tempi verbali usare nel discorso indiretto, nella subordinata.

Il discorso indiretto con riferimento al presente

Se il verbo reggente è al *presente*, al *futuro* o al *passato prossimo* (in relazione con il presente), si usano gli stessi tempi come nel discorso diretto:

Discorso diretto	Discorso indiretto
Il manager dice/dirà/ha detto: "Ognuno **ha dato** il proprio contributo." "Da noi si **lavora** bene." "**Continueremo** con la nostra strategia di mercato." "Mi **piacerebbe** creare nuovi prodotti."	Il manager dice/dirà/ha detto che ... ... ognuno **ha dato** il proprio contributo. ... da loro si **lavora** bene. ... **continueranno** con la loro strategia di mercato. ... gli **piacerebbe** creare nuovi prodotti.

Il discorso indiretto con riferimento al passato

Se il verbo reggente è all'*imperfetto*, al *passato prossimo* o al *passato remoto* abbiamo i seguenti cambiamenti:

Discorso diretto	Discorso indiretto
Il manager diceva/ha detto/disse: "Ognuno **ha dato** il proprio contributo." "Da noi si **lavora** bene." "**Continueremo** con la nostra strategia di mercato." "Mi **piacerebbe** creare nuovi prodotti."	Il manager diceva/ha detto/disse che … … ognuno **aveva dato** il proprio contributo. … da loro si **lavorava** bene. … **avrebbero continuato** con la loro strategia di mercato. … gli **sarebbe piaciuto** creare nuovi prodotti.

- Il *passato prossimo* del discorso diretto diventa nel discorso indiretto *trapassato prossimo* (relazione di anteriorità).
- Il presente diventa *imperfetto* (relazione di contemporaneità).
- Il *futuro* diventa *condizionale passato* (relazione di posteriorità).
- Il *condizionale* diventa *condizionale passato*.
- Non ci sono cambiamenti con l'*imperfetto* e il *trapassato prossimo*: **"Ero** *molto stanco perché* **avevo dormito** *poco."* → *Raccontò che* era *molto stanco perché* aveva dormito *poco.*

Altre regole e indicazioni

- Il *passato prossimo* come forma temporale rientra sia nel presente sia nel passato. Quindi, con un verbo nella reggente al *passato prossimo* abbiamo le seguenti possibilità:
  Ha detto *che Maria non* **sta** *bene.*
  Ha detto *che il bambino* era *malato.*
- Per la domanda indiretta valgano le stesse regole del discorso indiretto:
  Marco chiede se c'è anche Sara.
  Dopo un verbo nella reggente all'*imperfetto*, al *passato prossimo* o al *passato remoto* possiamo usare sia l'indicativo che il congiuntivo:
  Mi chiese se conoscevo/conoscessi la madre di Luca.
- Il modo imperativo nel discorso indiretto diventa, indipendentemente dal tempo del verbo reggente, una costruzione con l'infinito:
  "Pensiamo al futuro!" → *Il manager dice/disse* di pensare *al futuro.*

Dal discorso diretto al discorso indiretto (come per la domanda indiretta) ci possono essere cambiamenti, oltre alla forma verbale, anche di altri elementi della frase.

Discorso diretto	Discorso indiretto	Possono cambiare:
Il manager dice: "**Sono** contento del lavoro." "Da **noi** non ci si lamenta." "**Qui** lavoriamo bene." "Abbiamo avuto **questa** idea." "**I nostri** prodotti sono famosi."	Il manager dice che … … è contento del lavoro. … da **loro** non ci si lamenta. … **lì** lavorano bene. … hanno avuto **quella** idea. … **i loro** prodotti sono famosi.	▪ il tempo del verbo ▪ i pronomi personali ▪ gli avverbi ▪ i dimostrativi ▪ i possessivi.

- Altri esempi di come cambiano alcuni avverbi di tempo:
  adesso/ora → *allora, oggi* → *quel giorno, domani* → *il giorno dopo, ieri* → *il giorno prima.*

La formazione delle parole

→36 **Suffissi (diminutivi e accrescitivi)**

L'italiano è ricco di suffissi con cui si dà una certa sfumatura a un sostantivo o a un aggettivo. I suffissi più frequenti rientrano nei diminutivi e negli accrescitivi:

La Moka Express ha avuto un success**one**.	**-one**	Accrescitivo
Queste bambol**ine** sono di porcellana. Mi piace il tuo zain**etto**. A che cosa serve questa campan**ella** di vetro?	**-ino/a** **-etto/a** **-ello/a**	Diminutivo

- Tramite il suffisso **-one** sostantivi femminili diventano per lo più maschili:
  una bottiglia → *un bottiglione*.
- L'uso dei suffissi in alcuni casi cambia il tema del sostantivo: *un uomo* → *un omino*.
- A volte un sostantivo può essere alterato da due suffissi diversi che esprimono lo stesso significato:
  un pacco → *un pacchetto* → *un pacchettino*.
- Il suffisso **-accio/a** dà a un sostantivo un significato spregiativo:
  parola → *parolaccia*, *occhi* → *occhiacci*.

→37 **La formazione degli aggettivi**

mangiare → mangi**abile** prevedere → preved**ibile** comprendere → comprens**ibile**

Con i suffissi **-abile/-ibile** si possono formare aggettivi partendo dall'infinito dei verbi.

sconosciuto **dis**abitato **in**comprensibile **im**bevibile **im**mangiabile **im**prevedibile **il**leggibile **ir**ripetibile

I prefissi **s-**, **dis-** e **in-** esprimono negazione.
Fate attenzione:
Il prefisso **in-** si adegua davanti ad alcune consonanti che seguono. Così diventa:
- **im-** davanti alle consonanti **b**, **m** e **p**;
- **il-** e **ir-** davanti alle consonanti **l** e **r**.

Appendice: Coniugazione dei verbi

Verbi regolari

Verbi in -*are*

Infinito: lavorare   **Participio passato**: lavorato   **Gerundio**: lavorando

Indicativo

Presente	Passato prossimo		Imperfetto	Trapassato prossimo	
lavoro	ho		lavoravo	avevo	
lavori	hai		lavoravi	avevi	
lavora	ha	lavorato	lavorava	aveva	lavorato
lavoriamo	abbiamo		lavoravamo	avevamo	
lavorate	avete		lavoravate	avevate	
lavorano	hanno		lavoravano	avevano	

Futuro semplice	Futuro anteriore		Passato remoto
lavorerò	avrò		lavorai
lavorerai	avrai		lavorasti
lavorerà	avrà	lavorato	lavorò
lavoreremo	avremo		lavorammo
lavorerete	avrete		lavoraste
lavoreranno	avranno		lavorarono

Congiuntivo

Presente	Passato		Imperfetto	Trapassato	
lavori	abbia		lavorassi	avessi	
lavori	abbia		lavorassi	avessi	
lavori	abbia	lavorato	lavorasse	avesse	lavorato
lavoriamo	abbiamo		lavorassimo	avessimo	
lavoriate	abbiate		lavoraste	aveste	
lavorino	abbiano		lavorassero	avessero	

Condizionale

Presente	Passato	
lavorerei	avrei	
lavoreresti	avresti	
lavorerebbe	avrebbe	lavorato
lavoreremmo	avremmo	
lavorereste	avreste	
lavorerebbero	avrebbero	

Imperativo

lavora
lavori
lavoriamo
lavorate

Verbi in -ere

Infinito: vendere	*Participio passato*: venduto	*Gerundio*: vendendo

Indicativo

Presente	*Passato prossimo*		*Imperfetto*	*Trapassato prossimo*	
vendo	ho		vendevo	avevo	
vendi	hai		vendevi	avevi	
vende	ha	venduto	vendeva	aveva	venduto
vendiamo	abbiamo		vendevamo	avevamo	
vendete	avete		vendevate	avevate	
vendono	hanno		vendevano	avevano	

Futuro semplice	*Futuro anteriore*		*Passato remoto*
venderò	avrò		vendei / vendetti
venderai	avrai		vendesti
venderà	avrà	venduto	vendé / vendette
venderemo	avremo		vendemmo
venderete	avrete		vendeste
venderanno	avranno		venderono / vendettero

Congiuntivo

Presente	*Passato*		*Imperfetto*	*Trapassato*	
venda	abbia		vendessi	avessi	
venda	abbia		vendessi	avessi	
venda	abbia	venduto	vendesse	avesse	venduto
vendiamo	abbiamo		vendessimo	avessimo	
vendiate	abbiate		vendeste	aveste	
vendano	abbiano		vendessero	avessero	

Condizionale

Presente	*Passato*	
venderei	avrei	
venderesti	avresti	
venderebbe	avrebbe	venduto
venderemmo	avremmo	
vendereste	avreste	
venderebbero	avrebbero	

Imperativo

vendi
venda
vendiamo
vendete

Verbi in -ire

Infinito: sentire   **Participio passato**: sentito   **Gerundio**: sentendo

Indicativo

Presente	Passato prossimo		Imperfetto	Trapassato prossimo	
sento	ho		sentivo	avevo	
senti	hai		sentivi	avevi	
sente	ha	sentito	sentiva	aveva	sentito
sentiamo	abbiamo		sentivamo	avevamo	
sentite	avete		sentivate	avevate	
sentono	hanno		sentivano	avevano	

Futuro semplice	Futuro anteriore		Passato remoto
sentirò	avrò		sentii
sentirai	avrai		sentisti
sentirà	avrà	sentito	sentì
sentiremo	avremo		sentimmo
sentirete	avrete		sentiste
sentiranno	avranno		sentirono

Congiuntivo

Presente	Passato		Imperfetto	Trapassato	
senta	abbia		sentissi	avessi	
senta	abbia		sentissi	avessi	
senta	abbia	sentito	sentisse	avesse	sentito
sentiamo	abbiamo		sentissimo	avessimo	
sentiate	abbiate		sentiste	aveste	
sentano	abbiano		sentissero	avessero	

Condizionale

Presente	Passato	
sentirei	avrei	
sentiresti	avresti	
sentirebbe	avrebbe	sentito
sentiremmo	avremmo	
sentireste	avreste	
sentirebbero	avrebbero	

Imperativo

senti
senta
sentiamo
sentite

Verbi in -ire con l'infisso -isc-:

Indicativo presente	Congiuntivo presente	Imperativo
finisco	finisca	finisci
finisci	finisca	finisca
finisce	finisca	finiamo
finiamo	finiamo	finite
finite	finiate	
finiscono	finiscano	

Come anche: *capire, contribuire, costruire, definire, favorire, ferire, garantire, impedire, intuire, ostruire, preferire, restituire, ricostruire*

Avere

Infinito: avere	*Participio passato*: avuto	*Gerundio*: avendo

Indicativo

Presente	*Passato prossimo*		*Imperfetto*	*Trapassato prossimo*	
ho	ho		avevo	avevo	
hai	hai		avevi	avevi	
ha	ha	avuto	aveva	aveva	avuto
abbiamo	abbiamo		avevamo	avevamo	
avete	avete		avevate	avevate	
hanno	hanno		avevano	avevano	

Futuro semplice	*Futuro anteriore*		*Passato remoto*
avrò	avrò		ebbi
avrai	avrai		avesti
avrà	avrà	avuto	ebbe
avremo	avremo		avemmo
avrete	avrete		aveste
avranno	avranno		ebbero

Congiuntivo

Presente	*Passato*		*Imperfetto*	*Trapassato*	
abbia	abbia		avessi	avessi	
abbia	abbia		avessi	avessi	
abbia	abbia	avuto	avesse	avesse	avuto
abbiamo	abbiamo		avessimo	avessimo	
abbiate	abbiate		aveste	aveste	
abbiano	abbiano		avessero	avessero	

Condizionale

Presente	*Passato*	
avrei	avrei	
avresti	avresti	
avrebbe	avrebbe	avuto
avremmo	avremmo	
avreste	avreste	
avrebbero	avrebbero	

Imperativo

abbi
abbia
abbiamo
abbiate

Essere

Infinito: essere   **Participio passato**: stato   **Gerundio**: essendo

Indicativo

Presente	Passato prossimo		Imperfetto	Trapassato prossimo	
sono	sono		ero	ero	
sei	sei	stato/-a	eri	eri	stato/-a
è	è		era	era	
siamo	siamo		eravamo	eravamo	
siete	siete	stati/-e	eravate	eravate	stati/-e
sono	sono		erano	erano	

Futuro semplice	Futuro anteriore		Passato remoto
sarò	sarò		fui
sarai	sarai	stato/-a	fosti
sarà	sarà		fu
saremo	saremo		fummo
sarete	sarete	stati/-e	foste
saranno	saranno		furono

Congiuntivo

Presente	Passato		Imperfetto	Trapassato	
sia	sia		fossi	fossi	
sia	sia	stato/-a	fossi	fossi	stato/-a
sia	sia		fosse	fosse	
siamo	siamo		fossimo	fossimo	
siate	siate	stati/-e	foste	foste	stati/-e
siano	siano		fossero	fossero	

Condizionale

Presente	Passato	
sarei	sarei	
saresti	saresti	stato/-a
sarebbe	sarebbe	
saremmo	saremmo	
sareste	sareste	stati/-e
sarebbero	sarebbero	

Imperativo

sii
sia
siamo
siate

Verbi irregolari

Infinito	Passato remoto	Participio passato	Altri tempi verbali
accadere	accadde	accaduto	*vedi anche* cadere
accendere	accesi	acceso	
accorgersi	mi accorsi	accorto	
aggiungere	aggiunsi	aggiunto	
ammettere	ammisi	ammesso	
andare	andai	andato	*Presente:* vado, vai, va, andiamo, andate, vanno *Congiuntivo presente*: vada, andiamo, andiate, vadano *Imperativo:* vai / va', vada, andiamo, andate *Futuro:* andrò - *Condizionale:* andrei
apparire	apparvi	apparso	*Presente:* appaio, appari, appare, appariamo, apparite, appaiono *Congiuntivo presente*: appaia, appariamo, appariate, appaiano *Imperativo*: appari, appaia, appariamo, apparite
appartenere	appartenni	appartenuto	*vedi anche* tenere
aprire	aprii	aperto	
assumere	assunsi	assunto	
avere	ebbi	avuto	*vedi anche pag.* 193
avvenire	avvenne	avvenuto	*vedi anche* venire
bere	bevvi	bevuto	*Presente:* bevo, bevi, beve, beviamo, bevete, bevono *Congiuntivo presente*: beva, beviamo, beviate, bevano *Congiuntivo imperfetto:* bevessi *Futuro:* berrò - *Condizionale:* berrei *Gerundio:* bevendo
cadere	caddi	caduto	*Futuro:* cadrò - *Condizionale:* cadrei
chiedere	chiesi	chiesto	
chiudere	chiusi	chiuso	
commettere	commisi	commesso	
compiere	compii	compiuto	*Presente:* compio, compi, compie, compiamo, compite, compiono *Congiuntivo presente:* compia *Congiuntivo imperfetto:* compissi
comporre	composi	composto	*vedi anche* porre
comprendere	compresi	compreso	
concludere	conclusi	concluso	
concorrere	concorsi	concorso	
condividere	condivisi	condiviso	

connettersi	mi connettei / mi connessi	connesso	
conoscere	conobbi	conosciuto	
contenere	contenni	contenuto	*vedi anche* tenere
convenire	convenni	convenuto	*vedi anche* venire
convincere	convinsi	convinto	
convivere	convissi	convissuto	*vedi anche* vivere
coprire	coprii	coperto	
correre	corsi	corso	
corrispondere	corrisposi	corrisposto	
costringere	costrinsi	costretto	
crescere	crebbi	cresciuto	
cuocere	cossi	cotto	
dare	detti / diedi desti dette / diede demmo deste dettero / diedero	dato	*Presente:* do, dai, dà, diamo, date, danno *Congiuntivo presente:* dia, diamo, diate, diano *Congiuntivo imperfetto:* dessi *Imperativo:* dai / da', dia, diamo, date *Futuro:* darò - *Condizionale:* darei
decidere	decisi	deciso	
deporre	deposi	deposto	*vedi anche* porre
descrivere	descrissi	descritto	
dipendere	dipesi	dipeso	
dipingere	dipinsi	dipinto	
dire	dissi dicesti disse dicemmo diceste dissero	detto	*Presente:* dico, dici, dice, diciamo, dite, dicono *Congiuntivo presente:* dica, diciamo, diciate, dicano *Imperfetto:* dicevo *Congiuntivo imperfetto:* dicessi *Imperativo:* di', dica, diciamo, dite *Futuro:* dirò - *Condizionale:* direi *Gerundio:* dicendo
dirigere	diressi	diretto	
discutere	discussi	discusso	
disdire	disdissi	disdetto	*vedi anche* dire
dispiacere	dispiacque	dispiaciuto	*vedi anche* piacere
disporre	disposi	disposto	*vedi anche* porre
dividere	divisi	diviso	
dovere	dovetti	dovuto	*Presente:* devo, devi, deve, dobbiamo, dovete, devono *Congiuntivo presente:* debba / deva, dobbiamo, dobbiate, debbano / devano *Futuro:* dovrò - *Condizionale:* dovrei

eleggere	elessi	eletto	
emergere	emersi	emerso	
esistere	esistei/ esistetti	esistito	
esporre	esposi	esposto	*vedi anche* porre
esprimere	espressi	espresso	
essere	fui	stato	*vedi anche pag.* 194
fare	feci facesti fece facemmo faceste fecero	fatto	*Presente:* faccio, fai, fa, facciamo, fate, fanno *Congiuntivo presente:* faccia, facciamo, facciate, facciano *Imperfetto:* facevo *Congiuntivo imperfetto:* facessi *Imperativo:* fai/fa', faccia, facciamo, fate *Futuro:* farò - *Condizionale:* farei *Gerundio:* facendo
fingere	finsi	finto	
giungere	giunsi	giunto	
indurre	indussi	indotto	*vedi anche* tradurre
intendere	intesi	inteso	
interrompere	interruppi	interrotto	
introdurre	introdussi	introdotto	*vedi anche* tradurre
leggere	lessi	letto	
mantenere	mantenni	mantenuto	*vedi anche* tenere
mettere	misi	messo	
morire	morii	morto	*Presente:* muoio, muori, muore, moriamo, morite, muoiono *Congiuntivo presente:* muoia, moriamo, moriate, muoiano
muovere	mossi	mosso	*Presente:* muovo, muovi, muove, m(u)oviamo, m(u)ovete, muovono *Congiuntivo presente:* muova, m(u)oviamo, m(u)oviate, muovano
nascere	nacqui	nato	
nascondere	nascosi	nascosto	
offendere	offesi	offeso	
offrire	offrii	offerto	
ottenere	ottenni	ottenuto	*vedi anche* tenere
parere	parve	parso	*Presente:* paiono
percorrere	percorsi	percorso	
perdere	persi	perso	
permettere	permisi	permesso	

piacere	piacque	piaciuto	*Presente:* piaccio, piaci, piace, piacciamo, piacete, piacciono *Congiuntivo presente:* piaccia, piacciamo, piacciate, piacciano
piangere	piansi	pianto	
piovere	piovve	piovuto	
porre	posi ponesti pose ponemmo poneste posero	posto	*Presente:* pongo, poni, pone, poniamo, ponete, pongono *Congiuntivo presente:* ponga, poniamo, poniate, pongano *Imperfetto:* ponevo *Congiuntivo imperfetto:* ponessi *Imperativo:* poni, ponga, poniamo, ponete *Futuro:* porrò - *Condizionale:* porrei *Gerundio:* ponendo
possedere	possedei / possedetti	posseduto	*vedi anche* sedersi
potere	potei	potuto	*Presente:* posso, puoi, può, possiamo, potete, possono *Congiuntivo presente:* possa, possiamo, possiate, possano *Futuro:* potrò - *Condizionale:* potrei
prendere	presi	preso	
pretendere	pretesi	preteso	
prevedere	previdi	previsto	*vedi anche* vedere
produrre	produssi	prodotto	*vedi anche* tradurre
proporre	proposi	proposto	*vedi anche* porre
provenire	provenni	provenuto	*vedi anche* venire
provvedere	provvidi	provvisto	*vedi anche* vedere
raccogliere	raccolsi	raccolto	*Presente:* raccolgo, raccogli, raccoglie, raccogliamo, raccogliete, raccolgono *Congiuntivo presente:* raccolga, raccogliamo, raccogliate, raccolgano *Imperativo:* raccogli, raccolga, raccogliamo, raccogliete
raggiungere	raggiunsi	raggiunto	
reggere	ressi	retto	
rendere	resi	reso	
resistere	resistei / resistetti	resistito	
restringersi	mi restrinsi	ristretto	
riaprire	riaprii	riaperto	
riassumere	riassunsi	riassunto	
richiedere	richiesi	richiesto	

riconoscere	riconobbi	riconosciuto	
ridere	risi	riso	
riempire	riempii	riempito	*Presente:* riempio, riempi, riempie, riempiamo, riempite, riempiono *Congiuntivo presente:* riempia *Imperativo:* riempi, riempia, riempiamo, riempite
riflettere	riflessi/ riflettei	riflesso/ riflettuto	
rileggere	rilessi	riletto	
rimanere	rimasi	rimasto	*Presente:* rimango, rimani, rimane, rimaniamo, rimanete, rimangono *Congiuntivo presente:* rimanga, rimaniamo, rimaniate, rimangano *Imperativo:* rimani, rimanga, rimaniamo, rimanete *Futuro:* rimarrò - *Condizionale:* rimarrei
rimettere	rimisi	rimesso	
rimuovere	rimossi	rimosso	*vedi anche* muovere
riprendere	ripresi	ripreso	
riscrivere	riscrissi	riscritto	
risolvere	risolsi	risolto	
rispondere	risposi	risposto	
ritenere	ritenni	ritenuto	*vedi anche* tenere
riuscire	riuscii	riuscito	*vedi anche* uscire
rivedere	rividi	rivisto	*vedi anche* vedere
rivolgersi	mi rivolsi	rivolto	
rompere	ruppi	rotto	
salire	salii	salito/a	*Presente:* salgo, sali, sale, saliamo, salite, salgono *Congiuntivo presente:* salga, saliamo, saliate, salgano *Imperativo:* sali, salga, saliamo, salite
sapere	seppi	saputo	*Presente:* so, sai, sa, sappiamo, sapete, sanno *Congiuntivo presente:* sappia, sappiamo, sappiate, sappiano *Imperativo:* sappi, sappia, sappiamo, sappiate *Futuro:* saprò - *Condizionale:* saprei
scegliere	scelsi	scelto	*Presente:* scelgo, scegli, sceglie, scegliamo, scegliete, scelgono *Congiuntivo presente:* scelga, scegliamo, scegliate, scelgano *Imperativo:* scegli, scelga, scegliamo, scegliete
scendere	scesi	sceso	

sciogliere	sciolsi	sciolto	*Presente:* sciolgo, sciogli, scioglie, sciogliamo, sciogliete, sciolgono *Congiuntivo presente:* sciolga, sciogliamo, sciogliate, sciolgano *Imperativo:* sciogli, sciolga, sciogliamo, sciogliete
scomparire	scomparvi	scomparso	*vedi anche* apparire
scoprire	scoprii	scoperto	
scrivere	scrissi	scritto	
sedersi	mi sedei/ sedetti	seduto	*Presente:* mi siedo, ti siedi, si siede, ci sediamo, vi sedete, si siedono *Congiuntivo presente:* mi/ti/si sieda, ci sediamo, vi sediate, si siedano *Imperativo:* siediti, si sieda, sediamoci, sedetevi *Futuro:* mi s(i)ederò - *Condizionale:* mi s(i)ederei
smettere	smisi	smesso	
soffrire	soffrii	sofferto	
sorgere	sorsi	sorto	
sorridere	sorrisi	sorriso	
sostenere	sostenni	sostenuto	*vedi anche* tenere
sottrarre	sottrassi	sottratto	*vedi anche* trarre
spegnere	spensi	spento	*Presente:* spengo, spegni, spegne, spegniamo, spegnete, spengono *Congiuntivo presente:* spenga, spegniamo, spegniate, spengano *Imperativo:* spegni, spenga, spegniamo, spegnete
spendere	spesi	speso	
stare	stetti stesti stette stemmo steste stettero	stato	*Presente:* sto, stai, sta, stiamo, state, stanno *Congiuntivo presente:* stia, stiamo, stiate, stiano *Congiuntivo imperfetto:* stessi *Imperativo:* stai/sta', stia, stiamo, state *Futuro:* starò - *Condizionale:* starei
stendere	stesi	steso	
succedere	successe	successo	
suddividere	suddivisi	suddiviso	
svolgersi	si svolse	svolto	
tenere	tenni	tenuto	*Presente:* tengo, tieni, tiene, teniamo, tenete, tengono *Congiuntivo presente:* tenga, teniamo, teniate, tengano *Imperativo:* tieni, tenga, teniamo, tenete *Futuro:* terrò - *Condizionale:* terrei

togliere	tolsi	tolto	*Presente:* tolgo, togli, toglie, togliamo, togliete, tolgono *Congiuntivo presente:* tolga, togliamo, togliate, tolgano *Imperativo:* togli, tolga, togliamo, togliete
tradurre	tradussi	tradotto	*Presente:* traduco, traduci, traduce, traduciamo, traducete, traducono *Congiuntivo presente:* traduca, traduciamo, traduciate, traducano *Imperfetto:* traducevo *Congiuntivo imperfetto:* traducessi *Imperativo:* traduci, traduca, traduciamo, traducete *Futuro:* tradurrò - *Condizionale:* tradurrei *Gerundio:* traducendo
trarre	trassi traesti trasse traemmo traeste trassero	tratto	*Presente:* traggo, trai, trae, traiamo, traete, traggono *Congiuntivo presente:* tragga, traiamo, traiate, traggano *Imperfetto:* traevo *Imperativo:* trai, tragga, traiamo, traete *Futuro:* trarrò - *Condizionale:* trarrei
trascorrere	trascorsi	trascorso	
trasmettere	trasmisi	trasmesso	
uscire	uscii	uscito	*Presente:* esco, esci, esce, usciamo, uscite, escono *Congiuntivo presente:* esca, usciamo, usciate, escano *Imperativo:* esci, esca, usciamo, uscite
valere	valse	valso	*Presente:* valgo, vali, vale, valiamo, valete, valgono *Congiuntivo presente:* valga, valiamo, valiate, valgano *Futuro:* varrò - *Condizionale:* varrei
vedere	vidi	visto	*Futuro:* vedrò - *Condizionale:* vedrei
venire	venni	venuto	*Presente:* vengo, vieni, viene, veniamo, venite, vengono *Congiuntivo presente:* venga, veniamo, veniate, vengano *Imperativo:* vieni, venga, veniamo, venite *Futuro:* verrò - *Condizionale:* verrei
vincere	vinsi	vinto	
vivere	vissi	vissuto	*Futuro:* vivrò - *Condizionale:* vivrei
volere	volli	voluto	*Presente:* voglio, vuoi, vuole, vogliamo, volete, vogliono *Congiuntivo presente:* voglia, vogliamo, vogliate, vogliano *Futuro:* vorrò - *Condizionale:* vorrei

Glossario per unità

Qui trovate raccolte le parole di ogni unità e accanto ad ognuna lo spazio per scrivere la traduzione nella vostra lingua. Le parole seguono l'ordine in cui compaiono all'interno di ogni singola unità.

In italiano l'accento di parola, di solito, cade sulla penultima sillaba. Nelle parole per cui non è valida questa regola la vocale accentata è indicata con un trattino (ad esempio: essere). L'accento è, inoltre, evidenziato nei nomi di persona, di luogo, città, regione, paese e in alcune parole che possono creare dei dubbi. (ad esempio: erboristeria).

I verbi incontrati sono riportati soprattutto all'infinito. Per i verbi della terza coniugazione, cioè in -ire, che si coniugano con l'aggiunta dell'elemento -isc tra la radice e la desinenza, viene data la prima persona singolare del presente indicativo, come anche per i verbi che hanno le forme del presente indicativo irregolari. Inoltre, accanto ai verbi all'infinito è indicato il participio passato, solo se irregolare, e l'ausiliare essere (aus. ess.) per i verbi che lo richiedono nei tempi composti.

Abbreviazioni

aus.	ausiliare
avv.	avverbio
ess.	essere
f.	femminile
fam.	familiare
inf.	infinito
m.	maschile
pl.	plurale
p.p.	participio passato
q.c.	qualcosa
qu.	qualcuno
sg.	singolare

UNITÀ 1 *Sei un mito!*

Sei un mito! ....

il violino ....

Antonio Stradivari (1644 - 1737) ....

Sandro Botticelli (1445 - 1510) ....

A

un mito di ogni giorno ....

A1

Che gentile! ....

visto che ....

il manico ....

assicurare ....

la moka ....

a dire il vero ....

mettere da parte ....

come mai? ....

rinunciare a ....

veramente (*avv.*) ....

ingombrante ....

dato che ....

contrariare qu. ....

sentire ....

salire, salgo ....

il profumo ....

riempire ....

zac zac ....

essere fatto per ....

la caffettiera ....

insomma ....

Sa cosa Le dico? ....

Ha fatto bene. ....

la macchina da caffè ....

A2

il suono ....

mettere qu. a proprio agio ....

A3

separarsi da ....

in plenum ....

indispensabile ....

A5

la congiunzione ....

siccome ....

poiché ....

i trasporti (*pl.*) ....

rischio caos nelle città ....

l'Inter (*m.*) ....

sfortunato/ -a ....

la Coppa dei Campioni ....

pareggiare ....

la pensione minima ....

minimo/ -a ....

la Caritas ....

B1

i baffi ....

caratterizzare ....

la Moka Express ....

il funzionamento ....

imitivo/ -a ....

la lavatrice ....

portare qu. a fare q.c. ....

creare ....

industriale ....

Mosca ....

venire a contatto con ....

influente ....

concludersi (*p.p.* concluso) ....

Boemia ....

Duchov ....

il bibliotecario ....

le memorie (*pl.*) ....

C3

relativo/ -a ....

l'avvenimento ....

la fuga ....

le carceri (*pl.*) ....

la morte ....

C4

il tempo verbale ....

il passato remoto ....

presente ....

l'affinità ....

C5

la coniugazione ....

regolare ....

in grassetto ....

C6

un personaggio a piacere ....

Chi indovina di chi si tratta? ....

Ascolto 1

il portiere ....

alloggiare ....

interessarsi di ....

Ascolto 2

la figura ....

la resistenza ....

l'ufficiale (*m.*) ....

il re ....

il repubblicano ....

il Risorgimento italiano ....

il generale ....

l'eroe, l'eroina ....

il monarchico ....

Ascolto 3

attorno a ....

lo staterello ....

governare ....

D

risuscitato/ -a ....

D1

ricostruire, ricostruisco ....

La Fenice ....

D2

la lacuna ....

riaprire (*p.p.* riaperto) ....

Era anche ora! ....

la ricostruzione ....

l'incendio ....

l'interruzione (*f.*) ....

l'inaugurazione (*f.*) ....

dirigere (*p.p.* diretto) ....

Riccardo Muti ....

Beh, è chiaro. ....

un evento del genere ....

Certo che questo teatro ....

ne ha viste delle belle! ....

bruciare ....

Eh, cosa vuoi … ....

è più che un simbolo ....

è un vero e proprio mito ....

D3

il soggetto ....

D4

trarre da, traggo (*p.p.* tratto) ....

l'articolo ....

apparire, appaio (*p.p.* apparso - aus. *ess.*) ....

la stampa ....

all'indomani di ....

il sindaco ....

l'incubo ....

inaugurale ....

l'inno di Mameli ....

emozionato/ -a ....

D5

edificio ....

ristrutturare ....

scambiarsi delle informazioni ....

al riguardo ....

Lettura 1

la favola ....

il riassunto ....

Lettura 2

il brano ....

il capitolo ....

il capoverso ....

il burattino ....

rubare ....

la parrucca ....

ridere (*p.p.* riso) ....

fabbricarsi ....

mettere il nome a qu. ....

la monelleria ....

terreno/ -a ....

pigliare luce ....

il sottoscala ....

la mobilia ....

la seggiola ....

cattivo/ -a ....

rovinato/ -a ....

dipingere (*p.p.* dipinto) ....

la pentola ....

bollire ....

mandare fuori ....

la nuvola ....

il fumo ....

parere ....

gli arnesi ....

porsi a intagliare ....

dire fra sé e sé ....

passarsela bene ....

chiedere l'elemosina ....

lavorare a buono ....

i capelli (*pl.*) ....

la fronte ....

gli occhi (*pl.*) ....

figuratevi la sua maraviglia ....

accorgersi (*p.p.* accorto) ....

fisso fisso ....

se n'ebbe quasi per male ....

con accento risentito ....

gli occhiacci (*pl.*) ....

il naso ....

affaticarsi ....

ritagliare ....

scorcire, scorcisco ....

impertinente ....

la bocca ....

canzonare ....

impermalito/ -a ....

fu come dire al muro ....

urlare con voce minacciosa ....

cacciare fuori la lingua ....

per non guastare i fatti suoi ....

fingere di (*p.p.* finto) ....

avvedersene ....

il mento ....

il collo ....

le spalle (*pl.*) ....

lo stomaco ....

le braccia (*sg.* il braccio) ....

le mani (*pl.*) ....

appena ....

portare via ....

il capo ....

voltarsi in su ....

Lettura 4

la parte del corpo ....

la linea ....

Lettura 5

la squadra ....

la lista ....

provare a ....

il contenuto ....

cercare di ....

UNITÀ 2 *Fa' pure con calma!*

Fa' pure con calma! ....

la calma ....

il proverbio ....

il modo di dire ....

Il tempo è denaro. ....

Da' tempo al tempo. ....

Il momento sfuggito più non torna. ....

Chi va piano va sano e va lontano. ....

Chi vuol esser lieto sia ... di doman non c'è certezza. ....

Chi risparmia i minuti guadagna le ore. ....

il rapporto ....

il motto ....

A1

l'affermazione (*f.*) ....

rispecchiare ....

il modo di comportarsi ....

sbrigare ....

temere ....

farcela (a fare q.c.) ....

disdire, disdico (*p.p.* disdetto) ....

l'impegno ....

delegare ....

il familiare ....

la sveglia ....

non ... più di tanto ....

preoccuparsi ....

in ogni caso ....

essere in ritardo ....

prepararsi ... .

... di corsa ....

puntuale ....

di pessimo umore ....

in genere ....

ad orari regolari ....

quando ....

avere bisogno di ....

saltare il pranzo ....

in piedi ....

almeno ....

capitare q.c. a qu. ....

dare un colpo di telefono a qu. ....

fissare un appuntamento ....

accettabile ....

altrimenti ....

lasciar perdere ....

andarsene ....

per una questione di principio ....

(essere) di malumore ....

prendersela ....

imprevisto/ -a ....

mettere in agitazione ....

comunque ....

mettersi a ....

l'aperitivo ....

A2

corrispondente/ -i ....

annullare ....

succedere q.c. a qu. ....

arrabbiarsi ....

A3

la reazione ....

simile ....

organizzarsi ....

riassumere (*p.p.* riassunto) ....

aiutarsi ....

pratico/ -a ....

tenace ....

pragmatico/ -a ....

flessibile ....

superorganizzato/ -a ....

(avere) il senso del dovere ....

programmare q.c. con metodo ....

tollerare le frustrazioni ....

dare spazio ai propri bisogni ....

lo spazio ....

il bisogno ....

affrontare le cose ....

sapersi dare delle priorità ....

la priorità ....

A4

il sinonimo ....

A5

essere in grado di fare q.c. ....

riferire in plenum ....

correre (*p.p.* corso) ....

di seguito ....

A7

noioso/ -a ....

la scusa ....

accettare un invito ....

sciare ....

lamentarsi di q.c. o di qu. ....

la lentezza ....

A9

abituale ....

l'imprevisto ....

B

Non sopporto i ritardatari. ....

il ritardatario ....

B1

litigare ....

Ecco! ....

Ogni volta la solita storia! ....

avere qualcosa da fare ....

Mamma mia! ....

avere un po' di pazienza ....

ti scaldi per niente ... .

scaldarsi ....

fare aspettare qu. ....

Quante volte te lo devo ripetere? ....

fare q.c. apposta ....

Non è magari che ... .

esagerare ....

fare brutta figura ....

fregarsene ....

essere stufo/ -a di q.c. o di qu. ....

davanti a ....

E chi ti dice di farlo? ....

lasciamo stare, per piacere ....

mettersi a discutere ....

perdere tempo ....

dare fastidio a qu. ....

il fastidio ....

odiare ....

in pace ....

A questo punto forse è meglio … ....

Maledizione! ....

far fare q.c. (di corsa) a qu. ....

ci tocca fare q.c. ....

fare il giro dell'isolato ....

essere in anticipo ....

ma quando mai ....

prestare q.c. a qu. ....

riportare ....

Vabbe'... ....

Vorrà dire che … ....

B3

il disappunto ....

il rimprovero ....

B4

lo stress ....

la mancanza di rispetto ....

affollato/ -a ....

chiedere il permesso ....

mettersi in fila ....

B5

il modo verbale ....

il congiuntivo ....

introdurre, introduco (*p.p.* introdotto) ....

B6

infantile ....

il litigio ....

assurdo/ -a ....

tutti e due ....

avere voglia di ....

B7

irritare ....

B8

durante ....

un motivo di contrasto ....

il contrasto ....

il compromesso ....

C1

l'home banking (*m.*) ....

zero code ....

zero orari ....

zero vincoli ....

il vincolo ....

massimo/ -a ....

accedere (*p.p.* accesso) ....

il conto ....

connettersi ad Internet (*p.p.* connesso) ....

il servizio a domicilio ....

richiedere (*p.p.* richiesto) ....

il libretto degli assegni ....

la carta di credito ....

l'estratto conto ....

comodamente (*avv.*) ....

il bonifico nazionale ....

la ricarica (della) scheda telefonica ....

ricaricare ....

(avere) tutto sotto controllo ....

il prelievo Bancomat ....

prelevare ....

gratuito/ -a ....

lo sportello ....

C2

la pubblicità ....

la definizione ....

effettuare ....

il trasferimento ....

il cellulare ....

C3

presso ....

la condizione ....

la tariffa ....

C4

un sacco di tempo ....

la raccomandata ....

fare la coda ....

fidarsi di q.c./qu. ....

il pirata ....

la rete ....

prudente ....

C7

invadente ....

in maniera corretta ....

spiritoso/ -a ....

C8

la carta da lettere ....

il francobollo ....

la cartolina postale ....

la busta ....

la buca delle lettere ....

la ricevuta di ritorno ....

la posta prioritaria ....

D

Glieli taglio un po'? ....

D1

il listino prezzi ....

la parrucchiera (*m.* il parrucchiere) ....

il taglio ....

la piega ....

lo shampoo (curativo) ....

il balsamo ....

la permanente ....

lo shampoo colorato ....

la decolorazione ....

Eh, niente male, grazie. ....

in ordine ....

stavolta ....

spuntare ....

scalare ....

come l'altra volta ....

la tonalità ....

avere paura di/che ... .

ringiovanire, ringiovanisco (aus. *ess.*) ....

asciugarsi al sole ....

i colpi di sole (*pl.*) ....

il paio (*pl.* le paia) ....

la rivista ....

il massaggio ....

Come no? ....

D4

(essere) esperto/ -a di ....

cambiare look ....

incoraggiare qu. ....

provare q.c. di nuovo ....

decidere di ....

la pettinatura ....

l'abbigliamento ....

chiedere consiglio a qu. ....

In fatto di moda ne sa tantissimo. ....

adatto/ -a a ... .

D6

i pronomi combinati (*pl.*) ....

D7

la chitarra ....

montare le gomme ....

riparare ....

il rubinetto ....

accorciare i pantaloni ....

tenere il cane, tengo ....

installare un programma sul computer ....

A me invece serve ... .

Ascolto 1

Giorgio Gaber (1939-2002) ....

Ascolto 2

la schiuma ....

Ascolto 3

la panna ....

enorme ....

il fiume ....

la neve ....

la cascata ....

Ascolto 4

farsi uno shampoo ....

Si dice così

rimproverare qu. ....

reagire a q.c. ....

UNITÀ 3 *Conosci l'Emilia Romagna?*

l'Emilia Romagna ....
la cartina ....
la località ....
la città natale ....
Giuseppe Verdi (1813-1901) ....
l'industria ....
alimentare ....
tessile ....
il capoluogo regionale (di regione) ....
il mosaico ....
bizantino/ -a ....
lo stabilimento termale ....
la sede ....
invernale ....
l'artigianato ....
la ceramica ....
confinare con ....
il territorio ....
Quale mare la bagna? ....
attraversare ....
il nord - a nord ....
il sud - a sud ....
l'est (*m.*) - ad est ....
l'ovest (*m.*) - ad ovest ....
montuoso/ -a ....
collinare ....
pianeggiante ....

Ascolto 1
la provenienza ....
la specialità romagnola ....
il/la romagnolo/ -a ....
l'emiliano/ -a ....
in breve/brevemente (*avv.*) ....
la storiella ....

A1

Il segreto del successo. ....
efficiente ....
organizzare ....
la testimonianza ....
storico-artistico/ -a ....
attrezzare ....
la struttura ....
frequentare ....
considerare ....
cordiale ....
allegro/ -a ....
morfologico/ -a ....
distinguersi ....
la fascia ....
meridionale ....
l'Appennino ....
tosco-emiliano/ -a ....
la zona ....
popolato/ -a ....
la Pianura Padana ....
il terreno ....
fertile ....

favorire, favorisco ....
florido/ -a ....
diversificato/ -a ....
agricolo/ -a ....
grazie a ....
ampio/ -a ....
l'utilizzo ....
la tecnologia ....
altrettanto ....
l'allevamento ....
il suino ....
il bovino ....
avanzato/ -a ....
tecnologico/ -a ....
il tasso di imprenditorialità ....
l'imprenditore/-trice ....
l'impresa ....
artigiano/ -a ....
la cooperativa ....
la ricchezza ....
la dimensione (ridotta) ....
la specializzazione ....
il settore ....
metalmeccanico/ -a ....
chimico/ -a ....
petrolchimico/ -a ....
motoristico/ -a ....
la via Emilia ....
i Romani (*pl.*) ....
l'asse stradale (*m.*) ....
allinearsi ....
il capoluogo di provincia ....
la provincia (*pl.* le province) ....
la dimensione ....
medio/ -a ....
il pregio ....
la qualità della vita ....
Bologna ....
la dotta e la grassa ....
Fette ....
il nodo ....
la comunicazione ....
primario/ -a ....
la torre pendente ....
il portico ....
l'ateneo ....
tuttora ....
essere detto/ -a ....

A3
il passivo ....

A4
l'abbazia di Pomposa ....
il migliaio (*pl.* le migliaia) ....
Buon pastore ....
il mausoleo di Galla Placidia ....
intorno a ... .
Giovannino Guareschi (1908 - 1968) ....
il Sangiovese ....
Forlì ....

Ravenna ....

romanico/ -a ....

A5

l'ente per il turismo (*m.*) ....

l'opuscolo ....

rivolgersi a qu. ....

elaborare ....

B

al suo posto ....

B1

È permesso? ....

Prego, si accomodi. ....

Proprio così. ....

Ferrara ....

Beata la dottoressa Marchini! ....

invidiare qu. ....

una città a misura d'uomo ....

la misura ....

tutt'altro che ....

provinciale ....

le attività culturali (*pl.*) ....

il trasferimento ....

diversi/-e ....

dal lato umano ....

il lato ....

il/la ferrarese ....

apprezzare ....

i piaceri della vita (*pl.*) ....

prendere le cose con calma ....

certo/ -a ....

muoversi ....

il patito ....

la pacchia ....

ammettere ....

il caldo afoso ....

il difetto ....

B5

a turno ....

il Gran Premio di ....

San Marino ....

vincere (*p.p.* vinto) ....

Campionato di Formula Uno ....

il tenore ....

lo stabilimento balneare ....

la violetta ....

ambientare ....

B6

vincere al lotto ....

la somma ....

il superiore ....

fino a ... .

tra breve ....

oltre a ... .

l'invidia ....

Lettura 1

l'osteria ....

il locale ....

il cantautore (*f.* la cantautrice) ....

il binomio ....

notturno/ -a ....

tanto da (dar vita a ...) ....

il genere musicale ....

eleggere (*p.p.* eletto) ....

Francesco Guccini ....

il cantore ....

scomparire, scompaio (*p.p.* scomparso) ....

la trattoria ....

a due passi da ....

la calda atmosfera ....

il soffitto a volte ....

tenere a battesimo ....

il battesimo ....

il cantautore impegnato ....

godereccio/ -a ....

contare ....

unire, unisco ....

l'impegno politico ....

l'arte del buon vivere ....

fare quattro chiacchiere ....

la strimpellata ....

il Lambrusco ....

il tocco di mortadella ....

la mortadella ....

il fascino ....

tirar(e) tardi ....

l'orizzonte (*m.*) ....

sopravvivere ....

(la musica) etno-folk ....

il jazz ....

il pianobar ....

attestare ....

essere di casa ....

la Riviera romagnola ....

la serata ....

gustarsi q.c. ....

la cantina ....

lasciar(e) intuire ....

la dedica a ....

il/la trombettista ....

statunitense ....

travestito/ -a da ....

Lettura 3

l'ambiente ....

esteriore ....

C1

la ditta ....

il/la dipendente ....

essere all'avanguardia ....

il/la dirigente ....

E allora via ....

il posto di lavoro ....

il microcosmo ....

il sistema vivente ....

rispondere a ....

professionale ....

fornire q.c. a qu. ....

il supporto ....

invadere (*p.p.* invaso) ....

la sfera personale ....

il sondaggio ....

il centro di ricerca ....

la ricerca ....

risultare al primo posto ....

l'ambiente (*m.*) di lavoro ....

selezionare ....

in primo luogo ....

sano/ -a ....

confortevole ....

nel settore produttivo ....

costantemente (*avv.*) ....

lo spazio ....

la luce diffusa ....

la climatizzazione ....

l'area di relax ....

il cambio di turno ....

l'attenzione (*f.*) ....

realizzarsi attraverso ....

il benessere ....

il check-up medico-sportivo ....

l'allenamento ....

la dieta alimentare personalizzata ....

la strategia aziendale ....

vasto/ -a ....

innovativo/ -a ....

l'impegno economico ....

da parte di ....

il vertice ....

valere la pena ....

soddisfatto/ -a ....

la soddisfazione ....

riflettersi ....

indubbiamente (*avv.*) ....

il gioco di parole ....

C2

la terminologia ....

raggruppare ....

a vostra scelta ....

C3

l'offerta di lavoro ....

il leader ....

orientare ....

Sassuolo ....

il candidato ....

il/la laureato/ -a ....

il/la diplomato/ -a ....

l'agraria ....

maturare ....

la disponibilità ....

lo spostamento ....

dinamico/ -a ....

la retribuzione ....

C5

il/la manager ....

il discorso indiretto ....

D

Tu cosa avresti fatto? ....

D1

Hai fatto buon viaggio? ....

avere giusto il tempo di ....

la pensilina ....

megagalattico/ -a ....

le idee di grandezza ....

rovinare ....

essere dell'avviso ....

se permetti ....

coprire la vista ....

da tutti i lati ....

la struttura in metallo ....

pesante ....

Mah, intanto io avrei ... .

progettare ....

Guarda qui ... .

bagnarsi (tutto) ....

non ... nemmeno ....

riparare/ripararsi ....

la pioggia ....

Non ti pare? ....

non avere tutti i torti ....

la panchina ....

chissà ....

di preciso ....

costare parecchio (aus. *ess.*) ....

bastare (aus. *ess.*) ....

magari ....

investire ....

l'opera ....

Che discutiamo a fare? ....

tanto ....

levare ....

D2

esprimere (*p.p.* espresso) il proprio parere ....

il parere ....

l'opinione ....

differente ....

dare ragione a qu. ....

D4

il comune ....

il fondo straordinario ....

assumere (*p.p.* assunto) ....

il personale ....

la pulizia (delle strade) ....

fare diversamente ....

restaurare ....

il duomo ....

l'asilo nido ....

ampliare ....

D5

essere d'aiuto ....
la formulazione ....
lo spartitraffico ....
passare davanti a ....
aumentare ....
in un punto in cui ....
elevato/ -a ....
Egregio signor Benini ....
la segnalazione ....
il perito ....
essere causa di ....
i rallentamenti (pl.) ....
Cordiali saluti ....

Si dice così

sollecitare un'opinione ....
argomentare durante una discussione ....
lettera di reclamo ....

UNITÀ 4 *Ripasso*

A2

scattare una foto ....

A4

mettere in scena ....
ereditare ....
il testamento ....
la clausola ....
depositare in banca ....
bensì ....
spendere (p.p. speso) ....
entro (un mese) ....
il bene ....
interpretare ....
ossia ....
assumere un ruolo ....
i componenti della famiglia ....
esporre, espongo (p.p. esposto) ....
la soluzione ....
infine ....
accontentare ....

B1

la sequenza ....
la versione ....
incompleto/ -a ....
lo stereotipo ....
anzi ....
lavarsi i denti ....
guardarsi allo specchio ....
come a dire ....
un fondo di verità ....
la specialità (culinaria) ....
legato/ -a alle persone ....
mi viene in mente ....
la piadina ....

C1

l'annuncio ....

servire da modello (aus. ess.) ....
Spettabile ... .
in riferimento a ....
il quotidiano *la Repubblica* ....
il/la responsabile delle vendite ....
presentare domanda per ... .
l'impiego ....
in questione ....
coniugato/ -a ....
laurearsi ....
l'ufficio esportazioni ....
trasferirsi ....
le referenze ....
la serietà ....
la capacità ....
allegare ....
il curriculum vitae (il cv) ....
Nella speranza che ... .
la speranza ....
accogliere, accolgo (p.p. accolto) ....
favorevolmente (avv.) ....
gradire, gradisco ....
distinti saluti ....

C2

... che potrebbero fare al vostro caso ....
oltre 200 animatori ....
l'animatore (f. l'animatrice) ....
il/la musicista ....
impegnato/ -a ....
ricercare ....
per inserimento ....
immediato/ -a ....
il villaggio turistico ....
il/la ballerino/ -a ....
l'artista di strada ....
il/la cabarettista ....
l'istruttore sportivo, (f. l'istruttrice) ....
l'hostess (f.) ....
l'assistente turistico/ -a ....
fluente ....
bella presenza ....
l'attitudine (f.) al lavoro di gruppo ....
la versatilità ....
il criterio preferenziale ....
la specifica ....
riguardo a ....
candidarsi ....
occuparsi di ....
il videogioco ....
l'addetto/ -a (al Customer Service) ....
per quel che riguarda ....
la problematica ....
requisiti richiesti ....
il diploma ....
pregresso/ -a ....
ottimo/ -a ....
preferibilmente (avv.) ....
il pacchetto Office ....
l'assunzione (f.) ....
dettagliato/ -a ....
l'indirizzo di posta elettronica ....

D1

comporre, compongo (*p.p.* composto) ....

il termine ....

D2

lo stralcio ....

il margine ....

UNITÀ 5 *Buona domenica!*

bestiale ....

Fabio Concato ....

pescare ....

Adriano Celentano ....

l'oratorio ....

il cortile ....

annoiarsi ....

il prete ....

Antonello Venditti ....

l'idiota (*m./f.*) ....

lo sguardo ....

l'imbecille (*m./f.*) ....

l'inferno ....

restarsene ....

il lenzuolo (*pl.* le lenzuola) ....

andare a passeggio ....

Piazza Navona ....

(Salvatore) Toto Cutugno ....

c'è chi … c'è chi ... .

stadio ....

scioperare ....

mangiare a sbafo ....

tentare ....

il sofà ....

"rete di parole" ....

le associazioni personali ....

A

Addio lasagne e divano ....

A1

l'abitudine (*f.*) ....

domenicale ....

intervistarsi a vicenda ....

A2

il dolce far niente ....

niente dormite fino a tardi ....

la dormita ....

nessun(o)/ -a ....

l'abbuffata ....

il riposo ....

la coccola ....

un italiano su due ....

sfruttare ....

la giornata di festa ....

la faccenda ....

tralasciare ....

lavorativo/ -a ....

confermare ....

la tendenza ....

Eta Meta ....

ormai ....

presto ....

vario/ -a ....

dedicarsi a ....

l'incombenza ....

accompagnare ....

a base di ....

generoso/ -a ....

annaffiare ....

resistere ....

optare per ....

la gita fuori porta ....

evitare ....

accuratamente (*avv.*) ....

santificare ....

la pantofola ....

la tradizione ....

il calciodipendente ....

il gentil sesso ....

stabilire ....

l'agenda degli appuntamenti ....

recuperare ....

riscoprire ....

il valore ....

il relax ....

sostituire, sostituisco ....

in compagnia di ....

la puntata al cinema ....

assistere ....

il posticipo di serie A ....

assieme ....

sorprendere qu. (*p.p.* sorpreso) ....

A4

definire, definisco ....

la maggior parte ....

la metà ....

il terzo ....

la gente (*pl.* le genti) ....

l'anziano/ -a ....

A5

forma impersonale ....

trascorrere, trascorso ....

essere in declino ....

il declino ....

piuttosto ....

A6

un tempo ....

interessarsi di qu./ q.c. ....

interessarsi a qu./ q.c. ....

vivere in famiglia ....

praticare (uno sport) ....

la messa ....

Ascolto 2

la moto ....

il caos ....

raccogliere, raccolgo ....
il fiore ....
il silenzio ....

B1

l'ingegnere ....
Ma si figuri. ....
la riunione ....
augurare q.c. a qu. ....
a proposito di ....
niente di preciso ....
nonostante (*cong.*) ....
la direzione ....
richiamare ....
approfittare di q.c./qu. ....
il Mart ....
Rovereto ....
il museo ....
il Futurismo ....
la sezione ....
il '900 ....
Amedeo Modigliani (1884-1920) ....
Giorgio De Chirico (1888-1978) ....
Ah, però ... .
l'opera d'arte ....
contemporaneo/ -a ....
sebbene (*cong.*) ....
voler fare q.c. da tempo ....
valere ....
Si immagini ....
Il piacere è tutto mio ... .
dopo aver visitato ....
indifferente ....
passare a prendere qu. ....

B2

la mostra ....
il capolavoro ....
la pittura ....
la scultura ....
preistorico/ -a ....
romano/ -a ....
gotico/ -a ....
medioevale ....
il rinascimento ....
il barocco ....
lo stile liberty ....

B4

giapponese ....

B6

a tutti i costi ....
ottimizzare ....
il promemoria ....
reale ....
ritirare ....
la lavanderia ....
fare benzina ....
la Galleria d'Arte Moderna ....
il/la commercialista ....
il/la veterinario/ -a ....

B7

proporre, propongo (*pp.* proposto) q.c. ....

C

spegnere, spengo (*p.p.* spento) ....

C1

rilassarsi ....
tenersi informati ....
il giornale radio ....
la radio ....
il telegiornale ....
la notizia ....

C2

il Tg2 ....
Domenica In ....
a volume basso ....
accendere (*p.p.* acceso) ....
acceso/ -a ....
avere sonno ....
la trasmissione ....
lo show ....
il quiz ....
sopportare ....
il canale ....
di rado ....
trasmettere (*p.p.* trasmesso) ....
il documentario ....
in prima serata ....
il lettore DVD ....
il telecomando ....

C3

nascondere, (*p.p.* nascosto) ....
abbassare il volume ....
alzare il volume ....

C5

invisibile ....
la corrente ....

C6

buttare ....
televisivo/ -a ....
per 12 ore di fila ....
navigare su Internet ....
il talk show ....

Lettura 2
C'è chi dice ....
traslocare ....
il frigo dei gelati ....
il gelato ....
caotico/ -a ....
sbocconcellare ....
la Gazzetta (dello Sport) ....
la battuta ....
tirar giù la saracinesca ....
la velina ....
consumare ....
in cerca di spunti ....

la commedia umana ....
il/la competente ....
la prima categoria ....
storcere (*p.p.* storto) il naso ....
imparziale (*m./f.*) ....
pretendere (*p.p.* preteso) ....
squilibrato/ -a ....
l'isterico/ -a ....
euforico/ -a ....
la vittoria ....
depresso/ -a ....
la sconfitta ....
l'onesto/ -a ....
il/la Milanista ....
l'Interista (*m./f.*) ....
lo/la Juventino/ -a ....
tifare ....
il Torino ....
il Cagliari ....
la Sampdoria ....
essere in minoranza ....
schierare ....
il seduttore (*f.* la seduttrice) ....
il timido ....
il fascio ....
il comunista ....
il sagrestano ....
il bestemmiatore ....
lo Stravecchio ....
lo scommettitore ....
irascibile ....
incazzato/ -a (*fam.*) ....
comunque sia ....
essere in esilio ....
innumerevole ....
il racconto popolare ....

Lettura 4
il frequentatore ....

D1

appartenere, appartengo (aus. *ess.*) ....
il quotidiano sportivo ....
il settimanale ....
l'attualità ....
la politica ....
la rivista femminile ....
la rivista specializzata ....

D2

la cultura ....
la cronaca ....
la politica interna ....
la politica estera ....
la finanza ....

D3

di recente, recentemente (*avv.*) ....
colpire ....

D4

la panchina ....
l'arbitro ....
l'attaccante (*m./f.*) ....
il/la calciatore/-trice ....
il difensore ....
il portiere ....
il guardalinee ....
il centrocampo ....
l'area di rigore ....
l'angolo ....
la rete ....
il/la tifoso/ -a ....

D6

la partita ....

UNITÀ 6 *I tempi cambiano!*

1

la didascalia ....
il/la single ....
divorziato/ -a ....
la coppia di fatto ....

2

concordare ....
Oggi va la famiglia fai da te ....
il/la ricercatore/-trice (di marketing) ....
lo stato di famiglia ....
il matrimonio ....
la zitella ....
a essere sincero/ -a ....
per colpa di ....
la delusione ....
sentimentale ....
prendere una decisione ....
costringere (*p.p.* costretto) ....
subire, subisco ....
l'autonomia ....
rendere conto a qu. (*p.p.* reso) ....
mantenersi, mi mantengo ....
costoso/ -a ....
il Mezzogiorno ....
l'area (*pl.* le aree) ....

A3

il paragrafo ....
la religiosità ....

A4

orale ....

A6

il comparativo ....
ambizioso/ -a ....
la promozione ....
l'incarico ....
la responsabilità ....
la percentuale ....

notevole ....

esclusivamente (*avv.*) ....

intendere (*p.p.* inteso) ....

la carriera ....

purtroppo (*avv.*) ....

A8

il cambiamento ....

avvenire (*p.p.* avvenuto - aus. *ess.*) ....

A9

porsi domande, pongo (*p.p.* posto) ....

il/la parente ....

il/la minore ....

il/la conoscente ....

il figlio unico/la figlia unica ....

B1

il piano terra ....

il certificato ....

l'adozione (*f.*) ....

il riconoscimento ....

variazioni anagrafiche (*pl.*) ....

l'atto notorio ....

il certificato anagrafico ....

il certificato storico ....

la statistica ....

l'A.I.R.E (Anagrafe degli Italiani
Residenti all'Estero) ....

l'altro ieri ....

certificato di residenza ....

fare la richiesta di q.c. ....

comunicare ....

l'impiegato/a ....

pagamento in contrassegno ....

servirsi di q.c. o di qu. ....

l'autocertificazione (*f.*) ....

il modulo ....

scaricare da Internet ....

richiedente ....

la (foto)copia ....

il documento d'identità ....

valido/ -a ....

l'Ufficio Anagrafe ....

richiamare ....

B3

riavere ....

l'autorizzazione (*f.*) ....

il permesso di soggiorno ....

il permesso di lavoro ....

B4

il futuro anteriore ....

la supposizione ....

Lettura 1

i rossi ....

in cima a ....

la scala ....

lucidare col sidol l'aureola ....

San Giuseppe ....

volgersi, mi volto ....

il fagotto ....

Si capisce! ....

ribattere ....

osservare ....

avviarsi ....

la sagrestia ....

il partito ....

essere di moda ....

indossare ....

il paramento ....

appressarsi a q.c./qu. ....

il fonte battesimale ....

Russia ....

il coperchio ....

il badile ....

(senza) fiatare ....

sgattaiolare ....

bloccare ....

mettersi in mente ....

non è mica ... .

la burletta ....

sacro/ -a ....

inventare ....

la soperchieria ....

mettere il caso ....

morire, muoio (aus. *ess.*) ....

drammatizzare ....

Non vuol dire! ....

ammonire qu. ....

la tegola ....

il colpo apoplettico ....

allargare ....

Si fosse sicuri che … ....

l'Inferno ....

pur(e) essendo ....

un (brutto) arnese ....

capitare fra capo e collo (aus. *ess.*) ....

il Paradiso ....

ci penso io ....

seccato/ -a ....

il galantuomo ....

non mi importa niente ....

al massimo ... .

far presente q.c. a qu. ....

strampalato/ -a ....

mettere nei pasticci qu. ....

avere torto ....

rimediare ....

il chiavistello ....

Lettura 3

la spiegazione ....

Lettura 4

il ruolo ....

drammatizzare ....

C1

È da tanto che ... .

gli studi (*pl.*) ....

con i tempi che corrono ....

fare domanda (di lavoro) ....

spostarsi ....

Boston ....

adattarsi ....

la mobilità .... ,

prendere in considerazione ....

Mi raccomando! ....

C2

il punto centrale di una questione ....

l'accordo ....

C4

sostenere ....

il legame ....

essere disponibile a fare q.c. ....

C6

la formazione professionale ....

l'ostacolo ....

C7

vincere un concorso ....

il ministro ....

il governo ....

provvedere ....

il cervello ....

... in fuga ....

la rivolta ....

inutilmente (avv.) ....

regolare ....

convocare (la stampa) ....

firmare ....

la nazione ....

assolutamente (avv.) ....

emigrare ....

dimostrare ....

il precariato ....

la collaboratrice familiare ....

concorrere ....

il triplo ....

Ascolto 2

lo stage ....

avere le idee chiare ....

l'ospite (m./f.) ....

Si dice così

informarsi su q.c. o su qu. ....

rassegnarsi ....

far notare q.c. ....

UNITÀ 7 *Benvenuti in Sardegna!*

benvenuto/ -a ....

attirare ....

A

il nuraghe ....

Porto Cervo ....

A1

contrassegnare ....

passare da ... a ....

la monarchia ....

la repubblica ....

il referendum ....

suddividere (p.p. suddiviso) ....

politico/ -a ....

linguistico/ -a ....

geografico/ -a ....

in seguito ....

lo statuto speciale ....

garantire, garantisco ....

la coperta ....

il ferro (battuto) ....

la lavorazione ....

il corallo ....

sardo/ -a ....

il sughero ....

il tappo ....

di uso comune ....

il souvenir ....

aspro/ -a ....

selvaggio/ -a ....

disabitato/ -a ....

la costa ....

il parco marino ....

marino/ -a ....

sorgere (p.p. sorto) ....

la località balneare ....

esistente ....

la baia ....

Alghero ....

il golfo ....

Cagliari ....

la Costa Smeralda ....

il jet set ....

pur vivendo su un'isola ....

marinaro/ -a ....

pastorizio/ -a ....

la lana ....

la carne ....

guasto/ -a ....

il frigo bar ....

Lettura 1

apposito/ -a ....

la roccia ....

il torrente ....

il valico ....

la sorgente ....

il punto di ristoro ....

il bivio ....

il sentiero segnalato ....

l'altitudine (f.) ....

slm (sul livello del mare) ....

il dislivello ....

la S.S. (strada statale) ....

in rovina ....

svoltare ....

il granito ....

parcheggiare ....

distinto/ -a ....

la strada forestale ....

innalzarsi ....

il bosco ....

la quercia (da sughero) ....

nei pressi ....

ammirare ....

il centro storico ....

procedere ....

ghiaioso/ -a ....

la pista carrabile ....

il tornante ....

scendere (p.p. sceso) ....

la cavità abitativa ....

allestire ....

curvare ....

Lettura 2

ripido/ -a ....

l'altipiano ....

sino (fino) ....

la risalita ....

il sasso ....

il leccio ....

i resti (pl.) ....

l'ovile (m.) ....

giungere (p.p. giunto - aus. ess.) ....

in vista di ....

il monolito ....

il calcare ....

restringersi (p.p. ristretto) ....

l'ansa ....

l'arco ....

toccare ....

lo scalatore (f. la scalatrice) ....

affascinante ....

delimitare ....

l'acqua dolce ....

il/la medesimo/ -a ....

Lettura 3

piano/ -a ....

ai piedi di ....

Lettura 5

giornaliero/ -a ....

C1

intendersi di q.c. (p.p. inteso) ....

sia ... che ....

i crostacei (pl.) ....

i frutti di mare (pl.) ....

novello/ -a ....

forte ....

accompagnarsi a pietanze di carne ....

la pietanza ....

il gusto morbido ....

morbido/ -a ....

il retrogusto ....

amarognolo/ -a ....

il grado ....

sia ... sia ....

il formaggio stagionato ....

l'etichetta ....

il fiore sardo ....

la tecnica ....

il pastore ....

la Barbagia ....

il mirto ....

il pane carasau ....

C3

l'agnello ....

C4

consumare ....

C5

gli gnocchetti sardi ....

il tempo di cottura ....

ovvero ....

ineguagliabile ....

il sugo ....

saporito/ -a ....

da consumarsi preferibilmente entro ....

il pecorino sardo maturo ....

il latte di pecora ....

il caglio ....

i fermenti lattici ....

il conservante ....

da conservare al fresco ....

C7

la quantità ....

i salatini (pl.) ....

C9

l'allergia ....

dimenticarsi di ....

C10

pentirsi di q.c. ....

Si dice così

tranquillizzare qu. ....

Su, vedrai che ... .

UNITÀ 8 *Ripasso*

A2

passarsi qualcosa ....

il biglietto ....

A3

il messaggio ....

A4

il capo reparto ....

andare in pensione ....

il tempo stringe ....

la mensa aziendale ....

detestare ....

non badare a spese ....
mettere in imbarazzo ....
l'imbarazzo ....
basta che ... .
rendere felice (p.p. reso) ....
l'iscrizione (f.) ....
l'Università della Terza Età ....

B1
però insomma ....

C1
concludere (p.p. concluso) ....
innanzi tutto ....
farsi vivi ....
ridursi, mi riduco (p.p. ridotto) ....
a tempo pieno ....
l'asilo ....
stanco/ -a (morto/ -a) ....
c'è in vista ....
l'avanzamento di carriera ....
il sacrificio ....
fortunatamente (avv.) ....
fare progressi ....
mi farebbe piacere ....
fare piacere ....
la chiacchierata ....
Spero di ricevere presto tue notizie. ....
abbracciare qu. ....
l'affetto ....

UNITÀ 9 *Che giornataccia!*

Che giornataccia! ....
il lettore (f. la lettrice) ....
aiutare qu. ....
la grana ....
prima ....
di fianco a me ....
sbuffare ....
la boccata ....
la faccia ....
il marciapiede ....
lo slalom ....
la schifezza ....
di vario genere ....
salire in auto, salgo ....
tagliare la strada ....
urlare ....
la ridda ....
l'insulto ....
il/la fidanzato/ -a ....
la maleducazione ....
diffuso/ -a ....
insostenibile ....
tra capo e collo ....
quotidiano/ -a ....
confidare in q.c. ....
la comprensione ....
brillante ....

A
doc (denominazione d'origine controllata) ....

A1
intendere (p.p. inteso) ....
Cosa vuole che Le dica? ....
rifarsi a, mi rifaccio (p.p. rifatto) ....
la citazione ....
Il pendolo di Foucault ....
lo/la stupido/ -a ....
Non si scappa. ....
tranne ....
offendere (p.p. offeso) ....
mandare al diavolo qu. ....
liberatorio/ -a ....
insultare ....
picchiarsi ....
colto/ -a ....
copiare ....
lo stimolo ....
l'ironia ....
il detrattore ....
la filosofia ....
la new age ....
indurre, induco (p.p. indotto) ....
il rilassamento ....
appunto ....
l'energia ....
la scarica ....
l'adrenalina ....
persino ....
il/la nemico/ -a di ....
il buonismo ....

A2
sbagliato/ -a ....
fumare come una ciminiera ....
mettere il naso negli affari altrui ....

A4
peggio ....
scortese ....
parlare alle spalle di qu. ....

A5
il conflitto ....
fastidioso/ -a ....

B
prendere la multa (p.p. preso) ....
rispettare ....
il divieto ....
il senso unico ....
il divieto di sosta ....
il passo carrabile ....
la zona a traffico limitato ....
il veicolo ....
autorizzato/ -a ....

Glossario per unità

B2

l'infrazione (*f.*)
comm<u>e</u>ttere (*p.p.* commesso)
dare la multa
la sosta vietata
fino a prova contraria
la prova
il cartello
fuori dagli spazi consentiti
a ridosso di
il passo carr<u>a</u>io
cav<u>a</u>rsela
rimu<u>o</u>vere (*p.p.* rimosso)
far caso a q.c.
ostruire (il passaggio), ostruisco
intralciare
il v<u>i</u>gile
chi<u>u</u>dere un occhio (*p.p.* chiuso)
ins<u>i</u>stere
È cominciata proprio alla grande.
Ma guarda che roba. (*fam.*)
fuori dalle strisce

B4

sotto stress
giustificarsi
il contratto
scordarsi di q.c.

B5

l'incredulità
conciliante

B6

parcheggiare in seconda fila
l'assenza
più del previsto
impedire, impedisco
andare di fretta

B8

<u>e</u>ssere di malumore
la giornata storta
storto/ -a
mantenere la calma, mantengo
ingiusto/ -a

Lettura 1

la contravvenzione
con tono rassegnato
rassegnarsi
Ebbé mi pare evidente.
perdonare
sbagliare
Siamo giusti!
l'aliscafo
a presc<u>i</u>ndere che
l'automezzo
rim<u>e</u>tterci (*p.p.* rimesso)
il/la conducente
ritirare la patente a qu.

il passeggero
militarmente (*avv.*)
il libretto di circolazione
spontaneamente (*avv.*)
non tirar fuori una lira
tirato/ -a di mano
trionfante
la folla
laconicamente

Lettura 2

l'eccesso di velocità
<u>e</u>ssere disposto/ -a a

Lettura 4

memorizzare

C

Dove Le fa male?

C1

il pronto soccorso
il dolore
cadere (aus. *ess.*)
ferirsi, mi ferisco
scottarsi
tagliarsi
scivolare (aus. *ess.*)

C2

m<u>e</u>ttere giù
il piede
la caviglia
gonfio/ -a
la radiograf<u>i</u>a
la frattura
l'equilibrio
f<u>i</u>nire per terra
b<u>a</u>ttere la testa
il tragitto
appoggiare (il piede a terra)
Le è andata bene.
la lussazione
la fascia el<u>a</u>stica
a patto che (*cong.*)
m<u>e</u>ttersi a riposo
l'ortop<u>e</u>dico/ -a

C3

il/la paziente

C5

lo studio polispecial<u>i</u>stico
farsi dare un appuntamento (*p.p.* fatto)
ris<u>o</u>lvere (*p.p.* risolto)
addominale
t<u>o</u>gliere i punti (*p.p.* tolto)
il mal d'orecchi
infiammarsi
la ferita
la fasciatura

il senso di nausea ....

il medico generico ....

il/la pediatra ....

il chirurgo ....

l'odontoiatra (m./f.) ....

il/la dermatologo/ -a ....

l'oculista (m./f.) ....

l'internista (m./f.) ....

l'ostetrica ....

il/la ginecologo/ -a ....

il/la neurologo/ -a ....

lo/la psichiatra ....

l'otorinolaringoiatra (m./f.) ....

C6

la sala d'attesa ....

l'ecografia ....

le analisi del sangue (pl.) ....

D

Ma dai! ....

Non ci credo! ....

D1

Dio che giornata! ....

essere sfinito/ -a ....

Il computer si è bloccato. ....

godersi q.c. ....

Ogni giorno ne capita una nuova. ....

all'ultimo momento ....

incinta ....

il carabiniere ....

la caserma ....

denunciare ....

il furto ....

Ma roba da matti! ....

D5

entrambi/-e (pl.) ....

al corrente ....

Ascolto 1

la criminalità ....

arrestare ....

lo scippatore ....

la pattuglia dell'arma ....

svuotare ....

a bordo di ....

il ciclomotore ....

scippare qu. ....

segnarsi q.c. ....

il numero di targa ....

il rapinatore ....

accertare ....

maggiorenne ....

minorenne ....

compiere uno scippo ....

ai danni di qu. ....

il danno ....

Ascolto 2

derubare ....

sporgere denuncia (p.p. sporto) ....

Si dice così

ribadire ....

UNITÀ 10 *Ti voglio bene.*

voler bene a qu. ....

sentirsi a proprio agio ....

al di fuori di ....

A

Peccato davvero! ....

A4

incuriosire, incuriosisco ....

A5

dai tempi di scuola ....

essere legato a qu. ....

essere affezionato a qu. ....

B1

essere in giro ....

fare un po' di pratica ....

d'altra parte ....

B3

il discorso diretto ....

B4

il foglietto ....

rivelare ....

essere promosso ....

B6

la Tunisia ....

la macchina fotografica digitale ....

non mi andava ....

scomparire nel nulla ....

scomparire (p.p. scomparso - aus. ess.) ....

B7

incomprensibile ....

C

L'unione fa la forza! ....

C1

l'albero ....

la pianta ....

la marcia ....

in difesa di ....

il corteo ....

il box ....

marciare ....

la foglia ....

rinfrescare ....

il tronco ....

il cantiere ....

sotterraneo/ -a ....

lo striscione ....

il fischietto ....

trascinare ....

C2

affermare ....

il punto di vista ....

la manifestazione ....

l'idealista (*m./f.*) ....

scettico/ -a ....

l'efficacia ....

scendere in piazza (*p.p.* sceso) ....

Non serve a un bel niente. ....

tenere a q.c., tengo ....

la perdita di tempo ....

l'opinione pubblica ....

comunale ....

muovere q.c. (*p.p.* mosso) ....

il/la disfattista ....

passivo/ -a ....

votare ....

fare uso di q.c. ....

difendere (*p.p.* difeso) ....

C3

a favore di qu./q.c. ....

contro ....

la partecipazione ....

C4

la guerra ....

la xenofobia ....

la centrale nucleare ....

il diritto allo studio ....

il licenziamento ....

C6

la tavola rotonda ....

D

sedurre, seduco (*p.p.* sedotto) ....

il gatto ....

D1

l'animale (*m.*) ....

diffidare di q.c./qu. ....

D2

imporre, impongo (*p.p.* imposto) ....

in fin di vita ....

la siepe ....

il/la trovatello/ -a ....

essere diffidente ....

affettuoso/ -a ....

ubbidiente ....

la resistenza ....

furbo/ -a ....

le fusa (*pl.*) ....

la moina ....

saltare ....

l'aspirazione (*f.*) ....

avvolgersi a (*p.p.* avvolto) ....

sdraiarsi ....

il felino ....

gattolico ....

D4

indire, indico (*p.p.* indetto) ....

l'oggetto del cuore ....

sufficiente ....

la conchiglia ....

D5

instaurare un rapporto ....

ispirare diffidenza ....

inaspettatamente ....

piacevole ....

Lettura 1

coprire (*p.p.* coperto) ....

la chiazza ....

incartapecorito/ -a ....

l'uccellino ....

il lupo ....

spiacevole ....

l'equivoco ....

saltare all'occhio ....

dimostrare qualche anno in più ....

ricorrente ....

sottile ....

urtare i nervi ....

il sotterfugio ....

il sibilo ....

spodestare qu. ....

il teschio ....

il promesso sposo, la promessa sposa ....

a picco sugli scogli ....

lo scoglio ....

la destinazione ....

il girocollo ....

l'orecchino pendente ....

Lettura 2

il coetaneo (*f.* - la coetanea) ....

Lettura 3

verticale ....

Lettura 5

parzialmente (*avv.*) ....

E

eccezionale ....

E1

adorare ....

trovarsi bene con qu. ....

E2

il destinatario (*f.* - la destinataria) ....

il mittente (*f.* - la mittente) ....

il tesoro ....

UNITÀ 11 *Quale Italia?*

regionale ....
la polenta ....
il riso ....
la salsiccia ....
la ricotta ....
le cime di rapa ....
friggere (*p.p.* fritto) ....
la focaccina ....
ripieno/ -a ....
il rosmarino ....
l'uccello ....
il pisello ....
la cialda ....
la chiacchiera (di carnevale) ....
il cocomero ....
il melone ....
l'ambito ....

A1

il passo ....

A2

il fumetto ....
E adesso sotto … ....
Massimo d'Azeglio ....
le condizioni sociali (*pl.*) ....
sanitario/ -a ....
arretrato/ -a ....
il meridione ....
Giustino Fortunato ....
l'unificazione (*f.*) ....
il/la martire ....
lo statista ....
il soldato ....
unificare ....
la moneta ....
circolare ....
finanziario/ -a ....
disperato/ -a ....
la pellagra ....
la scarsità ....
la Maremma ....
il Polesine ....
le paludi Pontine ....
la palude ....
la malaria ....
il colera ....
il tifo ....
colpire, colpisco ....
l'acquedotto ....
l'istruzione pubblica ....
l'obbligo ....
il servizio militare ....
sottrarre, sottraggo (*p.p.* sottratto) ....
la pesca ....
Enzo Biagi ....

A3

inesistente ....

A4

umido/ -a ....
malsano/ -a ....
sviluppare ....

A7

l'analfabetismo ....

A9

mettere in ordine ....
la marcia su Roma ....
Benito Mussolini ....
il capo del governo ....
entrare in guerra ....
la prima guerra mondiale ....
la seconda guerra mondiale ....
approvare ....
proclamare ....
Mani pulite ....

A10

una serie di domande ....

Ascolto 1
la lingua madre ....

Ascolto 2
la minoranza linguistica ....
il ladino ....
il Piemonte ....
il Veneto ....
la Valle d'Aosta ....
il Friuli ....
la Lombardia ....
la Liguria ....
il Trentino Alto Adige ....

Ascolto 3
le Dolomiti ....

Ascolto 4
la distribuzione ....
l'insediamento ....
l'albanese ....
il catalano ....
il croato ....
il francofono ....
il franco provenzale ....
il friulano ....
il greco ....
l'occitano ....
lo sloveno ....

B1

il folklore ....
l'attaccamento ....
la radice ....
intollerante ....
Fatto sta che ... .

il vernacolo ....

la conferma ....

Istat (*Istituto centrale di statistica*) ....

totale ....

la parlata (locale) ....

il dato di fondo ....

specie (*avv.*) ....

la generazione ....

resistere ....

prevalentemente ....

l'estraneo/ -a ....

il/la sociologo/ -a ....

la sopravvivenza ....

la giustificazione ....

il bisogno di fondo ....

l'affermazione ....

l'appartenenza ....

l'orgoglio ....

B4

i rifiuti (*pl.*) ....

surgelato/ -a ....

immangiabile ....

fare schifo ....

gettare ....

la spazzatura ....

dammi qua ....

il (rifiuto) secco ....

umido ....

il (rifiuto) organico ....

il raccoglitore ....

mi tocca ....

la raccolta differenziata ....

E vabbè! ....

ecologista ....

B7

insopportabile ....

invivibile ....

imbevibile ....

irripetibile ....

illeggibile ....

imprevedibile ....

comprendere (*p.p.* compreso) ....

il documento ....

il prefisso ....

modificare ....

B9

il consumo ....

biologico/ -a ....

rinnovabile ....

suddividere i rifiuti (*p.p.* suddiviso) ....

sprecare ....

il Vademecum ....

compiere ....

la dicitura ....

non ... nulla ....

l'ecolabel ....

concedere (*p.p.* concesso) ....

nel rispetto di ....

l'installazione (*f.*) ....

il depuratore ....

rendere migliore (*p.p.* reso) ....

l'elettrodomestico ....

ridurre, riduco (*p.p.* ridotto) ....

le spese (*pl.*) ....

la cisterna ....

l'acqua piovana ....

la spesa on line ....

inquinante ....

il sapone (di Marsiglia) ....

Marsiglia ....

la consegna a domicilio ....

razionalizzare ....

inquinare ....

C1

Calabria ....

tra l'altro ....

che io sappia ....

la comunità ....

il rito ....

greco-ortodosso ....

la cerimonia ....

l'anello ....

posare ....

la coroncina ....

il fiore d'arancio ....

il capo ....

lo sposo (*f.* - la sposa) ....

frantumare ....

affinché (*cong.*) ....

sancire, sancisco ....

l'indissolubilità ....

Ma senti! ....

il Vangelo ....

il canto ....

augurale ....

Eccome! ....

Ci siamo fatti una mangiata! ....

fino a notte inoltrata ....

inoltrato/ -a ....

simbolico/ -a ....

C2

il pericolo ....

intervenire, intervengo ....

intervenire (*p.p.* intervenuto - aus. *ess.*) ....

C4

non avere niente in contrario se ....

C5

turco/ -a ....

l'usanza ....

riguardante ....

religioso/ -a ....

Lettura 1

il diario ....

il/la tredicenne ....

lo strillo ....

il babbo ....

America ....
di nascosto ....
pure ....
il traditore ....
recitare ....
dare torto a qu. ....
essere contrariato/ -a ....

Lettura 5

il detto popolare ....
il significato ....
l'interpretazione ....
Genova ....
la cipolla ....
Sicilia ....
la zucchina ....
nutrirsi ....
Napoli ....
la tempesta ....
il buco ....
il porto ....
l'uva ....
il gelso ....
Abruzzo ....
la mosca ....
l'oro ....
l'argento ....
il piombo ....
sodo/ -a ....

Si dice così

il disgusto ....
la cautela ....
commentare ....

UNITÀ 12 *Ripasso*

A3

tagliare corto ....

A4

peggiorare (aus. *ess.*) ....
il maltempo ....
mar mosso ....
affrettarsi ....
l'alternativa ....
l'esame (*m.*) ....
stare sui nervi a qu. ....
il terrore ....
volare ....

B1

si fa per dire ....
riprendersi, mi riprendo (p.p. ripreso) ....
lo shock ....
rimanere male, rimango ....
rimanere, (*p.p.* rimasto - aus. *ess.*) ....
dare una spinta a qu. ....
sparire, sparisco (aus. *ess.*) ....
lo spavento ....
relativizzare ....

C1

la conclusione ....
le istruzioni per l'uso (*pl.*) ....
l'inverso ....
il pianto ....
la confidenza ....
superare ....
candido/ -a ....
promettersi (*p.p.* promesso) ....
mantenersi in contatto, mantengo ....
deluso/ -a ....
geloso/ -a ....
la conoscenza ....
allontanarsi ....
avvicinarsi ....
natalizio/ -a ....
impressionante ....
l'incidente stradale (*m.*) ....
stradale ....
la dichiarazione d'intenti ....
per pigrizia ....
incolonnato/ -a ....

C2

la cintura di sicurezza ....
il casco ....
maleducato/ -a ....
il bidone ....

Trascrizioni

Qui trovate le trascrizioni integrali di alcuni testi che non sono riportati integralmente o non sono riportati per niente nell'unità corrispondente.
Gli esercizi e i testi delle attività di *Ascolto* non sono qui riportati perché gli insegnanti possono trovare le rispettive trascrizioni nella *Guida per l'insegnante*.

Unità 1 Sei un mito!

D1 Ascoltate

● Sai che hanno finalmente riaperto il Teatro *La Fenice*?
○ Davvero? No, non lo sapevo. Allora i lavori sono finiti?
● Eh, sì ... ed era anche ora! Sono durati sei anni! Figurati che il comune ha cominciato la ricostruzione nel '97, un anno dopo l'incendio. Adesso, dopo diverse interruzioni, finalmente hanno finito. Per l'inaugurazione c'è stato un concerto diretto da Riccardo Muti.
○ Beh, è chiaro, per un evento del genere. Certo che questo teatro ne ha viste delle belle! Due volte bruciato e due volte ricostruito ...
● Eh, cosa vuoi, per la città di Venezia *La Fenice* è più che un simbolo, è un vero e proprio mito!

Unità 4 Ripasso

B1 Ascoltate e completate.

● Forse sono stereotipi, non lo so, però insomma queste sono un po' le differenze, anzi, eh ..., c'era questa storiella che che ho sentito sugli emiliani e i romagnoli. L'emiliano si alza la mattina, si lava i denti, fa colazione, legge il giornale e va a lavorare. Il romagnolo si alza la mattina, si guarda allo specchio e dice: "Io sono romagnolo".
○ Ah, quindi proprio, insomma, come a dire, questa è la mia identità e per me è la cosa più importante del mondo.
● Esattamente, se poi è vero non lo so. Probabilmente un fondo di verità ci sarà anche, comunque ... ti ripeto quello che ho sentito, ecco.
○ Mmm ... senti, e invece poi dal punto di vista di ..., delle specialità culinarie, o di altre caratteristiche, ora, non legate alle persone, ma legate alla zona?
● Dunque ...
○ Ti viene in mente qualcosa, c'è qualcosa di particolare?

● Sì, beh, la prima cosa che mi viene in mente naturalmente è la piadina ...

Unità 5 Buona domenica!

D4 Ascoltate

● Buongiorno, *il Corriere della Sera* e *La Gazzetta dello Sport*.
▲ Un euro e settanta.
○ Buongiorno ... *La Gazzetta* ... Ciao Arturo.
● Ciao Bruno.
○ Allora secondo te chi resta in panchina oggi?
● Non lo so, tanto contro quella squadra lì possiamo vincere senza fatica, purché non ci sia un arbitro come l'altra volta ...
○ Eh, facile dare la colpa all'arbitro. Avete la difesa che perde acqua da tutte le parti. Non basta avere gli attaccanti buoni se i difensori non sono in vena ... Ci vai allo stadio a vedere la partita?
● Certo che ci vado. E tu?
○ No, abbiamo ospiti a pranzo. Tu adesso cosa fai, vai subito a casa o vieni a prendere l'aperitivo?
● Se me lo offri tu.
○ Però, se perdete, domenica prossima tocca a te!

Unità 8 Ripasso

B1 Ascoltate e completate.

● E io, guarda, ho una notizia! Ho trovato un lavoro finalmente! Sai che è da tanto tempo che lo cercavo!
○ Un lavoro? Davvero? Sono contenta per te!
● Mmm, sì guarda, l'unico problema è che non è esattamente a Stoccarda, è a Marbach, vicino a Stoccarda, però insomma ci s'arriva abbastanza bene con il treno e poi eventualmente potrei anche pensare di comprare una macchina.
○ Addirittura una macchina! Ma dai, Stoccarda è ben fornita di mezzi, quindi non penso che avrai problemi.
● Eh sì, perché sai, i collegamenti degli autobus e dei treni ... bene, comunque insomma non sarà un problema! L'importante è lavorare! E tu poi in Italia cosa farai?
○ Eh, non ho ancora idea!

Unità 9 Che giornataccia!

A2 ⌔ **Ascoltate e completate i fumetti.**

1. ○ Elena? Elena, puoi venire un attimo? Il dottor Finallegri vuole che tu riscriva la lettera perché ha firmato al posto sbagliato.
   ● Che vada a farsi benedire. Proprio ora che volevo andare a casa.

2. ○ Ma che tosse che hai! Guarda che anche Gianni dice che dovresti smettere di fumare.
   ● Che stia zitto. Parla proprio lui che fuma come una ciminiera.

3. ○ Paola! Vuoi uscire dal bagno? Tuo fratello aspetta da mezz'ora.
   ● Che vada al diavolo. Io aspetto sempre delle ore quando è in bagno lui!

4. ○ Francesca mi ha raccontato quello che è successo ieri. Secondo lei non avresti dovuto reagire così.
   ● Ma che si faccia i fatti suoi invece di mettere sempre il naso nei miei.

Unità 10 Ti voglio bene!

A2 ⌔ **Ascoltate**

○ Guarda, Barbara, mi dispiace così tanto di non essere potuta venire al matrimonio di Alessandro ...
● Ah, peccato davvero! Beh, dai, vieni che ti faccio vedere qualche foto.
○ Oh, sì, volentieri.
● Ecco, guarda, questa signora con il vestito nero e la stola viola la riconosci? È mia cugina Angela.
○ Angela!? Ma guarda come è cambiata! Giocate sempre a carte insieme?
● Mah, ora un po' più di rado, da quando deve occuparsi di sua madre ha meno tempo, però ci sentiamo sempre, tu lo sai, per me Angela è come una sorella.
○ Sì, sì. E questa signora in prima fila con il vestito a fiori non è tua zia Caterina?
● Sì, è lei. È sempre uguale, vero?
○ Sì, davvero. Mi ricordo che quando litigavi con tua madre andavi sempre a confidarti con lei.
● Sì. È sempre stata la mia zia preferita. Questo qui in piedi, con la cravatta rossa è lo zio Ettore, suo marito, quello che faceva impazzire Alessandro ai tempi dell'università.
○ Perché?
● Ma sai, mio zio è uno che ha sempre messo il naso negli affari degli altri. Quando veniva a trovarci e vedeva che Alessandro era sempre in giro, gli diceva che doveva studiare altrimenti non sarebbe mai arrivato alla laurea. Ripeteva sempre che lui alla sua età aveva già finito gli studi e lavorava.
○ Erano anche altri tempi ...
● Addirittura una volta gli chiese se voleva fare un po' di pratica nel suo studio ma Alessandro naturalmente gli rispose di no. D'altra parte era proprio lo zio Ettore che gli diceva continuamente di andare all'estero.
○ Allora sarà orgoglioso di lui, visto che ha seguito il suo consiglio.
● Come no, e in fondo anche Alessandro gli è molto affezionato.
○ Senti un po', Barbara, ma questo qui senza cravatta chi è?
● Eh, questo è Riccardo, lui ed Alessandro si conoscono dai tempi della scuola, praticamente sono cresciuti insieme. E lei è Simonetta, la sua ragazza.
○ E i testimoni chi erano?
● Eh, per Alessandro era Riccardo, e per la sposa invece era questa ragazza bionda con la giacchina fucsia e gli occhiali da sole. Si chiama Lorella, era una sua compagna di liceo a cui è molto legata ...

Unità 12 Ripasso

B1 ⌔ **Ascoltate e completate.**

○ Ciao!
● Come stai?
○ Sì, sto abbastanza bene adesso, grazie! Eh ... mi sono ripresa, diciamo, dallo shock che ho ...
● Dallo shock?
○ Eh sì, sai, dallo shock, insomma, si fa per dire. Eh, no, mi hanno scippata.
● Oh mio Dio!
○ Un paio di settimane fa.
● Mmm.
○ E quindi sai sono rimasta un po' male. Eh, no, è successo di sera. Ero, ero in giro con una mia amica. Eravamo state al cinema, stavamo camminando quando qualcuno mi ha dato una spinta e quindi stavo quasi per cadere in avanti e mi sono accorta che non avevo più la borsa. E ho visto un ragazzino scappare e ho cercato, ho cercato di andargli dietro, ma naturalmente lui era più veloce di me, e poi all'angolo della strada c'era un motorino con un suo amico e lui è saltato su e sono spariti.
● Sì, sì, sono sempre in due poi.
○ Eh sì, eh sì. Insomma è stato un po' uno spavento, sai ...

Fonti testi e illustrazioni

p. 13: Roberto Degli Innocenti, Pistoia; p. 14: Teatro la Fenice, Venezia; p. 15: Testo tratto da: C. Collodi, Le avventure di Pinocchio, Firenze 1883; p. 18: Francesco Cascioli, Roma; p. 21: Roberto Degli Innocenti, Pistoia; p. 24: Roberto Degli Innocenti, Pistoia; p. 26: Carosello Records and Tapes, Warner Music Italia Srl; p. 30: Roberto Degli Innocenti, Pistoia (Guareschi, Sangiovese); Meridiana Immagini, Bologna (Granata Images, Ferrara); p. 32: Meridiana Immagini, Bologna (Paolo Righi); Testo tratto da: Bell'Italia, febbraio 2002, supplemento n. 73; p. 33: Ferrari, Maranello; Testo tratto da: Famiglia Cristiana n. 46, 16 novembre 2003; p. 34: Per gentile concessione del comune di Forlì; p. 38: Nevio Doz, Milano; p. 41: Testo tratto da: A. Pascale, La manutenzione degli affetti, Einaudi, Torino 2003; p. 45: Courtesy of Mart, Museo d'Arte Moderna e Contemporanea di Trento e Rovereto; p. 47: Roberto Degli Innocenti, Pistoia; p. 48: Testo tratto da: B. Severgnini, Manuale dell'imperfetto sportivo, Rizzoli, Milano 2003; p. 49: Roberto Degli Innocenti, Pistoia; p. 52-53: Testi e Foto tratti da: Donna Moderna n. 45, 12 novembre 2003; p. 56: Roberto Degli Innocenti, Pistoia; p. 57: Museo Don Camillo e Peppone, Brescello; Testo tratto da: G. Guareschi, Don Camillo, Milano 1948; p. 59: Testo tratto da: la Repubblica, 8 novembre 2003; p. 60: Istituto Italiano di Cultura di Stoccarda; p. 62: ESIT, Cagliari; www.mondosardegna.net (nuraghi); p. 63: ESIT, Cagliari; p. 64: Cesare Ghilardelli; Roberta Robustelli; Julian Maier; p. 75: Testo tratto da: la Repubblica, 23 luglio 2003; p. 76-77: Testi tratti da: Gioia n. 13, 3 aprile 2001, Rusconi, Milano; p. 80: Testo tratto da: L. De Crescenzo, Così parlò Bellavista, Mondadori, Milano 1977; p. 84: Testo tratto da: Il Tirreno, 28 luglio 2004; p. 87 - 88: Roberta Robustelli; p. 89: Testo tratto da: la Repubblica, 3 maggio 2004; p. 91: Testo tratto da: Gioia, 6 marzo 2003, Rusconi, Milano; p. 92-93: Testi tratti da: M. Lodoli, Cani e lupi, Einaudi, Torino 1995; P. Maurensing, Venere lesa, Mondadori, Milano 1998; A. Ferracuti, Nafta, Guanda, Milano 2000; D. Maraini, Voci, Rizzoli, Milano 1994; N. Ammaniti, Io non ho paura, Einaudi, Torino 2001; N. Ginzburg, La strada che va in città, Einaudi, Torino 1942; B. Palombelli, C'era una ragazza, Mondadori, Milano 1999; p. 94: www.cartoline.net; p. 97: Testi e Illustrazioni tratti da: E. Biagi, Storia d'Italia a fumetti, Mondadori, Milano 1986; p. 99: Istituto Culturale Ladino, Vigo di Fassa; p. 101: Testo tratto da: Gioia, 23 settembre 2003, Rusconi, Milano; p. 103: Testo tratto da: E. De Luca, Montedidio, Feltrinelli, Milano 2003; p. 108: Testi tratti da: Gioia, 6 marzo 2003, Rusconi, Milano; Gente viaggi, marzo 2003, Mondadori, Milano; p. 109: Testo tratto da: Corriere della sera, 12 luglio 2004; p. 110: Fondazione Carnevale di Viareggio, Viareggio (Archivio Fotografico, Carnevale); p. 111: Umbria Jazz, Jazzfestival; Gino Cadeggianinni Viola Film, (Festa di Sant'Anna); Azienda di Promozione Turistica, Venezia (Regata storica); p. 119: Giunti Editore SpA, Firenze; p. 134: Musei Civici Veneziani, Servizio Marketing Immagine Promozione, Venezia; p. 136: Testo tratto da: Famiglia Cristiana; p. 142: Testo tratto da: Grazia, 25 febbraio 2003, Rusconi, Milano; p. 153: Arnoldo Mondadori, Milano.

p. 2: Cartografia del Touring Club Italiano - autorizzazione del 26 novembre 2004.

Nonostante il nostro impegno, in alcuni casi non siamo riusciti a rintracciare i detentori dei diritti d'autore. In tal caso, li invitiamo a mettersi in contatto con la casa editrice.

Canzoni:
Lo shampoo © & ℗ 1999 Carosello Records & Tape Warner Music Italia Srl
Domenica Bestiale © & ℗ 1998 – 2002 Universal Music Italia Srl

Voci-CD: Nicola Brocca, Massimiliano D'Antonio, Laura De Bortoli, Laura Franco, Cesare Ghirardelli, Valeria Giaccardi, Friederike Keck, Francesca Maier, Elena Migliari, Marco Montemarano, Giovanna Mungai-Maier, Valentina Nucera, Elena Poi, Roberta Robustelli, Linda Toffolo, Angela Toso.

Una grammatica italiana per tutti 2

Regole d'uso, esercizi e chiavi per studenti stranieri

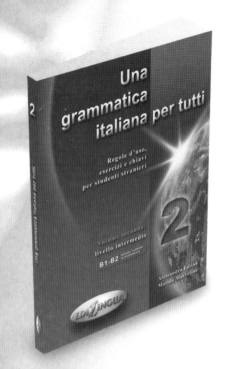

Una Grammatica italiana per tutti si rivolge a studenti adolescenti e adulti e può corredare e completare qualsiasi manuale, in quanto progettata seguendo una gradualità, sia grammaticale sia lessicale, che rispecchia i libri di testo utilizzati nei corsi di lingua di questo livello. Ciò non toglie, ovviamente, che il libro, grazie alle chiavi degli esercizi e alla sua impaginazione chiara e moderna, possa essere utilizzato anche in autoapprendimento.

Il primo volume (A1-A2) comprende i seguenti fenomeni grammaticali: nome, articolo, presente indicativo, passato prossimo, imperfetto, futuro, imperativo, condizionale, aggettivo, preposizioni, pronomi diretti, *ci* e *ne*, pronomi indiretti, *si* impersonale. Il secondo volume (B1-B2), invece, comprende: indefiniti, comparativi, interrogativi, pronomi combinati e relativi, imperativo, congiuntivo, forma passiva, si passivante, discorso indiretto, subordinazione, periodo ipotetico, uso dei tempi.

Ciascun volume è organizzato in una:
• parte teorica che esamina le strutture della lingua italiana in modo chiaro ma completo;
• parte pratica, a fronte, con una vasta gamma di esercizi.

La Prova Orale 2

Materiale per la conversazione e la preparazione agli esami orali

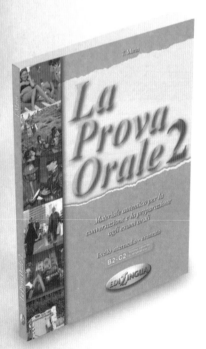

La Prova Orale 2 costituisce il secondo volume di un moderno manuale di conversazione che aiuta gli studenti ad esprimersi in modo spontaneo e corretto, e, nello stesso tempo, mira a prepararli ad affrontare con successo la prova orale delle certificazioni delle Università di Perugia (Celi 3, 4 e 5) e Siena (Cils Due-B2, Tre-C1 e Quattro-C2), Plida (B2, C1 e C2) o altri diplomi.

La conversazione trae continuamente spunto da materiale autentico (fotografie-stimolo, grafici e tabelle da descrivere o da mettere a confronto, articoli di giornale, testi letterari e saggistici da riassumere, massime da commentare, compiti comunicativi da svolgere) e da preziose domande che motivano e stimolano gli studenti. Un glossario, infine, aiuta gli studenti a prepararsi per la discussione.

La Prova Orale 2 si può adottare in classi che hanno completato circa 160-180 ore di lezione e usare fino ai livelli più avanzati; il libro è stato studiato in modo da poter essere inserito in curricoli didattici diversi.

Collana Primiracconti
Un giorno diverso

Letture semplificate per studenti stranieri

Primiracconti è la collana di Edilingua di letture semplificate per gli studenti di italiano LS/L2. Ogni storia è accompagnata da:
- brevi note per spiegare parole ed espressioni;
- originali e simpatici disegni che facilitano la comprensione e rendono piacevole la lettura;
- domande di prelettura;
- attività per lo sviluppo di varie competenze;
- un CD audio con la lettura a più voci del testo ed esercitazioni d'ascolto;
- chiavi.

Un giorno diverso (A2-B1) racconta una giornata indimenticabile di un comune impiegato, Pietro, che un bel giorno decide di voler cambiare completamente vita. Nonostante cambiar vita non sia facile, Pietro, dopo alcuni anni di routine, decide di licenziarsi, decide di aprirsi alla vita e di godersi nuovamente la giornata, facendo colazione al bar, camminando per Roma, prendendo l'autobus, affrontando spiacevoli imprevisti, facendo spese. È proprio in un negozio di abbigliamento che conosce Cinzia...

I verbi italiani *per tutti*

Un nuovo metodo multimediale
per imparare i verbi italiani

I verbi italiani *per tutti* è un libro che raccoglie un centinaio di verbi tra quelli più utilizzati e può essere usato sia in classe che in autoapprendimento. Ciò che rende unico *I verbi italiani per tutti* è un approccio del tutto diverso da quelli tradizionali, un approccio "multimediale", che cerca di aiutare lo studente nel processo di memorizzazione e di apprendimento. Infatti, di ciascun verbo viene presentata:
- la coniugazione di tutti i tempi e i modi verbali in due tabelle colorate che permettono allo studente di distinguere facilmente il tempo verbale desiderato;
- un'illustrazione accattivante, un'immagine che rivela il significato del verbo descrivendone l'azione espressa in uno specifico contesto;
- la pronuncia (online) della coniugazione dei suoi modi e tempi più usati.

I verbi italiani per tutti è completato da una ricca Appendice con ulteriori verbi irregolari, una sezione sulle reggenze verbali eun glossario plurilingue (inglese, francese, spagnolo, portoghese e cinese).

edizioni Edilingua

Nuovo Progetto italiano 1 T. Marin - S. Magnelli
Corso multimediale di lingua e civiltà italiana. Livello elementare (A1-A2)

Nuovo Progetto italiano 2 T. Marin - S. Magnelli
Corso multimediale di lingua e civiltà italiana. Livello intermedio (B1-B2)

Nuovo Progetto italiano 3 T. Marin
Corso multimediale di lingua e civiltà italiana. Livello intermedio - avanzato (B2-C1)

Nuovo Progetto italiano Video 1 e 2 T. Marin - M. Dominici
Videocorso di lingua e civiltà italiana. Livello elementare - intermedio (A1-B2)

Progetto italiano Junior 1, 2, 3 T. Marin - A. Albano
Corso multimediale di lingua e civiltà italiana per adolescenti. Livello elementare - intermedio (A1-B1)

Progetto italiano Junior Video 1, 2, 3 T. Marin - M. Dominici
Videocorso di lingua e civiltà italiana per adolescenti. Livello elementare - intermedio (A1-B1)

Arrivederci! 1, 2, 3 F. Colombo - C. Faraci - P. De Luca - D. Biagi
Corso multimediale di italiano per stranieri. Livello elementare - intermedio (A1-B1+)

L'italiano all'università 1, 2 M. La Grassa - M. Delitala - F. Quercioli
Corso di lingua per studenti stranieri. Livello elementare - intermedio (A1-B2)

Allegro 1 L. Toffolo - N. Nuti
Corso multimediale d'italiano. Livello elementare (A1)

That's Allegro 1 L. Toffolo - N. Nuti
An Italian course for English speakers. Elementary level (A1)

Allegro 2 L. Toffolo - M. G. Tommasini
Corso multimediale d'italiano. Livello preintermedio (A2)

Allegro 3 L. Toffolo - R. Merklinghaus
Corso multimediale d'italiano. Livello intermedio (B1)

La Prova orale 1 T. Marin
Manuale di conversazione. Livello elementare (A1-B1)

La Prova orale 2 T. Marin
Manuale di conversazione. Livello intermedio - avanzato (B2-C2)

Vocabolario Visuale T. Marin
Livello elementare - preintermedio (A1-A2)

Vocabolario Visuale - Quaderno degli esercizi T. Marin
Attività sul lessico. Livello elementare - preintermedio (A1-A2)

Diploma di lingua italiana A. Moni - M. A. Rapacciuolo
Preparazione alle prove d'esame (B2)

Preparazione al Celi 3 M. A. Rapacciuolo
Preparazione alle prove d'esame. Livello intermedio (B2)

Sapore d'Italia M. Zurula
Antologia di testi. Livello medio (B1-B2)

Primo Ascolto T. Marin
Materiale per lo sviluppo della comprensione orale. Livello elementare (A1-A2)

Ascolto Medio T. Marin
Materiale per lo sviluppo della comprensione orale. Livello medio (B1-B2)

Ascolto Avanzato T. Marin
Materiale per lo sviluppo della comprensione orale. Livello superiore (C1-C2)

Scriviamo! A. Moni
Attività per lo sviluppo dell'abilità di scrittura. Livello elementare - intermedio (A1-B1)

Al circo! B. Beutelspacher
Italiano per bambini. Livello elementare (A1)

Forte! 1, 2, 3 L. Maddii - M. C. Borgogni
Corso di lingua italiana per bambini (6-11 anni). Livello elementare (A1-A2)

Collana Raccontimmagini S. Servetti
Prime letture in italiano. Livello elementare (A1-A1+)

Via della Grammatica M. Ricci
Livello elementare - intermedio (A1-B2)

Una grammatica italiana per tutti 1, 2 A. Latino - M. Muscolino
Livello elementare - intermedio (A1-B2)

I verbi italiani per tutti R. Ryder
Livello elementare - intermedio - avanzato (A1-C2)

Raccontare il Novecento P. Brogini - A. Filippone - A. Muzzi
Percorsi didattici nella letteratura italiana. Livello intermedio - avanzato (B2-C2)

Invito a teatro L. Alessio - A. Sgaglione
Testi teatrali per l'insegnamento dell'italiano. Livello intermedio - avanzato (B2-C2)

Mosaico Italia M. De Biasio - P. Garofalo
Percorsi nella cultura e nella civiltà italiana. Livello intermedio - avanzato (B2-C2)

Collana l'Italia è cultura M.A. Cernigliaro
Collana in 5 fascicoli: Storia, Letteratura, Geografia, Arte, Musica, cinema e teatro (B2-C1)

Italiano Medico D. Forapani
Servizi sanitari, Terminologia medica, Casi clinici (B1-B2)

Collana Primiracconti Letture semplificate per stranieri
Dieci Racconti (A1-A2) M. Dominici
Traffico in centro (A1-A2) M. Dominici
Mistero in Via dei Tulipani (A1-A2) C. Medaglia
Un giorno diverso (A2-B1) M. Dominici
Il manoscritto di Giotto (A2-B1) F. Oddo
Lo straniero (A2-B1) M. Dominici
Alberto Moravia (A2-B1) M.A. Cernigliaro
Undici Racconti (B1-B2) M. Dominici
L'eredità (B1-B2) L. Brisi
Italo Calvino (B1-B2) M.A. Cernigliaro
Il sosia (C1-C2) M. Dominici

Collana Cinema Italia - Attività didattiche per stranieri A. Serio - E. Meloni
Io non ho paura - Il ladro di bambini (B2-C1)
Caro diario: Isole - Medici (A2-B1)
I cento passi - Johnny Stecchino (C1-C2)

Collana Formazione

italiano a stranieri Rivista quadrimestrale per l'insegnamento dell'italiano come lingua straniera/seconda

INDICE DEL CD